9787539954998_3
U1000008

读客

读客中国史入门文库

顺着文库编号读历史，中国史来龙去脉无比清晰！

红顶商人

讲透中国传统商人生存之道的至高经典

从店伙计到大清首富花了30年，从首富到倾家荡产只花了3天。
经商的看到生存的安全边界；从政的看到权力的雷区所在。

胡雪岩

高 阳 著

3

人情是最重要的投资

江苏凤凰文艺出版社
JIANGSU PHOENIX LITERATURE AND ART PUBLISHING

原著作名《胡雪岩（下）》

第一章

当天两个人就到了上海，住在裕记丝栈。古应春得信赶来相会，见了胡雪岩略有忸怩之色。胡雪岩自然不会在那样的场合之下提到七姑奶奶，先听古应春谈上海的市面。丝价是涨了，由于庞二的支持，大家都齐心一致，待价而沽。但洋人似乎也很厉害，千方百计，自己到内地去收丝，辗转运到上海集中放洋。

“这局面当然不会长的。第一，费事；第二，成本不轻；第三，两江总督衙门等出了告示，为了维持威信，各处关卡自然要派兵盘查，严禁闯关。照我看，”古应春很兴奋地说，“洋人快要就范了。你来得正是时候。”

胡雪岩听此报告，自感欣慰。不过此行要办的事极多，得分缓急先后，一样一样来办。首先要打听的就是何桂清的下落。

“这就不晓得了！”古应春说，“学台是要到各府各州去岁考秀才的，此刻不知道在哪里。不过总打听得到的。这件事交给我。”

“不光是打听，有封紧要信要专人送去。”

“这也好办。你把信交给我好了。”

这件事有了交代，第二件就得谈浙江要买洋枪的事。古应春在接到胡雪岩的信以后，已经作过初步联络，只是那个洋人到宁波去了，还得几天才能回上海，唯有暂且等待。

最急要的两件事谈过，那就该谈七姑奶奶了。在路上，胡雪岩就已跟尤五商量好，到此辰光，须得回避，所以他一个眼色抛过去，尤五便托词去找朋友，站起身来，准备出门。

“五哥，”古应春说，“我替老胡接风，一起吃番菜去。”

“番菜有啥好吃？动刀动叉的，我也嫌麻烦，你们去吧！”

目送他的背影消失，胡雪岩便笑道：“老古，你瞒得我好！”

这一说，古应春立刻着急了。“你是说七姐的事？如果我有心瞒你，就是我不够朋友。”他有些气急败坏地说，“如果你也不谅解我，我就没有路好走了！”

“不要急，不要急！你慢慢地说给我听，大家一起想办法。我就不相信做不成这头媒。”

听得这两句话，古应春大感宽慰。“我就是怕信里说不清楚，又想你不久就要来了，所以索性不说。原是要等你来替我做个军师。”古应春说，“这件事搞成这么一个地步，你不晓得我心里的着急。真好有一比——”他咽着唾沫说不下去了。

“好比什么？”胡雪岩问道，“你作个比方，我就晓得你的难处在什么地方。”

“我好比‘鬼打墙’，不知道怎么一下会弄成了这个样子。”

胡雪岩笑着说：“酒能乱性，又碰着一向喜欢的人，生米下了锅，却又煮不成熟饭，实在急人！”

“对，对！”古应春抚掌称妙，“你这个比方真好。我和你说句心里的话，到了她那里，馋在眼里，饿在肚里，就是到不了嘴里，就为的是煮不成熟饭！”

“怎么？真的从那晚以后，就跟七姐没有‘好’过？”

胡雪岩想到尤五的话，说是七姑奶奶告诉过他，古应春从来没有在她那里留宿过一夜，如今又听他本人这样表示，心里不免存疑。男人的脾气他是知道的，七姑奶奶又是豪放脱略，什么都不在乎的性格，既有那一夜的“好事”，何以鸳鸯未续？似乎不近情理。

彼此极熟，无话不谈。论及闺阁，虽伤口德，但以七姑奶奶的情形不同，也不算“唐突佳人”，于是胡雪岩便笑道：“干柴烈火，就只烧过那么一回，这倒有点奇怪了！”

“说破了，你就不觉得奇怪。我是为了两层原因：第一，既然打算明媒正娶，该当尊重七姐，那一夜就如你所说的，‘酒能乱性’，另当别论；第二，婚事还有周折，后果如何，颇难逆料，倘或不成，且不说对不起七姐跟五哥，就是我自己良心上亦不安；再有，那不明内情的人一定说我始乱终弃，洋场上好说闲话的人最多，如果我有这么一个名声落在外面，那就不知道让人说得我如何不堪了！”

此言一出，胡雪岩肃然起敬。“老古，”他收敛了笑容，说了句使古应春深感安慰的话，“照你这样的存心，姻缘也不会不成。时候还早，我先去看看七姐。”

古应春略一沉吟，这样答道：“那就索性到她那里去吃饭。今天家里还有点菜。”

这样的语气，显得古应春跟七姑奶奶已经像夫妇一样，只欠同圆好梦而已。同时也听得出他和她的感情很不坏。一双两好、顺理成章的事，偏有那个“程咬金”来讲家法，真正可恨！

胡雪岩起了种不服气的心思，当即拍胸说道：“老古，你放心！你们那位老族长，看我来对付他。”

“慢来，老胡！”古应春惴惴然地说，“那是我的一位叔祖，又教先父念过书，你千万不可鲁莽。你倒说说看，是如何‘对付’？”

“‘对付’这两个字，好像不大好听。其实我不是想办法叫他吃瘪，是想办法叫他服帖。”

“那就对了。”古应春欣然问道，“你快说来听听，让我也好高兴高兴！”

“此刻还不到高兴的时候，只好说是放心。事情要做起来看，办法倒有一个，不过要我先跟七姐谈了再说。”

“啥时候谈？要不要我回避？”

“能回避最好。”

“那就这样，我陪你去了以后，我到外国伙食店去买些野味，你就在那里谈好了。”

这样约定以后，古应春便雇了一辆“亨斯美”的马车，到了棋盘街七姑奶奶的寓所。一见面，七姑奶奶喜不自胜。“小爷叔，”她说，“昨天晚上老古去了以后，我起牙牌，算定今天有贵人到，果不其然你来了！真正救命王菩萨！”接着她又瞟着古应春说，“都是他们的姓不好！遇着这么一个牛脾气的老‘古’板，真把我气得胃气都要发了。”

“不要气，不要气！只要你肯听我的话，包你也姓古！”

听得这话，古应春便站起身来，依照预先商量好的步骤，托词到洋人伙食店去买野味，离座而去。

等他一走，七姑奶奶的态度便不同了。在古应春面前，她因为性子好强，表示得毫不在乎，而此时与胡雪岩单独相处，就像真的遇见了亲叔叔似的，满脸委屈、凄惶，与她平常豪迈脱略的神态比较，令人不能相信是同一个人。

“小爷叔，”她用微带哭音的声调说，“你看我，不上不下怎么办？一辈子要争气，偏偏搞出这么件争不出气的事！所以我不大回松江，实实在在是没脸见人。小爷叔，你无论如何要替我想想办法。”

“你不要急！办法一定有。”胡雪岩很谨慎地问道，“事情我要弄清楚，到底是你们感情好得分不开，还是为了争面子？”

“两样都有！”七姑奶奶答道，“讲到面子，总是女人吃亏。唉！也怪我自己不好，要花枪要得自己扎伤了自己。”

胡雪岩最善于听人的语气，入耳便觉话外有话，随即问道：“你要的什么花枪？”

问到这话，她的表情非常奇怪，好笑、得意、害羞而又失悔，混杂在一起，连胡雪岩那样精于鉴貌辨色的人，都猜不透她葫芦里究竟卖的什么药。

“怎么？”胡雪岩故意反激一句，“说不出口就算了！”

“话是说得出口的，只怕——只怕小爷叔不相信。”

“这一点你不用管。不是我吹一句，别样本事没有，人家说话，是真是假，真到几成账，假到什么程度，都瞒不过我。”

“这我倒相信。”七姑奶奶的表情又一变，变得诚恳了，“这话呢，实在要跟小爷叔才能说，连我五嫂那里，我都不肯说的。说了，她一定埋怨我，我倒先问小爷叔，外头怎么说我？”

“外头？哪里有外头！我只听五哥告诉过我。”

“他怎么说呢？”

“酒能乱性”之类的话，怎么说得出口？胡雪岩想了想，这样答道：“五哥说，这件事不怪老古。”

话虽含蓄，七姑奶奶一听就明白。“自然是怪我！好像自轻自贱，天在上头，”她说，“实实在在没有那回事！”

“没有哪回事？”胡雪岩愕然。

这一问，即令是七姑奶奶那样口没遮拦的人，也不由得脸生红晕。她正一正脸色，敛眉低眼答道：“小爷叔是我长辈，说出来也不碍口。到今天为止，老古没有碰过我的身子。”

“原来是这回事！”胡雪岩越觉困惑，“那么，‘那回事’是怎么来的呢？”

“是我赖老古的。”

“为啥？”

“为啥！”七姑奶奶这时才扬起脸来，“难道连小爷叔你这样子的‘光棍玲珑心’都不懂？”

想一想也就懂了。必是七姑奶奶怕古应春变卦，故意灌醉了他，赖他有了肌肤之亲，这样古应春为了责任和良心就不得不答应娶她了。

这个手法是连胡雪岩都梦想不到的。七姑奶奶的行事，与一般妇女不同，也就在这个手法上充分显现了。想想她真是用心良苦，而敢于如此大胆地作破釜沉舟之计，也不能不佩服！

不过，因交情深厚，胡雪岩是真的当她亲妹妹看待，所以佩服以外，更多的是不满。“你真真想得出！”他说，“不要说五嫂，我也要埋怨你！老古是有良心的，他跟我说的话，真正叫正人君子。万一老古没有肩胛，你岂不是‘鞋子没有着，先倒落个样’？好好的人家，落这样一个名声在外面，你自己不在乎，害得五哥走出去，脸上都没有光彩。你倒想想看，划算不划算？”

这句话说得七姑奶奶失悔不迭，异常不安。“啊哟哟！”她搓着手，吸着气说，“小爷叔，你提醒我了！我倒没有想到会害五哥坍台！这！这怎么办呢？”

她这副着急的神态，胡雪岩从来没有见过，于心大为不忍，赶紧想安慰她；但灵机一动，觉得七姑奶奶天不怕，地不怕，不受人劝，难得有这样的机会，正好抓住了给她一个“教训”。

于是，他越发把脸板了起来。“七姐，”他的声音很平静，但也很冷峻，“不是我说一句，你做事只顾自己高兴，不想想人家。像这种自毁名节的做法，坏你们尤家的名声，想来老太爷老太太在地下也会痛心。你的脾气真要改改了。”

提到父母，七姑奶奶的良心越受责备，涨红了脸，盈盈欲泪，只拿求取谅解和乞援的眼色看着胡雪岩。

“女人总是女人！”胡雪岩换了恳切柔和的声音说，“女人能干要看地方，男人本性上做不到的事，女人做得到，这才是真正能干。如果你像男人那样子能干，只有嫁个没用的丈夫，才能显你的长处，不然，就绝不会有好结果。为啥呢？一个有骨气的丈夫，样样事情好忍，就是不能容忍太太在外场上扎丈夫的面子！”

七姑奶奶不响，倒不是无话可说，只是觉得遇到的人总是夸她怎么能干，怎么能干，不是恭维她“女中丈夫”，就是说她比男人还管用；胡雪岩这话，她还是第一次听到，要好好地想一想。她这一细想，就像吃橄榄那样，上口酸涩，回味弥甘，这多少年在场面上处处占上风，但私底下作为一个女人的苦处，只有自己知道。到那孤灯独对、衾寒枕单的时候，场面上“七姐、七姐”叫得好响的声音，一无用处，心里所想的是丈夫跟孩子，情愿烧饭洗衣裳，吃苦也有个名堂。

“人有男女，就好比天地有阴阳，万物有刚柔。如果女人跟男人一样，那就是只阳不阴，只刚不柔，还成什么世界？再说，一对夫妻，都是阳刚的性子，怎么合得拢淘？七姐，你说我的话错不错？”

被指名问到，七姑奶奶自然不会再沉默，应声答道：“不错！小爷叔的话，我还是第一次听到，如果早有人跟我说这话，我也不会像现在这样子的脾气。”

“现在改也还来得及。”胡雪岩也答得极快。

“江山好改，本性难移。”七姑奶奶停了一下又说，“我试试看。”

“对！只要你有决心，要争口气，一定改得掉。倘或改不掉——”胡雪岩有意不说下去。

七姑奶奶当然要追问：“改不掉会怎么样呢？”

“改不掉？我说句老实话，你还是不必嫁老古的好。嫁了他，性情也合不拢的。”

这句话她觉得说得过分，但不便争辩，只好不答。

“你不相信我的话是不是？”

“不是不相信小爷叔的话。”七姑奶奶抢着说，“老古也常来常往，他没有说过啥！”

“我知道。”胡雪岩平静地答说，“一则，这时候大家要客客气气；二则，男女双方，没有做夫妻跟做了夫妻以后的想法会变的！老古看重你的是心好，脾气豪爽。你不要把你的长处变成短处，要把你的短处改过，变成长处。”

这两句话说得七姑奶奶佩服了，道：“小爷叔这两句话有学问，我要听！”

“那就对了，你肯听我的话，我自然要插手管你的事。不然做媒人做得挨骂，何必去做？”胡雪岩接着又问，“七姐，我先问你，你肯不肯改姓？”

“改姓？”七姑奶奶睁大了一双眼问，“改啥姓？为啥？”

“这个姓，当然不辱没你。喔，”胡雪岩突然想起一件事，急急问道，“还有句要紧话要问你，古家那位老族长见过你没有？”

“没有。他们古家什么人我也没有见过。”

“那好！一定成功。准定用我这条瞒天过海之计。”

胡雪岩这一计，是让王有龄认七姑奶奶作妹妹。不说是义兄妹，所以七姑奶奶要改姓王，古应春求亲要向王家去求，女家应允亲事，也由王有龄出面付庚帖。这一来，古家的老族长看在知府大老爷的面子上，就算真的晓得了实情，也不好意思不答应。何况既未谋面，要瞒住他也很容易。

七姑奶奶笑得合不拢口。“小爷叔！”她说，“你真正是诸葛亮，就算古家的老头子是曹操，也是吃瘪在你手里。不过，”她忽然双眉微蹙，笑容渐敛，“王大老爷啥身份，我啥身份？怎么高攀得上？”

“这你不用管，包在我身上。”

“还有，”七姑奶奶又说，“五哥的意思不知道怎么样？”

“为你好，五哥无有不答应的，这也包在我身上。”

七姑奶奶凝神想了一会，通前彻后思量遍，没有啥行不通的，只有一点顾虑：自己像不像知府家的姑奶奶？

这样一想，她便又下了决心。“我一定要改一改！”她说，“要像个官家小姐！”

“对！这才是真的。”

就在这时候，只听辘辘马车声，自远而近。七姑奶奶是听惯了这声音的，说一声："老古回来了！"随即掀开窗帘凝望。

胡雪岩也站起来看，只见暮霭中现出两条人影，隐约分辨得出，一个是古应春，一个是尤五。等上楼来一看，果然不错。古应春把一大包熏鹌鹑之类的野味交给七姑奶奶时，不由得凝神望了她一眼。

"怎么样？"他看她眉目舒展，多少天来隐隐存在的悒郁一扫而空，所以问道，"老胡出了什么好主意？"

这一问，连尤五也是精神一振，双眼左右环视，从胡雪岩看到他妹妹脸上，显出渴望了解的神情。

这使得七姑奶奶很感动。她一直以为尤五对自己的麻烦，不闻不问，也不常来看她，是故意冷淡的表示，内心相当不满，现在才知道他是如何关切。因此，她反倒矜持慎重了。"请小爷叔告诉你们好了。"她说，"这件事要问五哥。"说完，翩然下楼，到厨房去了。

于是，胡雪岩把他的办法为他们说了一遍。古应春十分兴奋，而尤五则比较沉着，所表示的意见，也就是七姑奶奶所顾虑过的。

"王大老爷跟你的交情，我是晓得的，一说一定成功。不过我们自己要照照镜子，就算高攀上了，王大老爷不嫌弃，旁人会说闲话。"

"五哥，你说这话，我就不佩服了。"胡雪岩很率直地说，"你难道是那种怕旁人道长论短说闲话的人？"

尤五面有愧色。"自己人，我说实话，"他说，"这两年我真的有点怕事。俗语道得好，'初出三年，天下去得，再走三年，寸步难行'。我现在就常想到这两句话。"

胡、古两人都不作声，因为不知道尤五这话中是不是有何所指，觉得以保持沉默为宜。

"这不谈了。就照小爷叔的办法，我这里在礼节上应该如何预备，请小爷叔吩咐。"

"这是小事，眼前我们先要替老古筹划。事情要这样做法：就算原来所谈的亲事已经不成功，另起炉灶娶王家的小姐。这样子才装得像。"

“对！”尤五又郑重其事地说，“有句话，我要请小爷叔告诉阿七。这里不能再住了，先回松江去。”

提到这一层，胡雪岩突然想起一句话，对古应春笑道：“对不起！我要跟尤五哥讲个蛮有趣的笑话。”

既是有趣的笑话，何不说来大家听听，偏要背着人去讲？可见这笑话与自己有关。不但古应春大感困扰，连尤五也觉得奇怪。等胡雪岩说了七姑奶奶所表明的心迹，尤五却真的笑了。笑声甚大，因为一小半是好笑，一大半是欣悦——自己妹子不管怎么样飞扬浮躁，到底还是玉洁冰清的！

“笑啥？”古应春真的忍不住了，走过来问道，“说来让我也笑笑。”

尤五和胡雪岩都不答他的话，不约而同地对看了一眼，相互征询意见。

“这话应该说明白！”尤五很认真地说。

要说当然该由胡雪岩来说。他把古应春拉到一边，揭破了七姑奶奶的秘密。

“怪不得！”古应春失声而呼，心中有无比的宽慰。因为这解消了他多少天来，只能存之于心愿，无法跟人去研究的一个疑团。当天他五更梦醒，只见七姑奶奶穿一件小夹袄在灯下独坐，眼下隐隐泪痕，然后就说什么都给他了，要他对着灯起誓，永不变心。他也真的觉得愧对佳人，所以唯命是从。但有时静中回想，怎么样也记不起那股“软玉温香抱满怀”的旖旎风光，更不用说真个销魂，是何滋味。人生最难得的良宵，竟这样糊里糊涂、不知不觉地度过，真比“猪八戒吃人参果”还可惜。此刻他才知道“猪八戒”是受了骗了。

然而受骗比不曾受骗好！古应春非七姑奶奶不娶，主要的是为了尽责任，此刻却又恢复到初见时的心境，“整顿全神注定卿”，是倾心爱慕。因而他又向胡雪岩深深一揖：“务期玉成，越快越好！”

“好事多磨，你把心耐下来。”胡雪岩揉一揉肚子说，“我实在饿了。”

这一说，尤五和古应春都有同感，不知道女主人在做什么费手脚的菜，一直不能开饭。正想下楼探望，只见七姑奶奶带着小大姐端了朱漆托盘上来，一进门就笑道："今天吃广东鱼生。我是第一次做，不晓得灵光不灵光。如果不好吃，你们骂老古，是他传授得不得法。"

"你是第一次做，我是第一次见。怎么个吃法？"

胡雪岩一面说，一面走过去看。中间是个空的盛鱼翅的大冰盘；另外又有十几个大大小小的盘子，盛着鱼生、榨得干干的萝卜丝、油炸过的粉丝与馓子，盐、糖、麻油、胡椒之类的佐料；另有一碟切得其细如发的绿色丝子，他可看不出是什么东西了。

"是橘树叶子，当香料用的。"七姑奶奶说，"要切得细，费了我好大的工夫。"

这样一个豪放不拘细节的"女张飞"，能静下心来花这样的细功夫，让胡雪岩颇为惊异，同时也相当感动，不由得就说了声："真难为你！"

"先不要恭维我，尝了味道再说。"

于是四个人一起动手，将所有的佐料都倾入大冰盘，搅拌匀了。胡雪岩夹一筷送入口中，果然别有风味。

"拿酒来！"好久不曾开口的尤五说，"今天要好好敬小爷叔几杯酒。"

这一顿酒，喝得极其舒畅。胡雪岩成了"众矢之的"，三个人纷纷酬劝。喝到八分，吃了两碗鱼生及第粥，通体皆暖，胡雪岩乘兴说道："五哥，我们去走走！"

"你想到哪里去？"尤五问。

"走着再说。"

他们俩站了起来，古应春亦接踵而起，喊了声："七姐！"然后他歉意地说："老胡第一天到，我该陪陪他。"

七姑奶奶听了胡雪岩的劝，性情变过了。这一变也不过方寸一念之间。她以前的想法是：男人有什么了不起？吃讲茶、讲斤头，没啥稀奇，上刀山、下油锅，她照样也不会皱一皱眉。而现在她时刻提醒自己的是：我是个女人，好人家的女儿，还要高攀王府上去做官家小姐，总要拢出女人的样子来，不要让人家背后骂一句“强盗婆”！

有了这样的想法，七姑奶奶便觉得古应春的这句话会让她五哥和胡雪岩误会她离不开未婚丈夫，所以不但害羞，而且生嗔。

“小爷叔来了，你理当陪他，何必跟我来说？像是我管头管脚，拿你管得多么凶似的。真正气数！”说完，还白了他一眼。

七姑奶奶的美，就在宜喜宜嗔，白眼也像青眼，而且讲话也合道理，所以古应春被骂了还是心悦诚服。

倒是胡雪岩反而拦住古应春。他是给他们方便，料知在这事有转机，难题将可解消的时候，他们俩必有一番款款深谈。但如果这样说，即使古应春肯留下，七姑奶奶也不会答应，所以他只往自己这方面找理由。

“老古，不必！我跟五哥有几句话要说，你不必陪我。”

“那么，”古应春踌躇着问道，“你们在哪里？我回头来寻你们。”

“这样，”尤五向胡雪岩说，“我们到老二那里去坐一坐。”

* * *

约定了地方，尤五陪着胡雪岩安步当车，到了怡情院。怡情老二出堂差去了，新用的一个娘姨阿巧姐十分能干，一面应酬着把客人引入大房间，一面派“相帮”去催怡情老二回来。

“怎么玩法？”尤五问道，“是邀人来吃酒，还是打牌？”

“打牌不必了。”胡雪岩看那阿巧姐白净俏刮，一口吴侬软语比怡情老二说得还道地，大有好感，所以自告奋勇，“我来做个‘花头’。摆个‘双台’吧！”

“胡老爷有多少客人？”阿巧姐说，“客人少了，摆双台不像呢。”

“摆双台”不一定摆两桌，她这样说是表示当客人“自己人”，替他节省。胡雪岩对花丛的规矩还不大在行，不知如何回答。尤五却懂她的意思，同时料知胡雪岩一时不会有什么客人要请，便老实说道："阿巧姐的话不错！要做花头，有的是辰光。等老二来了再说。"

阿巧姐也附和着，胡雪岩只好作罢。两个人在套房里，隔着一只烟盘，躺在红木炕床上闲谈着，等候怡情老二。

"这个阿巧娘姨倒还不错。"胡雪岩说，"今年快三十岁了吧？"

"怎么样？"尤五笑道，"我替你做个媒，好不好？"

胡雪岩笑而不答，自是默许之意，正想开口说什么，只见门帘掀处，怡情老二翩然出现，见了胡雪岩少不得有一番殷勤的问讯。接着，古应春也到了，他要抢着作东。北里冶游，有套不成文的法则，做主人必在相好的地方，吃了这家到那家，名为"翻台"。古应春因生意上交际的需要，有个相熟的户头，名叫"虹影楼老七"，就在前一条弄堂"铺房间"。古应春要先约胡雪岩到那里吃一台酒，再翻回来在怡情院吃消夜。

"没有这个规矩。"怡情老二反对，"自然是先在这里摆酒，再翻到虹影楼去。"

胡雪岩也认为应该这样，但尤五另有打算，摇手说道："照老古的办法。回头来吃消夜。小爷叔不回丝栈了，今天晚上在你们这里'借干铺'。"

既然如此，当然是先到别处吃花酒，最后回到怡情院，吃完消夜，就可安歇，不必再挪动了。所以怡情老二点头同意，而且打算着陪尤五住到"小房子"去，将自己在怡情院的房间让给胡雪岩住。

于是三人一起到了虹影楼。进门落座，古应春就叫取纸笔写请客票。胡雪岩征尘甫卸，惮于应酬之繁，便阻止他说："算了，算了！就我们三个人玩玩吧！"

这一来改成了写局票。第一张是怡情老二，写完了，古应春拈笔问胡雪岩。"小爷叔，"他改了称呼，"叫哪个？是不是以前的那个眉香老四？"

"市面勿灵！"虹影楼老七接口，"眉香老四上一节就不做了。"

"这样吧，"尤五代为作主，向古应春说道，"你们做个'联襟'吧，叫老九来陪小爷叔。”

“老九？”古应春说，“老九是‘清倌人’！”

不曾“梳拢”的雏妓叫“清倌人”。古应春的意思是提醒尤五，胡雪岩如果叫“虹影楼老九”的局，只能眼皮供养，而胡雪岩却了解尤五的用心，赶紧说道：“就是清倌人好。”

这一说，主随客意，古应春便把局票发了出去。一个在楼上，一个隔一条弄堂，不费工夫，所以等席面摆好，怡情老二和虹影楼老九都到了，各人跟着一名提了胡琴的“乌师”，准备清唱下酒。

席面甚宽，“小姐”不必按规矩坐在客人身后，夹杂并坐。胡雪岩拉着虹影楼老九细看，见她刘海覆额，稚气未脱，便问：“你今年几岁？”

“十五。”

胡雪岩看一看虹影楼老七，再回脸看她，一个鹅蛋脸，一个圆脸，面貌神情，完全两路，因又问道：“你们是不是亲姐妹？”

问到这话，虹影楼老九笑而不答，古应春接口说道：“哪里来这么多亲姐妹？不过，老九的事，老七做得了主。”

胡雪岩懂他的意思：倘若有意梳拢，不妨跟虹影楼老七去谈。他无意于此，就不接口了。

“老九！”古应春说，“你唱一段什么？”

“胡老爷喜欢听啥，我就唱啥。”

“唷！”胡雪岩笑道，“看样子老九肚里的货色还不少。”

“不错！”古应春说，“女大十八变，论色，现出还看不出，论艺，将来一定行。”

“谢谢你。姐夫！”虹影楼老九嫣然一笑，现出两个酒窝，显得很甜。

“论色，将来一定也是好的。一株名花，值得下功夫培养。”

“全靠胡老爷捧场。”

虹影楼老七接着胡雪岩的话说，然后又轻声去问古应春：“他住在哪里？”

“你问这话做啥？”古应春笑道，“是不是怕胡老爷没地方睡，好睡到老九床上去？”

“狗嘴里长不出象牙！”虹影楼老七捏起粉拳在他背上捶了一下，“我跟你说！”

她说得很轻，咕咕噜噜听不清什么，尤五有些不耐烦，大声说道：“有话不会到枕头上去说？吃酒！吃酒。”

虹影楼老七见客人发话，急忙赔笑道歉，亲自执壶敬酒，又叫她妹妹唱了一段小调，这才把席面搞得热闹了起来。

一曲既罢，来了张局票，交到虹影楼老九手里，她说一声：“对不起！回头请过来坐。”起身而去，这一下席面顿时又显得冷清清了。

尤五大为不满。“凳子都没有坐热，就要转局。”他说，“这种花酒吃得真没有味道！”

这一说，虹影楼老七自然不安，说好话，赔不是。尤五爱理不理，胡雪岩懒得答话，一时场面上弄得很尴尬。虹影楼老七面子上有些下不来，便嗔怪古应春不开口帮她，是存心要她的好看。

“我不怪你，你还怪我！”古应春也有些光火。

“好了，好了！”怡情老二开口相劝，“都看我的薄面，七阿姐绝不敢故意怠慢贵客的。”一面说，一面将尤五拉了一把。

这个不曾开口，胡雪岩倒觉得老大过意不去。“都怪我！”他举杯向古、尤二人说道，“罚我一杯。”

这罚的是什么名堂？古应春正想发问，胡雪岩抛过一个眼色来，暗示息事宁人，倒使得他越觉歉然。他想了想，对怡情老二说道：“到你那里去吧！”

“这，怎么好意思！”怡情老二为了“小姐妹”的义气，面有难色。

“这里很好！”胡雪岩故意说道，“老七，请你拿块热手巾给我。”

等她一走，胡雪岩便劝告古应春和尤五：逢场作戏，不必认真。那两人没有表示，怡情老二却大为感动，说他脾气好，能体谅人，不知道哪个有福气的做着这一号好客人。

这一说提醒了尤五，把她拉到一边，附耳低语。怡情老二一双俏眼只瞟着胡雪岩，一面听，一面点头，最后说了句："包在我身上。"

"听见没有？"尤五笑道，"包在老二身上。"

胡雪岩会意，报以感谢的一笑。古应春却不明白，但察言观色，料知是一桩有趣的事，而这桩趣事，绝不会发生在虹影楼，便站起身来说："走吧！"

这一走，让虹影楼老七的面子过不去，怡情老二和胡雪岩便都相劝。古应春总算又坐了下来，但意兴已颇阑珊。

勉强坐到钟敲十下，才算终席。等三人回到怡情老二的小房子里，不曾再摆酒，煮茗清谈，反倒有良朋聚首之乐。胡雪岩便讲他在湖州的遭遇，与刘不才的妙闻。尤五听了只觉得有趣，古应春却是别有会心。

"这位刘老兄倒是难得的人才。"他说，"能不能叫他到上海来？"

"当然可以。"胡雪岩问，"莫非你有用他之处？"

"对！这个人是'篾片'的好材料。"古应春说，"十里夷场，光怪陆离，就要这样的人，才有办法。我想请他专门来替我们陪客。贵家公子，纨绔子弟，还有些官场红员，都喜欢到夷场上来见识见识，有个人能陪着他们玩，说什么话都容易了。"

这个看法与胡雪岩相近，因而他欣然同意，决定第二天就写信把刘不才找来。

接下来又是大谈生意。古应春的主意很多，从开戏馆到买地皮，无不讲得头头是道。但所有的生意，都寄托在上海一定会繁荣这个基础上，而要上海繁荣，首先要设法使上海安定。夷场虽不受战火的影响，但有小刀会占领县城，总是肘腋之患。同时江苏官方跟洋人在暗中较劲，阻隔商贩，夷场的市面，也要大受影响。这样联想下来，胡雪岩便有了一个新的看法。

"老古，"他说，"我看我那票丝，还是趁早脱手的好。"

"怎么？"古应春很注意地问，"你是怎么想了想？"

“我在想，禁止丝茶运到上海，这件事不会太长久的。搞下去两败俱伤，洋人固然受窘，上海的市面也要萧条。我们的做法，应该在从中转圜，把彼此不睦的原因拿掉，叫官场相信洋人，洋人相信官场，这样子才能把上海弄热闹起来。那时开戏馆也好，买地皮也好，无往不利。你们说，我这话对不对？”

古尤二人都深深点头。“小爷叔，”古应春不胜倾服地说，“你看得深了！做大生意就要这样。帮官场的忙，就等于帮自己的忙。现在督、抚两衙门都恨英国人接济刘丽川。这件事有点弄僵了，仿佛斗气的样子，其实两方面都在懊悔。拿中国官场来说，如果真的断了洋商的生路，起码关税就要少收。所以禁制之举，也实在是万不得已。如果从中有人出来调停，就此言归于好，不是办不到的事。不过说来说去是一介商人。洋人那里是很看得起商人的，一定说得上话，就是我们自己官场里，这条线不知怎么样搭法。”

“有条路子，我看可以试试。”尤五慢吞吞地说道，“何学台那里！”

“对，对！”古应春说，“这条路子好！何学台虽然管的是考秀才，但也常常上奏折讲江苏军务的。我看能见他一面，一定有些好处。”

“要见他也容易，不过要请王大老爷写信引见，费些周折。”胡雪岩想了想说，“我看这样，索性你自己去一趟，当面投王大老爷的那封信，不就见着了吗？”

这件事如果能做成功，古应春的声名立刻便可大起，所以他颇有跃跃欲试之意，欣然接纳了胡雪岩的建议。只是贸贸然跑了去，空谈无益，总得先在英国领事那里作个接触，探明意向，估量有没有谈得拢的可能，才好下手。这一来，就不是三两天的事了。

“这封信也是要紧的。”古应春决定多吃一趟辛苦，“我先去走一趟，认识了何学台，见机行事。一方面仍旧请小爷叔写信给王大老爷，请他出一封荐函来，备而不用。”

“都随你。那封荐函上怎么说法，你索性起个稿子，我寄到湖州，请他抄一遍，盖印寄来，岂不省事？”

兴致勃勃的古应春当时便要动笔，尤五看时过午夜，不愿误了胡雪岩的良宵，因而劝阻，说等明天再办也不迟。接着，便跟怡情老二一起伴着胡雪岩去“借干铺”。

“今天实在怠慢，”古应春歉意地说，“虹影楼那顿酒扫兴之至。老七还要托我请你捧场，真正不识相。”

“那也无所谓。”胡雪岩说，“反正花几个钱的事。我也要有个地方好约朋友去坐，就做了那个清倌人吧！”

“算了，小爷叔！”尤五说道，“我劝你像我这样子也蛮好。”

这句话古应春不甚明白，胡雪岩却懂：如果对阿巧姐中意，不妨也借一处小房子。湖州立了个门户已经在打饥荒了，何苦再惹一处麻烦？不过当着怡情老二不便明言拒绝，他只好敷衍着说：“再看吧！”

到了怡情院，已经灯火阑珊，只有楼上前厢房还有一台酒在闹。到了怡情老二的大房间略坐一坐，古应春首先告辞，接着是尤五道声“明朝会”，而怡情老二诡秘地一笑，相偕离去。

阿巧姐却始终不曾露面。一个小大姐名叫阿翠的，替胡雪岩铺衾安枕，接着端了热水来，服侍他洗脚。杂事已毕，她掩上房门，便管自己走了。

胡雪岩有些心神不安，不知怡情老二是怎么一个安排，只凝神静听房门外面。脚步声倒有，都是由远而近再由近而远，不曾见有人推门进来，而自鸣钟已经打了数下。他自笑是“痴汉等老婆”，懒洋洋地上了床。

这一天相当累，心里有事，眼皮却酸涩得很，胡雪岩朦朦胧胧地睡了去。也不知过了多少时候，突然发觉被中伸进一只冰冷的手来。“啊！”的一声，不等他开口，又有一只冰冷的手掩在他嘴上。

胡雪岩会意，身子往里面一缩，腾出地方来容纳阿巧姐。她钻进被窝，牙齿冻得“格格”发抖，同时一把抱住了他，前胸紧贴着他的后背，意在取暖。

“怎么冻得这样子？”胡雪岩转过脸悄悄问说。

“前厢房断命客人，到三点钟才走。”阿巧姐说，“今天轮着我值夜，风又大，冻得我来！”说着吸了口气，把他抱得更紧了。

胡雪岩好生怜惜，翻个身伸手把被掖一掖。阿巧姐索性把头钻在他胸前，他的一双手自然也就不老实了。一面摸索着，他一面问：“阿巧，你今年几岁？”

“猜猜看呢？”

“二十三。”胡雪岩说，“至多二十四。”

“二十四是要来生了。”

“那么多少呢？”

“我属羊的。”

“属羊？”胡雪岩在衾底拿起阿巧姐的纤纤五指，扳数着说，“今年咸丰四年甲寅，道光二十七年丁未，十五年乙未，正好二十岁。”

“越算越好了！”阿巧姐当然知道他是有意这样算法，但心里总是高兴的。

“阿巧，”胡雪岩做了反面文章，又做正面，“你真正看不出三十二岁。”

“大家都说胡老爷一双眼睛厉害，会看不出？”

“真的看不出！”胡雪岩问道，“像你这样的人才，为啥不自己铺房间，要帮人家？”

“吃这碗饭，三十二岁就是老太婆了！人老珠黄不值钱，啥人要？”

“我要。”胡雪岩不假思索地回答。

阿巧姐见多识广，当然不会拿他的话当真，接口答道：“既然有人要，我还要铺啥房间？”

“这话倒也不错。”胡雪岩又问，“你家里有些什么人？”

问到这话，近乎多余，而偏偏客人常喜欢问这句话，阿巧姐都腻烦回答了。“问它作啥！”她说，“总不见得是千金小姐出身。”

言语简峭，胡雪岩又多一层好感，不由得想起了尤五的话，认真地开始考虑。

此时此地，忽然既不动口，又不动手，那是大为反常的事。阿巧姐不由得有些奇怪，伸一只手去摸在他的胸前，左一按，右一按，这使得胡雪岩也奇怪了。

“做什么？”

“看看可能摸得出你的心事？”

“心事怎么摸得出？只能猜。你倒猜猜我的心事看。”

“我不用猜，我摸得出。”阿巧姐说，“你不喜欢我。”

“奇了！哪有这话？你倒讲个道理给我听听。”

“你喜欢我就会心跳。现在心一点不跳，是‘当伊煞介事’。”

“妙！”胡雪岩笑道，“还有这么一套说法？不晓得你这样子摸过几个男人？”

这句话说得失于检点，阿巧姐恼怒伤心兼而有之，慢慢抽开手，背脸向外。

胡雪岩这才发觉说了句极无趣的话，深为失悔。扳她身子不动，仰头去看，梳妆台上一只洋灯的残焰映照，阿巧姐两粒泪珠，晶莹可见。

“生气了是不是？”胡雪岩尴尬地说，“说说笑话，何苦当真！”说着，拿手指替她拭去眼泪，顺势就亲着她的脸。

阿巧姐不作声，但也没有再作何不快的表示。她只是尽力为自己譬解，敷衍怡情老二和尤五的面子，好歹应付了这一夜。

胡雪岩却是由于这个言语上的波折，失去了兴趣，同时也累得懒于说话，一合上眼，便觉双目酸涩，真的借了一夜“干铺”。

到第二天一觉醒来，时已近午，侧身一望，阿巧姐自然不在，枕边却遗下一根长长的头发。他拈到手里，想起宵来的光景，倒有无端的怅惘，同时也觉得有些歉疚，心想阿巧姐一定很不高兴，并且也辜负了尤五和怡情老二玉成的美意。

这样转着念头，他便打算要跟阿巧姐先谈一谈。他披衣起床，咳嗽一声，房门随即“呀”地推开，进来的正是阿巧姐。她梳一个极光极亮的头，脸却是不施脂粉的清水脸，新象牙似的皮肤，淡红的嘴唇，颊上有几点茶叶末似的雀斑，徐娘丰韵，别有动人之处。

“起来了？”她说，眼睛一瞟，撮两个手指放在嘴唇，示意禁声。看她这个姿态，胡雪岩自然什么话都不敢说，而实在有些困惑，不知道要顾忌的是哪些话。

“夜里的事，不要漏出来！”

原来如此！胡雪岩不知是不是因为她来相伴，不合于“长三”的规矩，所以有所忌讳，只觉得这样子倒有偷情的趣味，越发觉得昨夜的机会可惜。

要再找这样一个机会也不难。等小大姐打了脸水进来，阿巧姐理好了床，来替他打辫子时，胡雪岩便说：“今天晚上我仍旧要借干铺。”

“随便你。”阿巧姐淡淡地应声。

“还跟昨天一样。”

“啥个一样？”

他不知她是真不明白，还是有意装傻，想了想笑道：“来摸摸我的心跳不跳？”

阿巧姐不响，把眼垂了下去，似乎专心一致在他那条辫子上。

“还在生我的气？”

“哪有这话？我们什么人，敢生贵客的气？”阿巧姐正色说道，“胡老爷，你千万不能说这话，传到二小姐耳朵里，一定会说我。”

“不会，不会！”胡雪岩灵机一动，“你能不能请一天假？”

“为啥？”

“我带你到一个地方去玩。”停了一会，见她不作声，便知不是不能请假的，因而又加了一句，“我来跟老二说，放你一天假。”

“不！”阿巧姐说，“我自己跟二小姐讲。不过，胡老爷，你要带我到啥地方去玩？”

“玩就是玩。看戏，吃大菜，再到外国洋行看看，有什么新样子的首饰。”

这一说，阿巧姐不由得露了笑容，昨夜那一言之失所引起的不愉快，至此才算消除。

“胡老爷！”小大姐走了来说，“尤五少说，请胡老爷到小房子去吃中饭。”

“好。我就去。”胡雪岩暗示阿巧姐说，“我吃完饭就要走了。”

等胡雪岩一到，见古应春也在那里。古应春跟尤五和怡情老二的脸上一样，都挂着愉悦的笑容，仿佛正在谈一件很有趣的事，看到胡雪岩出现，笑容更浓了。显然的，他们所谈的这件趣事，与他有关。

“昨晚我竟蒙在鼓里。”古应春迎着他说，“这也算‘小登科’，恭喜，恭喜！”

“怎么样？”尤五问了这一句，又说，“老二说，她在床上——”

“瞎三话四！”怡情老二赶紧拦住，同时又给了尤五一个白眼，“胡老爷自己不知道，要你来说？”

“是啊！阿巧姐好在哪里，小爷叔身历其境，最清楚不过，何用旁人告诉他？”

古应春这一说，胡雪岩才完全懂得，急于求得补偿的心也更热了，然而口中却不知道该怎么说才好，唯有笑而不答。

“先吃饭，还是先谈事？”古应春一面问，一面从怀里掏出两张纸来。

“先谈事吧！”胡雪岩望着一窗的好太阳，兴致勃勃地问，“老古，你的马车坐了来没有？”

“在弄堂口。你要到哪里去？”

“难得有空，又是好天气，我想好好去逛半天。”

那三个人互相望了望，仍旧是古应春开口动问：“你预备怎么逛法？我来替你安排。”

“回头再说。”胡雪岩指着他手中的纸问，“这是什么？”

“两通信稿子。你看吧！”

一通是致王有龄的，请他出信给何桂清，介绍古应春去谒见；一通是致刘不才的，要他到上海来。胡雪岩看完，仍旧交了回去，请古应春誊正发出。

要谈的事就是这些。开出饭来，正在喝酒，阿巧姐到了，大大方方地一招手，最后向怡情老二抛了个眼色，两人走到后房去谈心。

“真不错！”古应春望着阿巧姐的苗条背影说，“是扬州‘瘦马’的样子。”

“什么瘦马？活马！”尤五笑道，“小爷叔，你怎么谢媒？”

“谢你，还是谢老二？”

“我当差应该，自然是谢老二。”

“那容易。回头我要到洋行里去，挑点首饰。老二一起去好了，她喜欢什么，我就买什么送她。”

“说说笑话的，何用你如此破费？不过，”尤五向后房望了一眼，放低了声音说，“你买首饰给哪个？阿巧是厉害角色，你不要做‘洋盘[①]’！”

“如果她是厉害角色，就不会当我洋盘。”

“对！”古应春击节称赏，“小爷叔这句话，真是一针见血，深极了。”

“也好！”尤五笑着对胡雪岩说，“你也难得做一回洋盘，就带着她去好了。老二就不必了。”

“一起去，一起去！”胡雪岩说，“打搅老二的地方很多，我本来想送她点东西，表示表示我的意思。”

“回来再说吧！”尤五不置可否。

于是喝着酒谈些夷场趣事。不久，看见怡情老二和阿巧姐一前一后走了出来，一个是春风满面，一个是故作矜持，反正神色之间，都显得不平常。

“都坐下来吃吧！”

怡情老二坐下来当女主人，阿巧姐则无论如何不肯，说“没有这个规

---

① 方言，指不精明不内行容易被愚弄的人。

矩”，侍立在旁，递菜热酒。三个男的主客，视线都断断续续地跟着她转，倒把她看得不好意思了。

“二小姐！”她说，“没有事情我就转去了。”

“不要走，不要走！”尤五首先就喊。

“让她走吧！”怡情老二向尤五抛过去一个眼色。

等阿巧姐走了，才便于说话。她说，阿巧姐把昨夜的事都告诉她了。阿巧姐不知道胡雪岩是打的什么主意，如果真的喜欢她，她愿意陪着一起玩，倘或以为是尤五和怡情老二的面子，不能不对她敷衍敷衍，那就大可不必了。

“人在这里，”尤五指着胡雪岩对怡情老二说，“你自己问他。”

“胡老爷，”怡情老二笑嘻嘻地问道，“昨天夜里是怎么想了想，不愿意理她了？”

“我没有什么不愿意，我是怕她不愿，心想不必勉强。”

“怎么？”尤五大为诧异，“昨夜你没有理她？真的是‘干铺’？”

胡雪岩点点头说：“这也是常事！”

“叫我就刹不住车。”尤五看一看怡情老二说，“我是怕她‘三礼拜、六点钟’，不然我早就动脑筋了。”

“你不要扯到我身上！”怡情老二讥嘲地说，“你动得上脑筋，尽管去动。阿巧姐眼界高得很，不见得看得上你，现在有胡老爷一比，你更加‘鼻头上挂盐鱼——嗅鲞（休想）’！”

她这样一说，古应春和尤五都笑了，胡雪岩却有点不明白，“什么叫‘三礼拜、六点钟’？”他问。

“这是夷场上兴出来的一句俗话，”古应春为他解释，“三礼拜‘廿一日’，六点钟‘酉’正，合起来是个什么字？你自己去想。”

“原来是说老二会吃醋！”胡雪岩说，“老二不是那种人，再说，尤五哥也不会让老二吃醋，不然，我们在旁边的人也不服。”

由这两句话，怡情老二对胡雪岩更有好感，决心要促成他与阿巧姐的姻缘，便趁尤五和古应春谈他们都相识的一个熟人，谈得起劲时，招招手把胡雪岩找到一边，探问他的意思。

“胡老爷，你是预备长局，还是短局？”

“长局如何，短局又如何？”

“短局呢，我另外用人，你借一处小房子，或者就在楼下。那家房客就要搬了，大家住在一起热闹些。长局呢，事情比较麻烦。阿巧姐是有男人的，在木渎种田，不过也不要紧，包在我身上，花个二三百两银子，就可了结。阿巧姐身上没有什么亏空。胡老爷，”怡情老二很热心地说，“这件事，只要胡太太那里没有麻烦，你大可做得。”

胡雪岩一时无从回答，事情倒是好事，但窒碍甚多，必须好好打算，但直说了怕扫了怡情老二的兴，所以考虑了好半天这样答道：“长也好，短也好，总要成局。你的好意，我十分领情，哪一天空了，我们好好谈一谈。眼前请你放在心里好了。”

“我晓得。”怡情老二连连点头，“这件事本来也是急不得的。不过，胡老爷，我还有句话。你不要多花冤枉钱。”这话与尤五的忠告如出一辙，可见得大家都拿他当自己人看待，这一点是胡雪岩最感到安慰的。

因此，他的兴致越发好了。“今天的天气实在不坏。”他怂恿着怡情老二说，“一起出去兜兜风，痛痛快快玩它半天。”

“到哪里去呢？总要想好一个地方。”

这时他们说话的声音响了，古应春已经听到，便插嘴提议：“到龙华去看桃花如何？”

“龙华？”胡雪岩对上海还不熟，便即问道，“那里地方安靖不安靖？”

“怎么不安靖？离着县城还有十八里路呢！再说，有五哥在，怕什么。”

“好吧！”尤五接口，“你们有兴，我就保驾。”

这一说，大家的兴致都提了起来。古应春亲自到弄堂口去雇好马车，怡情老二则派人去找阿巧姐来，就在她那里梳妆换衣服。都是素雅的淡妆，但天然丰韵，已是出人头地，胡雪岩颇为得意。

马车一共是两部，古应春自己的那部“亨斯美”，载了胡雪岩和阿巧姐。出了弄堂，向南疾驰，经斜桥、高昌庙，一条官道，相当宽广。这个天气，都愿郊游，一路轿马纷纷，极其热闹，但像这两部马车，敞着篷、俪影双双，招摇而过的却不多见。因此轮声鞭影中，不断有人指指点点。阿巧姐视而不见，只是稳稳地坐着，不轻言笑，怎么也看不出风尘气息。

等望见了龙华寺的塔影，同时也望见了一道长桥。这道桥也是上海的一胜，称为百步桥，长二十四丈，阔二丈有余。马蹄得得，轮声辘辘，过了百步桥不远，便是龙华寺。

这座古刹，以一座七级浮屠著名，是上海唯一的古塔。马车就在塔前停下，怡情老二和阿巧姐先忙着请香烛烧香。胡雪岩想起在湖州与芙蓉初见，也是在佛像之前，当时还求了一张签“江上采芙蓉”，成为姻缘前定的佳签。此时也不妨如法炮制一番。

不过，自己不必再求。“阿巧姐，”他说，“你无妨求张签看。”

“问啥呢？”阿巧姐想了想说，“好，我来求它一张。”

于是烧了香求签，签条拿到她手里，不肯给胡雪岩看。她不识多少字，只知道这张签是“下下”，当然不是好签，怕扫了胡雪岩的兴，所以不愿公开。

怡情老二也求了一张，倒是“上上”，说得妻财子禄，无一不好；如果是妇人求得这张签，主得贵子。古应春便向尤五道贺，而实际上是拿怡情老二开玩笑。

就这样说笑着，闲步桃林，随意浏览，五个人分做两起。古应春不知是有意还是无意，引着尤五和怡情老二越走越远，留下胡雪岩和阿巧姐在后面，正好谈话。

“累了吧！”胡雪岩看她双足纤纤，不免怜惜，便指着一处茶座说，“喝碗茶再走！”

白布棚子下的茶座，几乎都是官客，有一两桌有女眷，也是坐在僻隐之处，而且背朝着外，不肯以面目示人。阿巧姐却无此顾忌，拣了张干净桌子坐下来，正在通道旁边。人来人往，无不注以一瞥，也有已走过去了，又借故回头，好再看一眼的。而阿巧姐是视如不见，等茶博士拿了茶来要斟时，她赶紧摇手阻止："谢谢你，我们自己来。"

茶博士住了手，阿巧姐才用茶涮了茶碗，抽出一条来路货的雪白麻纱手绢，将杯口里外擦净，然后斟得八分满，双手捧到胡雪岩面前。到她自己喝时，也是这样一丝不苟，极讲究洁净。

"我在想，人生在世，实在奇妙难测。我敢说，没有一个人，今天能晓得明天的事。"

胡雪岩对景生情，发了这么一段感慨，阿巧姐自然莫名其妙，一双俏伶伶的眼睛看着他不断眨动，示意他说下去。

"譬如昨天，我做梦也想不到今天会在龙华看桃花，更想不到会跟你在一起。"

"我算啥！"阿巧姐说，"名字生得不好，说破了不值钱，不会有啥'巧'事落到我头上。"

这段话令人有突兀之感，胡雪岩细辨了辨，觉得意味深长，可能也是在试探，便先不追究，只问："你是七月初七生的？"

"不然怎么叫这个名字？"

"好！你的生日好记得很。今年我替你做生日。"

"啊唷唷！"阿巧姐有些受宠若惊，"真正不敢当，折煞我了。"

"日子过来快得很，桃花开过开荷花，七月初七转眼就到。"胡雪岩问，"那时候我接你到杭州去逛西湖、看荷花，好不好？"

"怎么不好！"阿巧姐双眼凝望着茶碗，口中不断在吹着茶水。茶已经不烫，可以上得口了，何需再吹？可见得她是在想心事。

当然，胡雪岩自己也知道，这话可以解释为一种暗示，有把她娶回杭州的意思，阿巧姐所想的必也是这一点。自己是无心的一句话，如果她真有此误会，未免言之过早。他转念到此，微生悔意，同时也更留心她的脸色和言语了。

“胡老爷这一趟有多少日子耽搁？”她问。

“说不定，少则半个月，多则二十天，一定得回杭州。”

“我晓得了。跟胡太太说好了来的，不能误卯。”

胡雪岩笑而不答，他的笑容是经过做作的，特意要显得令人莫测高深。

阿巧姐很有城府，见此光景，便不再多说，只望着悠悠的塔影，慢慢地品茗，样子十分闲适。

胡雪岩看她的态度，倒有些不明究竟，心里七上八下的放不下。但转念却又自笑，自己没有应付不了的人，也很少心浮气躁过，此刻是怎么回事？这样一想，硬生生地把杂念抛开，也是抱着“偷得浮生半日闲”的心情，品茗看花，只求自适。阿巧姐看他这样，当然更不便多说什么。两个人等于都在肚子里做功夫。

看看日色偏西，桃林中潋滟红霞，如火如荼，真叫“夕阳无限好，只是近黄昏”，再流连不走，天一黑，路上就不好了。于是仍旧照原来的样子，几人坐着马车，疾驰而回。

胡雪岩兴犹未央，同时要“守信用”，说了带阿巧姐去挑首饰，也要送怡情老二“做媒”的谢礼，一定要做到，所以特意关照古应春，先到黄浦滩禅臣洋行。

尤五记起胡雪岩的话，便特别注意阿巧姐：可是拿客人当“洋盘”？只见她初入店内，望着成排的玻璃柜和闪闪生光的珠宝首饰，颇有目迷五色之概，但很快地恢复了常态，看看古应春说道：“古大少爷，请你问问洋人，有没有男用的表链？”

“男人用的？”

“是呀！”阿巧姐笑着问，“怎么了？”

“没有什么。我只当我没有听清楚。”

于是古应春跟洋人一说，立刻便捧出一只皮盒子来，打开来一看，里面有十几副表链，金银粗细，各式俱备。阿巧姐伸出手去，一条一条挑，最后挑了一根十八开金的，链子一端坠着一只铸得很玲珑的小金羊。

“这东西不错！”胡雪岩在一旁说，“再挑！”

“不挑了。”阿巧姐走开两步，同时招招手把古应春邀了过去，悄悄说道，“这是我自己买的东西，千万不好叫胡老爷惠钞。请你替我付一付。”说着，手一伸，一张折得小小的银票，塞到了古应春手里。

古应春明白了，这是阿巧姐买给她乡下的丈夫的，自然不便让胡雪岩出钱，便点点头说：“我知道了。”

胡雪岩还在坚持着，要阿巧姐再挑一两件首饰，她只是袖手不动，他又再三问怡情老二喜欢什么，她却不过情，挑了一瓶法国香水。

“算账吧！”胡雪岩取了一百两的银票，交给古应春。

接到手里，古应春也不作声，到账台上跟洋女人结了账，上车回到怡情老二的小房子，古应春才把他的银票交了回去。“还你阿巧姐的六块洋钱。”他说，“表链子阿巧姐自己买，不叫你惠钞。”

“岂有此理？”

“日子长了，何争一时？”尤五这样说，心里也有替他们作撮合的打算了。

胡雪岩听得这么说，也就一笑置之。在那里吃了饭，怡情老二拉着尤五到一边说了几句，尤五又转达给胡雪岩：阿巧姐今天既然休息，就不想回怡情院，问胡雪岩的意思如何。

“那好办！”他说，“跟我走好了。”

“要走就早走！不必在这里泡了。”

“时候还早，”胡雪岩踌躇着说，“我们一起看戏去？”

这个提议没有人接受，古应春说明天要动身到苏州去见何桂清投信，尤五表示倦了，不想出门。其实这都是托词，目的是要让胡雪岩跟阿巧姐早圆好梦。

这当然不宜在裕记丝栈双宿双飞。胡雪岩由尤五推荐，住进一家新开的

“仕宦行台”大兴客栈。这是个小小的跨院，一明两暗三间房。阿巧姐认为太大了用不着，胡雪岩认为房间一定要多，会客才方便。有时客人来访，只为说一句知心话，稠人广众，大家都憋在肚子里不便说，结果高朋满座，尽是空谈；如果多一间空屋子作为退步，就方便得多了。

“照这个样子说，胡老爷，你是预备长住？”

“是啊！”胡雪岩说，“丝栈里诸多不便，我想在这里长住，比较舒服。”

“你不是说，”阿巧姐指出他的前言不符后语，“半个月、二十天就要回杭州吗？”

“不错！”胡雪岩很从容地答道，“去了马上要来的，房间留着也不要紧，不过多花几个房钱，有限的。”

阿巧姐不作声，心里在盘算，既然如此，不妨备办一些动用什物，于是喊进茶房来，有条不紊地吩咐他去买办风炉锅碗等等，吃的、用的一大堆。胡雪岩心想，照此看来，已不用多说，至少一个“短局”已经存在了。阿巧姐也真是“做人家”的样子，为他打开行李，将日用杂件布置妥帖，然后铺好了床，请胡雪岩安置。

等胡雪岩上床，她却不睡，将一盏洋灯移到窗前方桌上，背着身子，不知在做些什么。胡雪岩等得不耐烦，便即催问：“你怎么不来睡？我有好些话跟你说。”

“来了，来了！”

于是阿巧姐移灯到梳妆台前，洗脸卸妆，又检点了门窗，才披了一件夹袄，掀开帐子，跟胡雪岩并头睡下。

“你晓得我刚才在做啥？”

“我怎么晓得？”

“你看！”她伸手从夹袄口袋中掏出一个金表交到胡雪岩手里。表是他的，却多了一条金链子，正就是她在禅臣洋行自己花钱买的那一条。

“我送你的。”

“你送我的？”胡雪岩大感意外，接着浮起满怀的喜悦和感动，将表链子上坠着的那只小金羊凑近眼前，仔细观玩，才领悟她特为挑选这一条链子的深意。她是属羊的，这只玲珑的小金羊，就是她的化身，怀中相伴，片刻不离。这番深情有如食蜜，中边皆甜。

“喏！”她又塞过来一个纸包，“大概是胡太太替你打的丝绦子，好好带回去，不然胡太太问起来，没法交账。”

她猜得一点不错，原来系表的一条黑丝绦，是胡太太亲手所织。难为她想得这么周到。

“这条丝绦子，龌龊是龌龊得来！”阿巧姐皱着眉说，“本来我想拿它洗洗清爽，深怕你太太会问，是哪个洗的？就露了马脚了。男人绝不会想到拿这条丝绦子洗洗干净。”

心细如发，人情透切，胡雪岩对阿巧姐刮目相看了。

一手把玩着“小金羊”，一手轻抚着活的“白羊”，胡雪岩才真的领略到了温柔乡中的滋味。“阿巧，”他忽然问道，“你把我当作什么人？”

这话的意思欠明确，阿巧姐只有这样答道：“好人。”

“是相好的好，还是好坏的好？”

“好坏的好。”

“那种好人我不要做。”胡雪岩说，“我是说，你把我当作你的什么人？”

这话就更难回答了。如果说是客人，则私赠表记，变作笼络客人的虚情假意，即有此意，阿巧姐也不肯承认；若说是心上人，又觉得肉麻碍口。她想了想有个说法：“你是胡老爷，我自然当你老爷！”

“老爷”的意思是双关，下人称男主人为老爷，妻妾称男主人亦是老爷。阿巧姐这样回答，要自己去体会，才有意味。胡雪岩当然懂，但为了逗乐，有意误解。

“你骂我‘赤佬’？”

上海话称“鬼”为“赤佬”，苏州人则对邪魔外道的鬼祟，如“五通神”之类，为了忌讳，有时亦称“老爷”，意义与上海话的“赤佬”相近。所以胡雪岩这样歪缠。

“啥人骂你？”阿巧姐真的骂了，“你自己下作，好的人不要做，要做赤佬。”

“赤佬自然不想做，老爷也不必。”胡雪岩涎着笑脸道，“阿巧，我做你的‘姘头’好不好？”

“要死快哉！”阿巧姐打了他一下，用道地的苏州话娇嗔着，“闲话阿要难听！”

越是如此，胡雪岩越觉得乐不可支，调笑闲话，几乎闹了一整夜。睡到第二天上午十一点，阿巧姐才起身，胡雪岩则还在呼呼大睡。

也不过是她刚刚漱洗好，就有人来敲门。开开一看，是尤五和古应春。

“怎么？”尤五探头一望，脱口问道，“小爷叔到此刻还不起来？你们一夜在干什么！”

阿巧姐脸一红，强笑道：“我是老早起来了，哪个晓得他这么好困？”

古应春走了过来，摸一摸那只洋瓷脸盆，余温犹在，笑一笑说道：“对！阿巧姐老早起来了。”

谎话拆穿，阿巧姐更窘。不过她到底经验丰富，不至于手足无措，依旧口中敷衍，手头张罗，把客人招待到外面坐下，然后去叫醒胡雪岩。

睡眼惺忪的胡雪岩，还恋着宵来的温馨，一伸手就拉住了她往怀里抱。阿巧姐急得恨恨地骂：“人家已经在笑了，你脸皮厚，我可吃不消！”

“谁，谁在笑？”

“尤五少、古大少都来了，坐在外头，你快起来吧！”阿巧姐又说，“说话当心些。”一面说，一面服侍他起床。胡雪岩只是回忆着昨夜的光景，又发愣又发笑，傻兮兮的样子惹得阿巧姐更着急。

“求求你好不好！越是这样，人家越会跟你开玩笑。”

“怕什么！”胡雪岩说，“你不理他们就是了。”

见了面还是有一番调笑，甚至可说是谑。尤五和古应春这一双未来的郎舅像逼问犯人口供似的，要胡雪岩“招供”衾底风情，急得里屋的阿巧姐暗地里大骂“杀千刀”。幸好胡雪岩一问三不知，只报以满脸笑容，阿巧姐总算不至于太受窘。当然，她对胡雪岩这样的态度是满意的，同时也对他有了深一层的认识：嘴上尽管不听她的劝，做出事来，深可人意。是要这样的男人才靠得住。

“好了，好了！”胡雪岩终于开了口，“再说下去，有人要板面孔了。我请你们吃番菜去，算是替老古饯行。”

古应春未曾应声，先看一看尤五。两人相视一笑，又微微点头，是莫逆于心的样子，这倒使得胡雪岩困惑了。

“你们捣什么鬼？”

“不与你相干。”古应春说，“我今天不走，明天一早动身。”

“怎么回事？”胡雪岩更要追问。

“跟洋人还有点事要谈。”

胡雪岩不甚相信，但也没有理由不相信。说过抛开，重申前请，邀他们俩去吃番菜。

“阿巧姐呢？”古应春说，“一起去吧！”

“谢谢！”里面高声应答。苏州话最重语气，阿巧姐的声音，峭而直，一听就知道是峻拒之意。

胡雪岩微感不安，而尤、古二人却夷然不以为忤。“阿巧姐！”尤五也提高了声音说，“既然你不肯去，那么转去一趟，老二在想念你。”

“要的，要的！”这一下她的声音缓和了，“我本来要转去的。”一面说，一面走了出来，手里捧着长袍、马褂。胡雪岩倒也会享福，只张开双手，让她替他穿好，为他一粒一粒扣钮子，然后掏出表来看了一下说：“走吧，一点钟了。”

“咦！”古应春眼尖，“这条表链，怎么到了你手里？”

这是胡雪岩最得意的事。他向古应春使个眼色，表示回头细谈。果然，在番菜馆里，他把阿巧姐的情意，津津有味地细说了给他们两人听。

“小爷叔！”尤五笑道，“你真要交鸿运了，到处都有这种艳福。”

这一说，胡雪岩的脸色反严肃了。“现在我自己都不知道怎么办了。”他说，“你们倒替我出个主意看。”

尤五和古应春又相视而笑。“事缓则圆！”古应春答道，“等我苏州回来再说，如何？”

“你哪一天回来？”

“现在还说不定，会见那些大人先生要等。光是投封信，见不着面，又何必我自己去？”

“这话也不错，不过我希望你早点回来。”胡雪岩紧接着说，“倒不是为这件事，是怕洋人那里有什么话，你不在这里，接不上头。”

“不要紧。我托了个人在那里，尤五哥也认识的。如果洋人那里有什么话，他会来寻尤五哥，不会耽误。”话说到这里，西崽已端来了“尾食”。吃罢算账，是一桌鱼翅席的价钱，而尤五却说未曾吃饱。

“番菜真没有吃头，又贵，又不好。”尤五笑道，“情愿摊头上一碟生煎馒头，还吃得落胃些。”

当然，这也不过是口发怨言而已，没有再去吃一顿的道理。三人出了番菜馆，访友的访友，办事的办事，各自分手，约定晚上在怡情院吃花酒。

* * *

胡雪岩这两天的心有点野了，正经事虽有许多，却懒得去管，仍旧回到客栈，打算静下心来，将公私杂务，好好想它一想。等他一走进屋，非常意外地发现陈世龙在坐等。

“咦！你怎么来了？啥辰光到的？”

“来了不多一会。”陈世龙答道，“一下船先到裕记丝栈，就听说胡先生搬到这里来了，”

“坐，坐！湖州怎么样？”胡雪岩问道，“到上海来作啥？”

“王大老爷叫我来的。有封信在这里。”

拆开信一看，又是求援。为了漕米改为海运，原来粮船上的旗丁水手，既无口粮，又少人约束，所以往往聚众闹事，甚至发生抢案，黄宗汉颇为头痛。由于王有龄在筹办海运时，对这方面曾有建议，要为旗丁水手妥筹生计，所以黄宗汉仍旧责成他设法安抚。

王有龄在信中说，如果当初照他的条陈，拨出一笔费用来办理这事，比较容易收功，却因循未办；如今看形势不妙，再来安抚，显得是受了此辈的威胁挟制，事倍功半，十分棘手。同时湖州的团练，正在密锣紧鼓地编练，而江浙交界的平望、泗安两处防务，又相当重要，经常要去察看，他实在无力来顾及此事。他本来想推给嵇鹤龄，再又想到，若推给了嵇鹤龄，嵇鹤龄仍旧要求助于胡雪岩，与其如此，不如直接写信乞援。他希望胡雪岩能请尤五一起到浙江去一趟，以同为漕帮的情谊，设法排解。

“王大老爷叫了我去，当面跟我说，他也晓得胡先生很忙，如果真的分不开身，叫我陪了尤五爷去。”

“这件事有点麻烦。他们漕帮里面的事，外人不清楚。尤五跟浙江漕帮的头脑是不是有交情，还不晓得。说不定不肯插手。”胡雪岩又说，“你郁四叔怎么说？”

“请尤五爷去排解，就是郁四叔出的主意。”

“喔！”胡雪岩欣慰地说，“那就不错了。走！我们到怡情院去。”

于是两人一起到了怡情老二的小房子里。尤五还没有回来，胡雪岩便趁此机会向陈世龙细问湖州的情形，知道了今年因为洋庄可能不动，时世又不好，养蚕的人家不多。不过陈世龙又说了他的看法，他认为这是一时的现象，如果有钱，可以放给蚕农，明年以新丝作抵，倒是一笔好生意。

“有钱，好做的生意多得很，眼前还谈不到明年的事。”胡雪岩说，“你这趟回去，先打听今年的行情，湖属有多少人养蚕？大概能出多少丝？打听确实了，赶紧写信来。这件事要做得秘密，请人去办，不可省小钱。”

“是的。”

陈世龙接着提起他的亲事，说岳家已经跟他谈过，日子想挑在端午节前后，问胡雪岩的意思怎么样。

“那时候不正是新丝上市吗？”

“我也是这么说，生意正忙的时候办喜酒，‘又是灯龙又是会’，何必夹在一起？他们说，如果不是端午前后，就要延后到秋天。”

“与其延后，何不超前？”胡雪岩以家长的口吻说，“你们早点‘圆房’倒好。”

“阿珠的娘不肯马虎，一定要把嫁妆办好。除非——”陈世龙说，“胡先生说一句。”

“说一句还不容易，你早跟我说了，我早就开口了。这趟你回去跟他们老夫妇说，生意要紧，家也要紧，趁新丝上市以前让你办了喜事成了家，定定心在生意上巴结，岂不是两全其美？”胡雪岩又说，“今年秋天局面会有变动，我的场面也要扯得更大，那时人手越嫌不够。一办喜事，忙上加忙，这把算盘打不通。”

他说一句，陈世龙应一句。也不过刚刚谈完，尤五和古应春联袂而至，跟陈世龙寒暄了一番，问起来意，陈世龙只有目视胡雪岩示意。

“尤五哥，你的麻烦来了！”胡雪岩将浙江漕帮不遵约束，聚众滋事的情形，以及王有龄的要求都说给他听。

“事情很麻烦！”尤五说了这一句，紧接着表示，“不过上刀山我也去。”

“尤五爷真是够朋友。”陈世龙立即表露了不胜倾服的神态。

在胡雪岩，觉得他这样豪爽地答应，倒不无意外之感。但他想到尤五去杭州，古应春去苏州，上海剩下自己一个人，与洋人言语不通，万一有事——虽说古应春托有一个人在这里，但素昧平生，而且有些事只有古、尤二人清楚，自己还是等于孤立无助，此事十分不妥。

“老古！”他当机立断地说，“上海一定要你坐镇。我跟你换一换，我到苏州去看何学台，你留在上海。”

这番变化将古应春和尤五的“密谋”完全推翻。说起来也是很扫兴的一件事，是尤五的提议，他认为郁四他们在湖州为胡雪岩谋娶芙蓉这件事，确是够好朋友的味道，不妨如法炮制。古应春特为迟一天走，就是要等着看胡雪岩和阿巧姐的态度。如果妾有情，郎有意，古应春就预备趁去苏州之便，专诚到木渎去访阿巧姐的夫家跟娘家，拿大把银子来为他们结成连理。刚才他们就是从怡情院来，据怡情老二说，阿巧姐不但已经点头答应，而且还提供了许多情况，指出着手进行的办法。“火到猪头烂”，最多花上三五百银子，就可买得阿巧姐的自由之身，如今胡雪岩这一说，岂非无趣？

“怎么回事？”胡雪岩看他态度有异，追问着说，“老古，你有什么难处？”

“唉！”古应春笑着叹口气，“好事多磨！”

“怎么呢？”

“事情有缓急，”尤五抢着对古应春说，“你就守老营吧。过些日子专程跑一趟，也算不了什么。”

“那也只好如此。”

“你们讲啥？”胡雪岩大惑不解，“何妨说出来大家商量！”

“说出来就没有味道了。”古应春摇摇头。

尤五也是微笑不作声。这就很明显了，虽不知他们葫芦里卖的什么药，但必与他跟阿巧姐有关。胡雪岩理解到这一点，不免又把这段傥来艳福思量了一下。诚然，阿巧姐的情味，与他过去所遇到的任何女人不同，真可以说一句“牡丹花下死，做鬼也风流”，但世界上天生有一种福气人，什么事都不必做，席丰履厚，多的是闲情，专门可以消耗在阿巧姐这种尤物身上。而自己不同，自己天生来就是做生意的，而且是做大生意的，虽然也能欣赏阿巧姐的好处，并且有办法使得阿巧姐这样的人心甘情愿随自己摆布，然而到底不是“正业”。不可为她耗费工夫，更不可为她神魂颠倒，忘记了自己应该是干什么的！

这样想着，胡雪岩觉得手心上都有汗了，内心相当不安。从到上海以来，他似乎一直迷恋着阿巧姐，还不曾好好办过一件正经事。因此，他收敛笑容，正色说道："两位的心思，我有点猜到了。我不是昧着良心说话，这不过逢场作戏，要看机缘，总要顺乎自然，不可强求。湖州那件事我做得有点冒失，现在还有麻烦。当然，说句狂话，什么麻烦我都不怕，但要工夫来料理，我现在少的就是工夫。"

这段话颇引起尤五的警惕，古应春的脸色也不同了。"我们晓得了。"他说，"听你的意思办，目前按兵不动。"

"这样最好。到我觉得可以办了，我一定拜托你们费心。"胡雪岩忽然想到，"五哥，你这趟正好把七姐带了去，将我们所议的那件事办一办。"

这件事就是请王有龄与七姑奶奶认作义兄妹。机会倒是好机会，但事先要谈妥当，行礼要有胡雪岩在场。就这样带了去，登门认亲，未免太冒昧了。

尤五说了他的意思，古应春亦以为然，胡雪岩也就不再多说。但这一下倒提醒了尤五，他认为这趟到杭州去，应该多备礼物结交王家，以为将来结干亲。于是由此开始商量杭州的行程，决定在第三天动身。

"小爷叔，你呢？"

"我随时可走。没有事的话，我明天就动身，早去早回。"

"不行！"尤五说，"这条路上，不怎么安靖，我叫人替你打听一下，雇一只专船，派人陪了你去。"

"不要紧！"因为尤五此行琐琐碎碎的事情也很多，胡雪岩不愿再麻烦他，这样说道，"这条路，我不熟，老古熟，我请他帮忙，你就不必管了。"

"对！"古应春立即应声，"这件事交给我，包管妥帖。"

这样说定了，各自散去。陈世龙住在裕记丝栈，胡雪岩先把他送到那里，有许多话叮嘱他。这主要是为了尤五。尤五虽是王有龄请去排难解纷的上客，但他在官面上的身份不同。因为将来尤五还要和王有龄结成干亲，所以为了双方的面子，绝不可叫尤五受了委屈。胡雪岩关照陈世龙当面将这些情形跟王有龄讲清楚。

“顶要紧的一句话：尤五爷这趟去，完全是私人面子，所以他只是王大老爷一个人的客人，跟浙江官面上不必交结。这一点，你要跟王大老爷说清楚，省得尤五爷受窘。”

陈世龙心领神会，诺诺连声。等胡雪岩说完要走，陈世龙终于忍不住问了一声：“胡先生，那阿巧姐是怎么回事？”

“说来话长，慢慢你就知道了。”胡雪岩倒被提醒了，“回去不必多说。”

“知道，知道，我不能不晓得轻重。”

回到大兴客栈，阿巧姐正在灯下理燕窝，用心专注，竟不曾发觉胡雪岩。她已经卸了妆，解了髻，一头黑发，松松地挽成一条极粗的辫子，甩在一边，露出雪白的一段头颈。胡雪岩忍不住低头闻了一下。

这一下把阿巧姐吓得跳了起来，脸都急白了，看清是胡雪岩才深深透了口气，拍着胸以白眼相向。

“何至于如此！”胡雪岩歉意地笑道，“早知你这么胆小，我不跟你闹着玩了。”

“‘人吓人，吓煞人’！你摸摸看！”阿巧姐拉着他一只手在左胸上探试，果然心还在跳。

“你胆这么小，怎么办？”胡雪岩说，“后天我要到苏州去两三天，本来想留你一个人在这里住，现在看起来，你还是回怡情院吧！”

她的答复大出胡雪岩意外。“我不回去。”她说，声音虽平静，但每个字都像摸得出棱角似的。

“怎么？”胡雪岩问道，“是啥缘故？”

“我已经算过工钱了，”阿巧姐说，“那种地方只有出来的，没有回进去的。”

“好志气！”胡雪岩赞了她一句，心里却有些着急。阿巧姐决心从良，是跟定了自己了，这件事只有往前走，不容自己退步，看来还有麻烦。

“你到苏州去好了。”阿巧姐坦然地说，“我一个人住在这里好了。我只怕人装鬼吓我，真的鬼，我反而不怕。”

“这又是你这时候说说。真的有鬼出现，怕不是吓得你半死。”

“我不相信鬼。总要让我见过，我才相信。”

“自然有人见过。”胡雪岩坐在她对面，两手支颐，盯着她看，“我讲两个鬼故事你听！”

“不要，不要！”阿巧姐赶紧站起身来，“看你这样子瞪着人看，就怕人。吃了燕窝粥睡吧！”

茶几上有一只“五更鸡”，微微的几星火，煨着一盂燕窝，拣得一根毛都看不见。且不说滋补的力量如何，光是她这份细心料理，就令人觉得其味无穷了。

两人上了床，阿巧姐紧抱着他说：“现在你可以讲鬼故事了。”

“奇了！”胡雪岩笑着问，“何以刚才不要听，现在要听？”

“现在？现在我不怕了！”说完，把他搂得更紧。

这是胡雪岩所从未有过的经验。太太是“上床”亦是“君子”，芙蓉的风情也适可而止，只有阿巧姐似乎每夜都是新鲜的。

于是胡雪岩添枝加叶地讲了两个鬼故事，吓得阿巧姐在他胸前乱钻。又怕听、又胆小，原是听讲鬼故事的常情，只不如她这般矛盾。胡雪岩也知道她有些做作，但做作得不惹人厌。

一宵缱绻，胡雪岩第二天仍旧睡到很晚才起身。他知道这天尤五在去杭州之前有许多杂务要安排，古应春替他去雇船找人护送，也在忙着，都不会到大兴来。自己没有急事要料理，便又懒得出门，愿意在妆台边守伺阿巧姐的眼波。

“可有人会来吃饭？”阿巧姐说，“今天我们要开伙食了！”

“那有多麻烦，馆子里叫了来就是了。”

“那不像做人家。”阿巧姐挽起一只篮子，“我上小菜场去，顺便雇个小大姐来。”

胡雪岩实在不愿她离开，但又无法阻拦，只好怏怏然答应。他一个人在旅馆里觉得百无聊赖，做什么都没有兴致。勉强把烦躁的心情按捺了下来，静坐着细想，他突然发觉：这是从来不曾有过的事，哪怕是王有龄到京里、他被钱庄辞退在家赋闲的那段最倒霉的日子，也没有这样意兴阑珊过！

“这是什么道理？”胡雪岩喃喃自语，暗暗心惊，“怎么一下子卸掉了劲道？”

他在想，可能是自己太倦了。他经年奔波，遭遇过无数麻烦，精力透支，实在需要好好休息一下。但是在这夷场上，十丈软红尘中，他无法休息，最好是带着阿巧姐，借一处西湖的别墅，安安静静住上两个月。什么事不做，什么心不用，闲来划划船、看看山；到晚来弄条鲜鱼，中段醋溜，头尾做汤，烫一斤竹叶青跟阿巧姐灯下对酌，那就是神仙生活了。

这样不胜向往地想着，他忽又自笑：事业做得大了，气局却反变得小！刚得意的那一刻，他曾经想过要把现在住处附近的地皮都买下来，好好盖座花园，日日开宴，座客常满，大大地摆一番场面。如今却只愿跟阿巧姐悄悄厮守，这又是什么道理？

两件事并在一起想，很容易发觉相同之处：这些感觉，都是这几天跟阿巧姐在一起以后才有的。有人说，温柔乡中最容易消磨一个人的志气，这话看来有道理。

他想到了这个道理，接着便是警惕，由警惕又生出不服气的感觉。他决定抛开阿巧姐，去想正经事。这一想，就是一身汗！正事不知有多少，不知为何都抛在脑后。这样下去，可真是危险了。

于是等阿巧姐回来，他说：“你马马虎虎弄顿饭来吃。吃完了，我要出门。”

“你看你！”阿巧姐笑道，“阔气起来，要顿顿在馆子里叫菜，小气起来，连外面去吃碗面都不肯。”

这一下提醒了他，自己也失笑了。“都是你那‘做人家’这句话害的，我总以为要在家里吃了午饭再出门。”他一面走，一面说，“好了，好了，我到外面去吃。”

“慢点！”阿巧姐拉住他，指着篮子说，“我一篮子的菜怎么办？”

“晚上来吃！”

这句话使得她深为满意。“请他们都来！”她说，“菜多吃不完。”

“也好！你索性多做些，就算替尤五爷饯行。”

等胡雪岩出得门来，却有些茫然。因为他的本意只是自己跟自己较劲，不愿沉溺在温柔乡中。要办的事虽多，或者还不到时候，或者要听候他人的消息，再定行止，此时一事不能办，何去何从？倒费踌躇。

他想一想还该先到裕记丝栈，找着了陈世龙再说。事不凑巧，陈世龙刚刚出门。丝栈里的执事非常客气，一定要留胡雪岩在那里坐，奉茶奉烟，极其殷勤。他情不可却而懒于应酬，便这样答道：“你们不必招呼我，我喝喝茶等着，尽管请便，不然我就不敢打搅了。”

执事的听他这样说，知道他不愿跟闲杂人等在一起，便将他引入一间小屋。那也是尤五跟人约会谈体己话的地方，布置不见得好，却有很精致舒服的一张藤靠椅，躺着想心事最为合适。

“这里好！”他欣然说道，“我正好在这里打个盹！”

这就更明白地表示出来，不愿有人搅扰了。执事的连声称是，叫小徒弟把一碗现泡的盖碗茶、四个果盘子还有一支水烟袋都挪了进来，取张方凳当茶几。安设停当，便掩上门退了出去。

胡雪岩躺了下来，觉得相当舒服。心一静，他便觉得隔室的谈话声历历入耳，留神细听，谈的是地皮生意。

胡雪岩亦曾有意于此，便一字不肯放过。那两人对洋场的情况和洋人的动向相当清楚，说洋人跟中国人不同：中国人的路是走出来，人多成市，自然走出一条路来，等到预备修路，路面为两旁的市房摊贩所限制，已无法扩充；洋人的办法不同，是先开路，有了路便有人到，有人到便有房屋，自然市面会热闹起来。因此中国人的市面做不大，不能不佩服洋人的规模、气魄。

这番话，在胡雪岩可说闻所未闻。他细细玩味，果然大有道理。他听王有龄谈过京城里的情形，如今才知道京城的市面与众不同。一半固然因为天子脚下，人烟稠密；一半就因为京城里的建制也跟洋人一样，先开好大路，分好地段，哪里做衙门，哪里住人，哪里开店——开店又分出来，哪里可以开戏园茶楼，哪里可以贩牛羊驴马，这样子的规模，自然就可观了。

“照上海滩的地形看，大马路、二马路这样开下去，南北方面的热闹是看得到的。其实，向西一带，更有可为。眼光远的，趁这时候，不管它芦荡、水田尽量买下来，等洋人的路一开到那里，乖乖，坐在家里发财。”

胡雪岩听隔室说到这里，哪还能静心躺下去？但说了睡个午觉，突然告辞而去，也不大合适，因而只好按捺心情强忍着。无奈遇到这种生意经，胡雪岩就是抛不开。他对上海的地形不熟，要筹划也无从筹划去。这时候渴盼的，就是找到古应春，坐了他的那辆“亨斯美”往西一直到静安寺一带，实地去看一看才符心愿。

幸好，不久陈世龙就回来了。于是胡雪岩向执事殷殷致谢，辞了出来。

他走到街上，第一句话就问：“世龙，你对西面一带熟不熟？”

“胡先生都不熟，我怎么会熟？”

“不管它，我们弄部马车去兜兜风。”

于是二人雇了一辆干净车，由泥城墙往西。不择路而行，七兜八转，尽是稻田水荡，胡雪岩几乎连方向都辨不清楚了。

胡雪岩一路漫无目的地兜风，一路他把刚才所听到的话告诉了陈世龙。原来如此！陈世龙提出了一个见解：“胡先生，这件事有两个做法，第一个做法恐怕办不到。”

“你不管它，说来看！”

“第一个办法是有闲钱，反正地价便宜，譬如不赚，买了摆在那里，看哪一天地价涨了，再作道理。依我看，为子孙打算，倒不妨这么办。不过胡先生，你手里的钱是要活用的，所以说办不到。”陈世龙停了停又说，“第二个做法，一定要靠古先生，先去打听洋人准备修哪条马路，抢先一步，把附近的地皮买下来。那一来，转眼之间，就可以发财！”

“对！这话对！”胡雪岩拿他的话细想了一想，忽有启发，“你的话也不全对。”他说，“最高明的做法是，叫洋人修那条马路！”

“这——”陈世龙想懂了他的意思，认为办不到，“洋人岂肯听别人摆布，叫他修哪条路，他就修哪条路？”

“事在人为。总可以想得出办法。好在这事也不急，慢慢儿再说。”

胡雪岩做事就是这样，不了解情况时，为求了解，急如星火；等到弄清楚事实，有了方针，他就从容了。陈世龙知道他的脾气，说是说“慢慢儿”，绝不是拖延，更不是搁置，帮着他做事，须知这一点。自己暗暗去做准备，说不定哪一天，他筹划好了，拿出来的计划详详细细，立刻可以动手，自己没有准备，就合不上他的步子和要求了。

“我还要多找几个人。”胡雪岩在归途中说，“你这趟回去，随时替我留心。”

“是的。”陈世龙想了想问，“胡先生将来到底叫我做什么？我不想死守在湖州。”

“我知道。”胡雪岩说，“你喜欢在外头跑，将来不要叫苦！”

“怎么呢？”

胡雪岩沉吟不答，好久好久才问：“你看山西的票号，打不打得倒？”

“打是打不倒的，人家多年信用。不过钱庄的做法如果活络些，不像票号那样墨守成规，那么，南五省的地盘，应该可以拿得到。”

胡雪岩很欣赏陈世龙的态度，看他的样子近乎浮滑一路，说话倒很实在，因而将心里的话告诉了他。

“今天我好好细想了一想，我的基础还是在钱庄上面。不过，我的做法还要改。”他说，“势利、势利，利与势是分不开的，有势就有利，所以现在先不必求利，要取势。”

“势？”陈世龙很用心地想着，“胡先生，你说的势是指势力？”

“不错！势力。商场的势力，官场的势力，我都要。这两样要到了，还不够。”

“还有洋场的势力！”陈世龙接着他的话说。

“好！”胡雪岩很兴奋地翘起大拇指，衷心夸赞陈世龙，“你摸得到我的心思，就差不多了。”

“我哪里及得上胡先生？十分之一都没有。”陈世龙也很高兴，矜持地说，“不过胡先生的路子，我总还不至于不懂。”

“你懂就好！”胡雪岩说，“现在风气在变了，你到底比我要年轻个几岁，比较不出来。从前做生意的人，让做官的看不起，真正叫看不起！哪怕是扬州的大盐商捐班到道台，一遇见科举出身的，便都服服帖帖，唯命是从。自从五口通商以后，看人家洋人，做生意的跟做官的没有啥分别，大家的想法才有点不同。这一年把，照我看，更加不对了。做官的要靠做生意的！为啥我要洋场的势力，就因为做官的势力达不到洋场，这就要靠我这样的人来穿针引线。所以有了官场的势力，再有洋场的势力，自然商场的势力就容易大了。”

陈世龙一面听，一面点头，细细体味着胡雪岩的话，悟出来许多道理。二人就这样谈着，不知不觉又回到人烟稠密之区。胡雪岩这时才想起阿巧姐的话，要约尤五和古应春到家吃饭，一见时候不早，深怕他们另有约会，便即赶到怡情院。谁知一个人都不见，连怡情老二亦不在那里。

人虽不遇，却留着话。“相帮”的告诉胡雪岩，说尤五关照：“请胡老爷等他，他准六点钟回来。”

六点钟见了面怎么样？如果他说另有约会，或者自己在怡情院请客，那么，阿巧姐那里就不好交代了。这样想着，胡雪岩便有些坐立不安的神气。

陈世龙很少看见他有过这种样子，不免诧异，当然，更多的是关切。一问起来才知究竟，心里好笑，他不由得想起一句俗语：英雄难过美人关。一等一的厉害角色，在这上头，往往手足无措，一筹莫展，这便又用得着“旁观者清”这句话了。

“这不用为难，或者我去通知一声，或者我留在这里等！”

“对，对！”不待他说完，胡雪岩就说，“你去一趟吧！这样告诉她：我在这里等他们，等到了就回来。如果客人约不来，我一定回家吃饭。”

陈世龙衔命而去。只见阿巧姐很安闲地坐在那里，一见陈世龙很客气，听他讲完，毫不在乎地说：“不要紧！没有几样菜，蒸的蒸着，要炒的，等人到了再下锅。”

看她从容不迫的样子，跟芙蓉那种宛转的神态是不同的风味，陈世龙心里便想：胡先生的艳福倒真不浅！

还有一样不同的，是阿巧姐的谈锋极健。陈世龙也算很善于词令的，相形之下，自觉见绌，而且谈到后来，忽然发觉，自己可能是失言了。因为阿巧姐的旁敲侧击，他把胡雪岩的家庭情况，透露了许多。所幸的是，他不曾说出胡太太是很厉害也很能干的妇人。

一则起了戒心，再则亦不便久坐，陈世龙便起身告辞。阿巧姐知道他是胡雪岩的心腹，当然要加以笼络，一再挽留，最后这样说道：“你是胡老爷自己人，我才不作客气，不然，我也不会留你。除非你不当我自己人看待。”

她说到这样的话，俨然以胡雪岩的外室自居。陈世龙已看出“胡先生”对她极其喜爱，而将来结局如何，尚在未定之天，如果坚决告辞，仿佛真的不当她“自己人”，在阿巧姐会起疑心，似乎不妥，因而改了主意：“我还是先回去，跟胡先生说一声，回头再一起来。”

“那么，”阿巧姐说，“回头一定要来噢！”

“一定，一定！”

出了大兴客栈，安步当车，刚走得不多几步路，忽然听得有女人在喊：“世龙！”

他定睛一看，是七姑奶奶。古应春亲自驾车，也发现了陈世龙，停下来问道：“你到哪里去？”

“我回怡情院去。”

“不必了！”古应春说，“我们特为来接阿巧姐。今晚上，在我们那里聚会，你也去。”

于是陈世龙又折回，三个人一起又到大兴客栈。七姑奶奶跟阿巧姐是初见，一个守礼，一个亲热，而且都健谈，所以拉着手，前朝后代，大谈渊源。七姑奶奶说听古应春谈过，知道她能干漂亮；阿巧姐则说听怡情老二说起，有这样一位豪爽有趣，敢到怡情院这种地方的堂客。

彼此都很投机，大有相见恨晚之意。古应春却不耐烦了：“我的姑奶奶，谈了半天，你倒说点正经话啦！”

正经话是特地来邀客。因为胡雪岩和尤五要动身到苏杭，七姑奶奶特地在徽馆叫了一桌席，替他们饯行。胡雪岩又要邀他们到大兴客栈，尝试阿巧姐的烹调手段，因而变成僵持的局面。

“我在想，到你这里、到我那里都一样。不过，第一，叫了席不能退掉，几两银子也可惜；第二，到我那里比较方便。”七姑奶奶又说，“天气也还不热，就做好了菜，摆一夜也不会坏。明天我来吃！”

阿巧姐自然一诺无辞，以换衣服为名，请他们在外屋坐，却把陈世龙悄悄找到一边，摸出四块银洋说道：“陈少爷！我拜托你一件事。第一趟上七姑奶奶的门，不能空手，托你替我办四样吃食东西，带到七姑奶奶那里去。”

“七姑奶奶家，我不认识。”陈世龙转念有了主意，“不过不要紧，你交给我。”

等她换好衣服，四个人一辆马车到了七姑奶奶门口。陈世龙认清了地方说：“我马上就来！”说完掉身就转。在弄堂口就有茶食店、水果摊，他买了一篓花旗橘子、一篓天津鸭梨，在茶食店里买了一大盒松子糖；还剩下两块钱，便叫店家拿一条陈火腿下来。算一算差四角钱，陈世龙替她垫上。

“这是阿巧姐送七姑奶奶的。”陈世龙笑道，“我是小辈，今天就白吃了。”

“何用客气！”七姑奶奶说，“阿巧姐，我们像自己人一样，我跟你

‘打开天窗说亮话’，我不喜欢这一套，我自己也弄不来这一套。”

“你看你，”古应春忍不住埋怨她，“人家一番好意，倒落得你这么两句话。阿巧姐是晓得你的脾气的，不晓得的人，岂不是要怪你不近人情？”

“不会，不会！”阿巧姐抢着说道，“我也晓得七姑奶奶不喜欢这些虚文。不过，我们是弄惯了，改不过来，好在陈少爷买得好，都是实惠的东西，就我不送，七姑奶奶也要花钱买的。”

“这倒是实话。”七姑奶奶笑嘻嘻地说，又表示歉意，“我说话一向是想到哪里，说到哪里，说错了你不要怪我。”

这两句话，别人都不觉得什么，只有陈世龙大为惊异，因为七姑奶奶以前绝无这种口吻。看来这是古应春的潜移默化之功。

他正想要说一两句调侃的话作为取笑，便听见楼梯上有声音，接着是尤五和胡雪岩一路走，一面谈着，相偕出现。他们略略招呼了一下，继续谈话。陈世龙听出来，他们去拜访了一位人物，这位人物对于调处浙江漕帮的纠纷，大有用处，现在是在商量，是不是要把这位人物一起请到杭州去。

“你们有啥谈不完的话？回头再谈，要开席了。”七姑奶奶忽然又说，“人少了欠热闹。何不把老二也请了来。”

“不必，不必！”尤五插手说道，“她出局去了，回头会来的。”

于是在堂屋中开席，一张圆台面，坐了六个人，似乎嫌大。阿巧姐经不住七姑奶奶的硬作主张，与胡雪岩并居首席。这样官客与堂客夹杂而坐，大反惯例，而坐首席更是阿巧姐的破题儿第一遭，所以相当拘谨，跟胡雪岩隔得远远的。

酒过一巡，胡雪岩对阿巧姐说道：“你跟七姑奶奶谈了些什么？”

“话多了。七姑奶奶脾气直爽，谈得真有趣。”

“那你何不常跟七姑奶奶来作伴？”

说到这里，尤五咳嗽了一声。胡雪岩才想起，他是极力主张七姑奶奶回娘家的，如说阿巧姐常来跟作她伴，岂不是给了她一个留在上海的借口？七姑奶奶却不理会这些。“小爷叔这话对！”她说，“你陪我到松江去住几天好不好？”

“这很好！”尤五微觉意外，赶紧怂恿，“阿巧姐，你就到那里去住几天。好在来去方便，你想回上海，随时可以回来。”

“打搅府上，不好意思。”

说是这样说，她一双俏眼只瞄着胡雪岩，要看他的态度定行止。胡雪岩自然表示赞成，反倒是古应春有了意见。

“我看松江也不必去，上海也不必留，索性跟小爷叔到苏州去逛一趟。”

“这倒也是个办法。”尤五看着他们俩问，“怎么样？”

胡雪岩实在有些委决不下。一方面觉得有阿巧姐作伴，此行一定温馨愉快；一方面又觉得双宿双飞之余，更加以相携相将，越发变成敲钉转脚，铁案如山，只可进不可退了。

这就要看阿巧姐自己的意思。而她对胡雪岩由误解而了解，由了解而接受怡情老二的劝告，已经下定决心。不过她阅人已多，世故熟透，绝不肯事事勉强，引起胡雪岩的忌惮敬远之心，所以此时默不作声。

“怎么样？”七姑奶奶催问着，“是到松江，还是到苏州？”

这一问，在阿巧姐当然只能回答到松江。古应春在这些地方，自比七姑奶奶更机敏，便不等她开口回答，先就抢着说了句：“当然是到苏州。”

“到苏州就到苏州。”胡雪岩定了主意，但不能不问一问本人，“去不去？”

这就是阿巧姐能干了，她不说去，也不说不去，只说：“七姑奶奶一片好意——”

意思是答应了，还照顾着七姑奶奶，虽是口头上的人情，也惹人好感。

“不要紧，不要紧！”七姑奶奶说，“等你苏州回来，我再来接你到松江去玩。”

事情就这样定局了。各人要收拾行装，早早散去，约定第二天中午在怡情老二小房中吃中饭，吃完分别上船。

第二章

回到大兴客栈，阿巧姐一面收拾随身动用什物，一面问起胡雪岩此行的目的。这没有什么隐瞒的必要，而且胡雪岩也深知她不是那种无知无识、不懂轻重的妇女，所以他把实话都告诉了她。

“学台是个啥个官？”

“专管考秀才的。”

“有没有外快？”

“这我倒不大懂了。”胡雪岩说，“听说四川学台、广东学台是肥缺，江苏就不晓得了。照我想，现在兵荒马乱，好些地方连去都不能去。地盘一小，就有外快也有限。”

“如果是这样子，要请何学台去谋干一个好地方的官，只怕不成功。”

“怎么呢？”

“要钱呀！”阿巧姐笑一笑又说，“我是不懂啥，但有一次一个候补道台汪老爷在怡情院请客，大讲官场的生意经，说是京里的大老倌那里，都要送钱的。钱越多，越容易升官。”

“嗯，嗯！”胡雪岩被提醒了，暗地里打了主意，却不愿说破，因为其中出入关系甚大，即令是对阿巧姐这样的人，也是不说的好。

“总还要送点礼啊！”阿巧姐又说。

“那有了，备了四色洋货。”

“何学台哪里人？”

“云南。”

“那不如送云南东西……”

“啊，对！”胡雪岩大为赞赏，“阿巧，你的脑筋真不错。”

于是第二天一早，胡雪岩便去寻古应春，要觅云南土产，结果找着一个解铜到江苏藩司衙门的云南候补州判，在他那里转让了四样云南土产。这四样土产是宣威火腿、紫大头菜、鸡棕菌和咸牛肉干，可惜数量不多，但也正因为数量不多，便显得物以稀为贵了。

中午在怡情老二那里吃了饭，和古应春彼此约定互不相送。等古应春替他安排护送的那个人一到，胡雪岩很客气地请教了“尊姓台甫”，然后一起上船。船是小火轮拖带的一条“无锡快”，胡雪岩带着阿巧姐住后舱，前舱让给护送的那个人住。

此人名叫周一鸣，湖南人，原在江南水师中当哨官，因为喜欢喝酒闹事，一次打伤了长官的小舅子，被责了二十军棍，开革除名。周一鸣的酒德虽不好，但为人倒极豪爽重义气。由于他曾在水师当差，认识的船户颇不少，所以起先跑码头、打秋风，大家也乐予周济，有时托他带个把口信。他倒也“食人之禄，忠人之事”，一定确确实实做到，慢慢地有了信用，便在上海船户的“茶会”上帮忙。各行各业的茶会，犹如同业公所，或者接头生意，或者与官场打交道，或者同业中有纠纷“吃讲茶”，都在茶会上商谈。周一鸣就成了船户茶会上的一名要角，特别是“抓船”“派差”等等官面上硬压下来的公事，都由周一鸣出面去接头。这次他也是有公事到苏州，古应春跟他相熟，正好把胡雪岩托了他，连雇船带护送，都归他包办，讲好送二十两银子。

胡雪岩的出手大方是出名的，一上船就找了个红封套，装了一张三十两银子的银票，当面双手奉上。周一鸣还要客气，但禁不住胡雪岩言词恳切，他千恩万谢地收了下来。这一路招呼得自是格外周到。

胡雪岩出门一向不喜欢带听差，于是周一鸣自告奋勇，到了苏州雇轿子，提行李、下客栈，都由他一手经理。客栈在阊门外，字号就叫“金阊”。等安置停当，周一鸣便要告辞了。

“胡大老爷！”因为胡雪岩是捐班候补知县，所以周一鸣这样称呼他，“我在苏州有个‘门口’，现在回去看一看。明天上半天到水师衙门去投文办事，中午过来伺候。你老看，行不行？”

“我有个不情之请。”胡雪岩说，“有四件东西，一封信，想拜托你此刻就送一送。”

“是了。”周一鸣问，“送到哪里？”

“送给何学台。还得先打听一下，何学台公馆在哪里。”

“这容易，都交给我好了。”

于是胡雪岩托金阊栈的账房，写了个手本，下注“寓阊门外金阊栈第三进西头”，连同四样云南土仪和一封王有龄的信都交了给周一鸣。信是胡雪岩密封了的，内中附着一张五千两的银票，作为王有龄送何桂清的。这封信当然重要，所以胡雪岩特别叮嘱：“老周，还要麻烦你，务必跟何公馆的门上说明白，讨一张有何学台亲笔的回片。”

“是！”周一鸣问，“今天要不要把回片送来？”

胡雪岩心想，疑人莫用，用人莫疑，而且周一鸣人既重义气，又是有来历的，因而很快地答道：“如果回片上只写收到，那就不必来了，明天再说。”

等周一鸣一走，胡雪岩迫不及待地想跟阿巧姐去观光。苏州不比上海，虽然妇女喜欢小庙烧香，凡有出会报赛等等人声鼎沸的场面，都要去轧个热闹，但一男一女不论是出现在玄妙观，还是虎丘山塘，总是招摇过市、惹人物议的一件事，而且阿巧姐是本乡本土，难免遇见熟人，尤须顾忌。因此，阿巧姐更觉为难。

就在这软语相磨，未定行止之际，只见周一鸣把顶红缨帽捏在手里当扇子扇，跑得满头大汗，却是笑容满面。胡雪岩当是何桂清有什么话交代，赶紧迎了出去。

“送到了！”周一鸣说，“回帖在这里。”

接过回帖来一看，只见上面写着一行字：王太守函一件，收讫；外隆仪四色，敬领谢谢。帖尾又有一行字：敬使面致。

“胡大老爷，真要谢谢你挑我。”周一鸣垂着手打个千说，“何学台出手很阔，赏了我二十两银子。”

听这一说，胡雪岩觉得很有面子，便说：“很好，你收下好了。”

“我特为跟你老来说一声，何学台住在苏州府学。”

“喔，你见着何学台没有？”

“见是没有见着。不过听他们二爷出来说，学台很高兴。”

高兴的是收到五千两银子，还是四色云南土产，或则两者兼而有之？胡雪岩就不知道了。不过不管怎么样，都算是得阿巧姐的力。

因为如此，他便依从了她的意思，不勉强她一起出游，但打算一个人出去逛逛。这得先跟阿巧姐请教。二人正在谈着苏州城里的名园古刹，突然发现金阊栈的掌柜，行色匆匆，直奔了进来。

“胡大老爷，胡大老爷！”掌柜说道，“何学台来拜，已经下轿了。”

听这一说，胡雪岩倒有些着慌。第一，没有听差“接帖”；第二，自己该穿公服肃迎，但时间上来不及了，所以一时有手足无措之感。

还是阿巧姐比较沉着。“何学台穿啥衣服来的？”她问。

“穿的便服。”

“这还好！”胡雪岩接口说道，“来不及了，我也只好便服相迎。”说着，他便走了出去，阿巧姐也赶紧将屋里刚刚倒散未曾归理的行李，略略收拾了一下，在窗口张望，只等何桂清一到，便要回避。

何桂清是走到第二进中门遇着胡雪岩的。虽然他穿的便衣，但跟着两名青衣小帽的听差，便能认出他的身份。胡雪岩却还不敢造次，站住脚一看，这位来客年纪与自己相仿，生得极白净的一张脸。这模样与王有龄所形容的何桂清的仪表完全相符，便知再不得错了。

“何大人！”他迎面请个安说，“真不敢当。”

“请起，请起！”何桂清拱拱手说，“想来足下就是雪岩兄了？”

“不敢当此称呼！我是胡雪岩。”

“幸会之至。”说着，何桂清又移动了脚步。

于是胡雪岩引路，将何桂清引到自己屋里。就这几步路，做主人的转了好些念头。他发觉情况很尴尬：二品大员拜访一个初交，地点又是在客栈里，既没有像样的堂奥可以容纳贵客，又没有听差可以供奔走之役，这样子就很难讲官场的仪节了。

索性当他自己人！胡雪岩断然作了这样一个决定，首先就改了称呼。何桂清字根云，胡雪岩便仿照“雪公”的例，称他“云公”。

接入客座，他这样说道：“云公，礼不可废，请上坐，让我这个候补知县参见！”

这是打的一个“过门”，既是便服，又是这样的称呼，根本就没有以官场礼节参见的打算。何桂清是绝顶聪明的人，一听就懂，再替他设身处地想一想，倒又佩服他这别出一格的处置，因而笑道：“雪岩兄，不要说煞风景的话。我听雪轩谈过老兄，神交已久，要脱略形迹才好！”

“是！恭敬不如从命！”胡雪岩一揖到地，站起身来说，“请里面坐吧！”

这才真的是脱略形迹，一见面就延入内室。何桂清略一踌躇，也就走了进去，但一进门却又赶紧退了出来。因为他看到一具闺阁中用的镜箱，还有两件女衣。

“宝眷在此，不好唐突！”

“不妨，不妨。”胡雪岩一面说，一面便喊，“阿巧，你出来见见何老爷。”

何桂清还在迟疑之际，突然眼前一亮，就不肯再退出去了，望着走几步路如风摆杨柳似的阿巧姐，向胡雪岩问道：“怎么称呼？是如嫂夫人？”

“不是！”胡雪岩说，“云公叫她小名阿巧好了。”

就这对答间，阿巧姐已经含笑叫一声：“何老爷！”同时盈盈下拜。

“不敢当，不敢当！请起来。”

男女授受不亲，不便动手去扶，到底让阿巧姐跪了一跪。她站起来说一声：“何老爷请坐！”然后翩然走了出去，只听见她在喊客栈里的伙计泡盖碗茶。

真是当作自己人看待，何桂清也就不再拘束，坐在窗前上首一张椅子上，首先向胡雪岩道谢：“多蒙专程下顾，隆仪尤其心感。天南万里，何况烽火，居然得尝家乡风味，太难得了。”

“说实话，是阿巧姐的主意。”

“可人，可人！”何桂清的视线又落在正在装果碟子的阿巧姐身上。

“没有好东西请何老爷吃，意思意思。”阿巧姐捧了四个果碟子走过来说。四个果碟子是她带在路上的闲食，一碟洋糖、一碟蜜枣、一碟杭州的香榧、一碟是昆山附近的黄埭瓜子。

“谢谢！”何桂清目光随着她那一双雪白的手转，蓦然警觉，这忘形的神态是失礼的，便收拢眼光，看着胡雪岩说：“雪岩兄是哪天到的？”

“今天刚到。”

“从杭州来？”

“不，到上海有几天了。”胡雪岩说，“本想请个人来送信。因为久慕云公，很想见一见，所以专诚来一趟。”

“盛情可感之至。”何桂清拱拱手，“不知道雪岩兄有几日勾留？”

不说耽搁说勾留，这些文绉绉的话，胡雪岩是跟嵇鹤龄相处得有了些日子，才能听懂，因而也用很雅饬的修辞答道：“此来专为奉谒。顺道访一访灵岩、虎丘，总有三五日盘桓。”

“老兄真是福气人！”何桂清指着阿巧姐说，“眷侣双携，载酒看山，不要说是这种乱世，就是承平时节，也是人生难得之事。”

阿巧姐听不懂他说的什么，但估量必是在说自己，而且料定是好话。再看这位“何老爷”是“白面书生”的模样，不道已经戴上了红顶子，说来有些叫人不能相信。她转念又想，说书先生常常讲的，落难公子中状元，放作“七省巡按”，随带尚方宝剑，有恩报恩，有仇报仇，怕正就是像眼前“何老爷”这样子的人。

她心里如此七颠八倒地在想，一双勾魂摄魄的眼睛便不住看着何桂清。那位阿巧姐眼中的“白面书生”，心里也是说不出的滋味，同时不断在想：她是什么路数，与胡雪岩是怎么回事？因为如此，口中便不知道跟胡雪岩在讲些什么，直到阿巧姐悄悄起去，倩影消失，他才警觉，既不安，又好笑，想想不能再坐下去了，否则神魂颠倒，不知会有什么笑话闹出来。

“我告辞！”他说，“今晚上奉屈小酌，我要好好请教。”

“不敢当。”

“雪岩兄！”何桂清很认真地说，“我不是客套。雪轩跟你的交情，我是知道的，他信中也提起，说你‘足智多谋，可共肝胆’，我有好些话，要跟老兄商议。”

“既如此，我就遵命了。”

“这才好。”何桂清欣然又说，“我不约别人，就是我们两个。回头我具柬帖来。”

于是胡雪岩将何桂清送了出门。等他上了轿，胡雪岩回到自己屋里，看见阿巧姐在收拾果盘，想起她刚才跟何桂清眉来眼去的光景，心里便有些酸溜溜的，不大得劲。

“这位何老爷，”阿巧姐说，“看上去年纪比你还轻。”

“是啊！”胡雪岩说，“我看他不过比你大两三岁，正好配得上你。”

“瞎三话四！”阿巧姐白了他一眼。

她不再说话，胡雪岩也懒得开口，一个人歪在床上想心思，想东想西，百无聊赖。看看天快黑下来了，外面又有掌柜的声音，急促地在喊：“胡大老爷，胡大老爷！”

这声音喊得人心慌，胡雪岩赶紧一骨碌起身，迎了出去，只见前面是掌柜，后面跟着个戴红缨帽的听差，手里夹一个“护书”。听差见了胡雪岩，抢上两步打个千说：“小的何福，给胡大老爷请安。敝上特地叫小的来迎接，轿子在门口，请胡大老爷就动身吧！”说着递了一份帖子上来。

帖子写的是：即夕申刻奉迓便酌。下款具名：教愚弟何桂清谨订。

“喔！好，我就走。”胡雪岩回到屋里，只见阿巧姐已取了一件马褂，作势等他来穿。

“留你一个人在客栈里了！”胡雪岩说了这一句，忽起试探的念头，“等我到了那里，请何老爷派人来接你好不好？”

这应该算作绝顶荒唐的念头。主客初会，身份不同，离通家之好还有十万八千里，就算一见如故，脱略形迹，而她是“妾身未分明”，怎能入官宦之家？再退一步而论，算是有了名分，胡家的姨太太，也得何家的内亲眷派人来接，怎么样也不能说由“何老爷”来邀堂客！

因此，阿巧姐的表情应该是惊异，或者笑一笑，照苏州人的说法：“亏你想得出！”甚至，置之不理，表示无可与言，亦在意中。而她什么都不是，只这样答说：“不好意思的！”

是怎么样的不好意思，就颇耐人寻味了。胡雪岩便报以一笑，不再说下去了。等坐上轿子，他心里还一直在研究阿巧姐的态度。他很冷静，就当估量一笔有暴利可图，但亦可能大蚀其本的大生意那样，不动感情，纯从利害去考虑。

考虑到轿子将停，他大致已经有了主见，暂且搁下，抖擞精神来对付这个新交的贵人。

何桂清借住在苏州府学的西花厅。厅中用屏风隔成三间，最外一间，当作“签押房”，接见是在第二间：书房的格局，布置得雅洁有致。胡雪岩到时，他正在写大字，放下未写成的对联，欢然待客。但见他穿一件枣红宁绸的夹袍，外套一字襟的玄色软缎坎肩，戴一顶六角形的折帽——一种像扇子样，可以折起来，置入衣袋中的瓜皮小帽。这副打扮，哪里像个考秀才的学台？倒像洋场中的纨绔。

“雪岩兄！”何桂清潇洒地将手一摆，“你看，就你我俩，无话不可谈。”

何桂清作此表示，非同寻常，胡雪岩相当感动，但也格外慎重。“云公，”他以端然的神色说，“雪公把信交给我的时候，特别叮嘱，云公如果有什么吩咐，务必照办。这句话，我亦不肯随便出口，因为怕力量有限办不到。如今我不妨跟云公说，即使办不到，我觉得云公一定也会体谅，所以有话尽请吩咐。”

这话已经说到头了，何桂清也就无所顾虑，很坦率地说：“黄寿臣是我的同年，他如果不走，我不便有所表示，现在听说他有调动的消息，论资格，我接他的缺，也不算意外，所以雪轩为我设谋，倒也不妨计议计议。不过，费了好大的劲，所得的如果是‘鸡肋’，那就不上算了。你看，浙江的情形，到底怎么样？”

胡雪岩不懂“嚼之无味，弃之可惜”的“鸡肋”作何解，不过整段话的意思大致可以明白，是问浙江巡抚这个缺分的好坏。

“浙江当然不如江苏，不过，有一点比江苏好！到底还不曾打仗。”

“虽未打仗，替江南大营办粮台，还有安徽的防务，也得帮忙，为人作嫁，颇不上算。”

“这也不见得。”胡雪岩答道，“如果是个清闲无事的缺，只怕云公亦未必肯屈就。”

“这倒是真话。”何桂清颇有深获我心之感，“我这个江苏学政，照承平时候来说，也就仅仅次于‘提督顺天学政’。这是因为京畿之地，但若论人才，又何尝及得上贵处江南？所以江苏学政是否得人，关乎国家的气运，人才的消长。谁知两百年来，我适逢其会，遇上这么个用兵的时候，如今是只讲战备，不修文治，加以地方沦陷的很多。我原可躲躲懒，但此时不讲培育，战乱一年，人才中断，那就是我的误国之罪了。所以借地科考，辗转跋涉，自觉也对得起皇上，对得起江苏百姓了。”

胡雪岩也曾听说过，何桂清这个江苏学政做得相当起劲，本职以外，常有奏疏论军务。本意以为他越俎代庖，迹近多事，现在听他谈到“借地科考，辗转跋涉”，才知道未忝所职，心里不觉浮起敬意。但这方面他无可赞一词，唯有凝神倾听，不断点头而已。

“老爷！”有个丫头走来说，“请客人入席吧。”

“请吧！真正是小酌，”何桂清说，“而且是借花献佛。”

果然，六样菜倒有四样的材料出自胡雪岩送的那四色云南土产。当中一个一品锅，揭开来看，形式与众不同：中间“朝天一柱”，多出个嘴子；里面是一锅鸡块，汤汁极清，微带糟香，不觉就在喉间咽了一口唾沫。

“这大概就是‘汽锅鸡’了。”胡雪岩说，“久闻其名，还是初次见识。”

“这鸡也就是喝点汤，做法并不麻烦，难得的是家伙。这汽锅，我曾托人到宜兴仿制，怎么样也不合适。”何桂清说到这里，忽然问道，“雪岩兄到敝处去过没有？”

“没有。不过我久慕昆明是洞天福地，四季如春，山明水秀。”胡雪岩又说，“俗语道得好，人杰地灵，有这样的好地方，才能出云公这样的人物。”

“过奖，过奖！”何桂清说，“你总听雪轩说过，我不是云南土著。”肯提到这一点，也就表示他不讳自己的身世。胡雪岩转念到此，便理解到何桂清真的是拿自己当知心朋友看待。不过，自己却不便透露已尽知他的底细，所以这样答道：“略知一二。雪公也是很佩服云公的。”

“我跟他的交情不同，你跟他的交情也不同。所以今后你不要见外才好。”

“是！是！承蒙云公不弃，我敬云公亦像敬雪公一样。”

“敬则不敢，但愿你不分彼此。来‘相见欢’，请干了这一杯。”

两个人都干了照杯，然后低斟慢饮，继续谈浙江的情形。胡雪岩认为已不需怂恿他作何打算，只就浙江的吏治、民生、人情、风土，尽其所知地细细陈述。何桂清听得很仔细，偶尔也发一两句问，问的都是地方的形势。胡雪岩听得出来，他的兴趣是在军务上，倘或防守没有把握，他对浙江巡抚这个缺，就不见得会有兴趣。

谈到最后，何桂清对他的出处作了透露：“我这个学政是一定不干了。以后干什么，却还打不定主意。”

官场上的花样，胡雪岩所了解的，只到府县为止，省里的事，还可以猜得出来。至于京官以后许多特殊的缺分，他就不懂了，所以对何桂清的话，无可置答。

“你知道，我们那一榜，道光十五年乙未，现在算是最得意了。这是因为当年穆相国的提拔。穆相国你知道吧？”

“说来惭愧。我还不大清楚。”

“这也怪你不来，你不是我们这一路上的人。”

何桂清接下来便为胡雪岩谈“穆相国”——道光朝的权相穆彰阿。乙未科会试，他是大主考，十五年工夫，尽是提拔门生。内而军机部院，外而巡抚藩臬，遍布要津，所以穆彰阿虽在当今咸丰皇帝接位的第二年垮了下来，但乙未科同榜羽翼已经丰满，个个可以振翅高飞，不但不受老师垮台的影响，而且老师反因门生的力量仅仅得了个革职的处分，不曾像当年“和珅跌倒”那样，搞成抄家送命的悲惨结局。

“所以，”何桂清话锋一转，谈到自己，“我不能轻弃机会，动是总归要动的，现在不是承平之世，学政没有干头。如果说想到浙江去，变成挖黄寿臣的根，同年相好，说不过去。叫我回去当礼部侍郎的本缺，亦实在没有意思。我在想，像仓场侍郎之类的缺分，倒不妨过个渡。”

“仓场侍郎”这个官称，胡雪岩倒是知道，因为与漕运有关，听王有龄和嵇鹤龄都谈过。仓场侍郎驻通州，专管漕粮的接收、存贮，下面有十一个仓监督，是个肥缺，做两三年下来，外放巡抚，便有了做清官的资格——因为宦囊已丰，不必再括地皮。

胡雪岩的脑筋快，一下子想到浙江的海运。从王有龄到嵇鹤龄，海运局的麻烦还很多，有许多核销的账目，要靠通州方面的帮忙，如果何桂清能够去掌管其事，一切都方便了。于是他说："云公，你这个打算，真正不错！说到这上头，我倒有微劳可效。天下的漕粮重在江浙，浙江方面的海运，只要云公坐镇通州，说什么便是什么，一定遵照云公的意思办理。"

"喔，"何桂清问，"浙江的海运，雪轩已经交卸了，你何以有这样的把握？"

"雪公虽已交卸，现在的坐办嵇鹤龄，跟雪公仍旧有极深的渊源。嵇某人是我拜把的兄弟。"

"原来如此！"何桂清欣喜中有惊异，觉得事情真有这么凑巧，倒是意想不到。

"至于江苏方面的海运，云公想必比我还清楚，而且由江苏调过去，不论谁来办，必都是熟人，自然一切容易说话。"说到这里，胡雪岩作了一个结论，"总而言之，云公去干这个缺，是人地相宜。"

"能人地相宜，就可以政通人和。"何桂清停了一下，又说，"我本来只是随便起的一个念头，不想跟你一谈，倒谈出名堂来了。我已写了信到京里，想进京去一趟，'陛见'的上谕，大概快下来了，准定设法调仓场。"

何桂清肯说到这样的话，便见得已拿胡雪岩当作无话不谈的心腹。听话的人了解，人与人之间，交情跟关系的建立与进展，全靠在这种地方有个扎实的表示。这一步跨越不了，密友亦会变成泛泛之交。因此，胡雪岩当然不会轻易放过。

"云公！我敢说，你的打算，不能再好了。事不宜迟，就该放手进行。不过，有句话，我不知道说得冒昧不冒昧。"

"你不曾说，我怎么知道？"何桂清剥着指甲，眼睛望着他自己的手，是准备接受他那句冒昧话的神气。

"听说藩司进一趟京，起码得花两万银子，可是有这话？"

"这也不能一概而论，中等省份够了，像江苏这样一等一的大省就不够。仅仅陛见述职够了，如果有公事接头，或者请款，或者报销，那'部费’就没得底，两万银子哪里够？”

“照这样说，有所谋干，就更不够了。”

“这也要看缺分、看圣眷、看朝里有人无人而定。像我这趟去，就花不了多少钱。”

“那么，”胡雪岩敛眉正视，一个字一个字很清楚地问，“到底要多少呢？”

何桂清不即回答，乱眨着眼，念念有词地数着指头，好久才说：“若有一万五千银子，尽足敷用。”

“云公，”胡雪岩一笑，又放正了脸色，“你老知道的，我做钱庄，我们这行生意，最怕‘烂头寸’，你老这趟进京，总要用我一点才好。”

这一说，何桂清的表情便很复杂了，惊喜而兼困惑，仿佛还不十分懂他的话似的。是有点不懂，细想一想才算弄明白，但亦不知道自己的解释对不对，所以话说得不很利落。

“雪岩兄，你的意思是想放一笔款子给我？”

“是的。”胡雪岩很率直，也很清楚地回答，“我想放一万五千银子的账给云公。利息特别克己，因为我的头寸多，总比烂在那里好。”

“期限呢？”

“云公自己说。”

何桂清又答不上来了，他要好好盘算一下，却又无从算起，因为只知道仓场侍郎的缺不错，一年到底有多少进账并不知道。

看他迟疑，胡雪岩便说：“我替云公出个主意，在京城里，我替云公介绍一家票号，云公的款子都存在他那里，看情形办，钱多多还，钱少少还，期限不定，你老看如何？”

“好，好，就是这么办。不过我不必用那么多，只要一万就可以了。”

胡雪岩知道，五千已有着落，还是自己听了阿巧姐的话，亲手封进去的银票，但不便说破。“怎么呢？不还差五千吗？”他故意这样问。

何桂清也不肯说破，王有龄在信中，已附了五千银子，只是这样答道：

“不敷之数，我另外找人凑一凑，也就差不多了。”

胡雪岩肚子里雪亮，便点点头说：“那么，请云公的示，我那一万银子，送到哪里？”

这平平常常的一句话，应该是极容易回答的，而何桂清竟开不得口！因为这件事说起来未免令人觉得突兀而骤难相信。一万银子不是小数，初次见面，三言两语便大把捧出来借与人，不要中，不要保，还不必讲利息和期限，这不太少见？

何桂清这样茫然想着，忽有领悟：胡雪岩这样做法，固可解释为王有龄的交情使然，但他本人是否有所图谋呢？生意人的算盘，无论如何是精明的，还是先问一问清楚的好。

“雪岩兄，”他很吃力地说，“你真的是所谓‘烂头寸’？”

问到这话，胡雪岩觉得不必再说假话，因而这样模棱地答道：“就算头寸不烂，云公的大事，我亦不能不勉力效劳。”

“感激得很。只是我受你此惠，不知何以为报？”

话是一句普通见情的话，但他的眼神不同，双目灼灼地望着胡雪岩，是等候回话的神态。这一下，玲珑剔透的胡雪岩就了然了，这句话不仅是内心感激的表示，还带着“问条件”的意味。条件自然有，但绝不能说，说了就是草包。同时胡雪岩也觉得他的这一问，未免看轻了他自己跟王有龄的交情，所以意中微有不满。

“云公说的是哪里的话？我不曾读过书，不过《史记》上的《货殖列传》《游侠列传》也听人讲过。区区万金，莫非有所企图，才肯出手？”

“是，是！”何桂清大为不安，连连拱手，“是我失言了。雪岩兄，我真还想不到，你是读书有得的人。”

胡雪岩心里好笑，自然也得意，听嵇鹤龄讲过几个汉朝的故事，居然把翰林出身的学台大人都唬住了，将来跟王有龄、嵇鹤龄他们谈起来，倒是一件值得夸耀之事。

“哪里，哪里，云公这话，等于骂我。”他一半实话，一半谦虚地说。

而何桂清却真的刮目相看了。“怪不得雪轩佩服你。”他说，“雪轩以前虽不得意，却也是眼高于顶的人，平日月旦人物，少所许可，独独对你不同，原来你果然不同。”

胡雪岩报以矜持谦虚的微笑，拿话题又拉回到借款上：“我那一万银子，一到上海就可以备妥，是寄了来，还是怎么样？”

“不必寄来。”何桂清想了想说，“等我进京，自然是先到上海，由海道北上，一则路上比较平靖，再则也看看海运的情形。到了上海，我们见面再说。那时少不得还有麻烦你的地方。”

“好，好——”胡雪岩自告奋勇，“云公什么时候进京，先给我一封信，在上海备公馆，定船舱都归我办差。”

“‘办差’两个字请收回。”何桂清又踌躇着说，“倒是有一件，我动身至快也得端午前后，那时候，恐怕你已回杭州了。”

“我从杭州赶回上海。”胡雪岩答得极其爽利，“而且，我上海也有人，一切不需云公费心。”

谈话到此，酒也够了，胡雪岩请主人“赏饭”，吃完略坐一坐，随即起身告辞，何桂清仍旧用轿子将他送回金阊栈。阿巧姐正灯下独坐，在守候他回来。

“你吃了饭没有？”

“吃过。”阿巧姐说，“一直想吃陆稿荐的酱猪肉，今天总算到口了。”说着，她服侍他卸衣洗脚，一面问起何桂清那里的情形。胡雪岩不便将那些如何进京活动调任的话告诉她，但除此以外，就没有什么可说的了，因为何家的内眷亲属，他一个也不曾看到。

等上了床，阿巧姐在枕头上问他：“明天怎么样？想到哪里去？”

“正事都办完了。明天哪里去逛一天？到苏州一趟，总不能说虎丘都不曾到过。”

听他这一说，阿巧姐颇有意外之感，“我原以为你的事，总得有几天，才能办完。”她说，“这一来——”

"怎么呢？"胡雪岩见她欲言又止，同样地感到诧异。

"我本来想回木渎去一趟。现在看来不成功了。"

"这倒无所谓。"胡雪岩问，"你去干什么？"

"咦，你这话问得怪！我家在木渎，到了苏州不回去，说得过去吗？"

"喔！"胡雪岩脱口说，"你是去看老公？"

"说得可要难听！"阿巧姐有些气急败坏地说，"我是回娘家。"

看她的神气，这不是假话，既然如此，胡雪岩觉得倒不妨问了下去："你娘家还有什么人？"

"娘老子，一个兄弟。"阿巧姐又说，"我看一看他们，有点钱带到了，马上回城。"

"那得多少时候？"

"一来一去，总要两天。"

"两天？"胡雪岩想了想说，"你明天就去，后天回来，一回来我们就走。"

"这样，"阿巧姐歉然地说，"明天不能陪你逛虎丘了。"

"这倒无所谓。阿巧，"胡雪岩问道，"你跟你夫家，到底怎么回事？"

"怎么回事？只要有钱给他们，他们啥也不管。"阿巧姐用这样鄙夷不屑的口吻回答。

"钱是按月带回去？"

"有时一个月，有时两个月。钱多多带，钱少少带，没有一定。再也要看有没有便人。常常要托人，真麻烦。"

"与其如此，还不如一刀两断，也省得托人麻烦。"

阿巧姐不响，看样子是有些为难，胡雪岩便在猜度她的为难是什么。

"一刀两断是可以，就怕他们狮子大开口。"

"你倒说说看，大到怎样的程度？乡下人开口来也不见大到哪里去。"

"总要两千银子。"

两千银子倒是狮子大开口了。在上海“长三”中，娶个红倌人也不过花到这个数目，而阿巧姐人虽不错，身价到底不值这么多。

如果说一句“两千就两千”，这样出手，不能博得豪阔之名，倒有些像洋场新流行的俗语，成了“洋盘”。当然，这是因为从阿巧姐情不自禁地表现出对“何老爷”有“意思”以后，胡雪岩对她的兴趣已经打了折扣之故，否则他就不会有那样做“洋盘”的感觉。

于是他淡淡地答了句：“到了上海再说吧，手边也没有这么多银子。”

其实他带着三千银票，这样说是托词。阿巧姐原不曾作此期待，因而也不觉得失望。一宿无话，第二天起身，他实践前宵枕上的许诺，催阿巧姐回木渎。

“丢你一个人在客栈里，真不好意思。”阿巧姐说，“要么，你跟我一同去。”

这算什么名堂？乡下风气闭塞，阿巧姐这样带个“野汉子”回家，就算她自己不在乎，胡雪岩也觉得尴尬，所以摇着手说：“不要紧，不要紧！你一个人去好了。一个人在城里逛逛也很好。”

“那么，我明天一早就动身回来。大概中午就可以到了。”

说着，她便托金阊栈代为雇一顶来回的轿子。胡雪岩想想让她空手回去，自己一无表示，也不好意思，便取了一张一百两的银票，说是送她父母买补药吃。阿巧姐自然高兴，上轿时便越发有那种依依不舍的神情了。

也不过是她刚走，何桂清又派人送了柬帖来，约他午间在狮子林小酌。胡雪岩正愁无处可去，自然是欣然许诺，给了回片，发了赏钱，坐轿进阊门，到玄妙观里喝了一碗茶，在庙市上买了几样小件的玉器，到了近午时分，就在庙前雇一顶小轿，去赴何桂清之约。

狮子林以假山出名，据说是倪云林亲手所经营，曲折高下，诡异莫测。何桂清亲自引导游览，随处指点，极其殷勤。一圈逛下来，去了个把钟头，走得累了，便觉得饮食格外有味，吃到半饱，话才多了起来。

这种场合，自然不宜谈官场，谈商场则何桂清是外行，于是只好谈山水、谈风月了。

有了几分酒意的何桂清，谈兴愈豪，话也更少顾忌，一谈谈到家庭，他忽然说道："雪岩兄，我有件事，要腼颜奉托。内人体弱多病，性情又最贤惠，常劝我置一房妾侍，可以为她分劳，照料我的饮食起居。我倒也觉得有此必要，只是在江苏做官，纳部民为妾，大干禁例。这一次进京，沿途得要个贴身的人照料，不知道你能不能替我在上海或者在杭州，物色一个。"

"这容易得很。请云公说说看，喜欢怎样的人？"

"就像阿巧姐那样的，便是上选。"何桂清脱口而答。

胡雪岩一愣，细看一看他的脸色，不像饰词巧索，心里便好过些了。"我知道了。"他点点头，"总在云公动身以前，我必有以报命。"

"拜托，拜托！"何桂清说，"回头我先送五百两银子过来。请雪岩兄在这个数目之内替我办。"

"用不了这么多。"胡雪岩说，"云公也不必送来，办成了，我跟云公一起算，顺便还要讨赏。"

"言重，言重！该我谢媒。"

* * *

答应是答应下来了，但回到金阊栈，胡雪岩细想一想，要找像阿巧姐这样的人，却真还不大容易。

"嗐——我傻了！"胡雪岩突破心头的蔽境，解决了难题，却带来怅然若失的情怀。

何必再去寻阿巧姐这样的人？阿巧姐不就在眼前？然而胡雪岩这一次撒手，跟放弃阿珠的感觉大不相同。当时移花接木将阿珠与陈世龙之间的那条红丝联系起来，不但心安理得，而且有快心惬意之感，如今要将阿巧姐送入别人的怀抱，心里却是酸溜溜的，很不好受。

因此他一个人徘徊又徘徊，翻来覆去地在想：除此以外可还有更好的办法？他这样蚁旋磨似的一直转到天快黑，听得外面有人在喊："胡大老爷！"

声音很熟，却一时想不起是谁，出门一看，才影影绰绰地辨清楚，是周一鸣。

"中午我来伺候，胡大老爷出去了？"

"喔，对不起，失迎！"胡雪岩答道，"何学台约我逛狮子林。"

"姨太太也不在？"

"她回木渎去了。"胡雪岩又补了一句，"那不是小妾，你的称呼用不着。"

这也算是碰了一个钉子，周一鸣答不上来了，没话找话说了句："胡大老爷怎不点灯？"

"啊！"胡雪岩这时才醒悟，自己也觉得好笑，说了一半实话，"我在想一件心事，想得出神了。老周，我们吃酒去。"

"是！"周一鸣赔笑说道，"我本来就打算做个小东，请胡大老爷喝杯酒。只怕胡大老爷不肯赏脸，不敢说。"

"笑话！啥叫不肯赏脸？你说得太客气了。"胡雪岩很中意周一鸣，想跟他谈谈，便很恳切地说，"我扰你的。不过，下馆子我可不去，不是怕你多花钱。第一，中午油腻吃得太多；第二，想看看苏州的小酒店是怎么个光景，跟我们杭州有什么不同。"

"胡大老爷这样说，我就恭敬不如从命了。这种专门吃酒的酒店，玄妙观前多得很，地方很干净，可以坐一坐。"

"那好，我们就走吧！"

胡雪岩随手套上一件马褂，关照店伙计锁了门，与周一鸣雇了一辆马车进城。玄妙观前灯火辉煌，十分热闹。江宁失守，苏州成了全省的首善之区，文武官员平空添了数百，大多不曾带家眷，公余无处可去，多集中在玄妙观前，闲逛的闲逛，买醉的买醉。市面要到二更才罢。

酒店家家客满，最后在一家字号叫"元大昌"的找到了一副临街的座头。两个人坐下来，要了绍兴花雕，随即便有两三个青布衣衫、收拾得十分干净挺括的上了年纪的妇人，挽着篮来卖下酒的卤菜。那些鸭头和鸭翅膀看样子很不坏，但味道不怎么样。好在胡雪岩旨在领略苏州酒店的情趣，不在口腹，倒也不甚介意。

等坐定了，吃过一巡酒，他放眼四顾，开始观察。苏州本地人雍容揖让，文文气气，一望而知。他们间壁一桌就是，两个都是白须老者，但一口道地的苏州话，却是其软无比，只听他们高谈阔论，也是一种乐趣。

四外烽火连天，这“元大昌”中却是酒温语软，充满了逸兴闲情。隔座那两位白须老者，谈的是嘉庆年间的旧话，谈砚台、谈宜兴的“供春壶”、谈竹雕，都是太平盛世，文人墨客的雅玩。

“人生在世，为什么？”胡雪岩忽生感慨，“就是吃吃喝喝过一生？”

这句话问得周一鸣直着眼发愣，不但不能回答，甚至也无从了解他的意思。

“我是说，像隔壁那两位老太爷，”胡雪岩放低了声音说，“大概是靠收租过日子的乡绅。这样的人家，我们杭州也很多，祖上做过官，挣下一批田地，如果不是出了个败家精，安分度日，总有一两代好吃。本身也总有个把功名，好一点是进过学的秀才，不然就是二三十两银子捐来的监生，也算场面上的人物。一年到头无事忙，白天孵茶馆，晚上摆一碗，逍遥自在到六七十岁，一口气不来，回老家见阎王，说是我阳世里走过一遭了。问他阳世里做点啥？啥也不做！像这样的人，做鬼都没有意思。”

这番不知是自嘲，还是调侃他人的话，周一鸣倒是听懂了。此人也算是有志向的人，所以对胡雪岩的话颇有同感。“是啊！”他说，“人生在世，总要做一番事业，才对得起父母。”

有这句话，胡雪岩觉得可以跟他谈谈了。“老周，”他问，“听说你在水师，也是蛮有名的人物？”

“名是谈不到，人缘是不错。”周一鸣喝了口酒，满腹牢骚地说，“从前船户都叫我‘老总’，见了客气得很，现在都叫我老周，啥跑腿的事都要干。想想真不是味道。”

“你的意思，仍旧想回水师？”

“想也不行！”周一鸣摇摇头，“从前我那个长官，现在官更大了，听了他娘的小舅子的话，把我恨得要死。要想再回去补个名字，除非移名改姓，从小兵干起。那要干到什么时候才得出头？想想只好算了。”

“果真你要回去，我倒可以帮你的忙。”胡雪岩说，“想来水师管带，官也不会大到哪里去，我替你请何学台写封信，你看怎么样？”

“求得到何学台的信，我又不必回原地方了。何学台跟江苏巡抚许大人是同年，有何学台的信，我投到‘抚标’去当差，比原来的差使好得多。”

“那好！”胡雪岩说，“这上头我不大懂。明天我带你去见何学台，你当面跟他说。”

听得这话，再想到何桂清对胡雪岩的客气，料知他们交情极深，事必有济，所以他极其兴奋，连连道谢，应酬得格外殷勤了。

酒吃到六分，胡雪岩不想再喝，叫了两碗“双浇面”。一碗是焖得稀烂的大肉面，一碗是熏鱼面，两下对换，有鱼有肉，吃得酒醉饭饱，花不到五钱银子，胡雪岩深为满意。

“钱不在多，只要会用。”他说，“吃得像今天这么舒服的日子，我还不多。”

“这是因为胡大老爷晓得我做东，没有好东西吃，心里先就有打算了，所以说好。”

“这就叫‘知足常乐’。”胡雪岩说，“凡事能够退一步想，就没有烦恼了。”

这天晚上他再想阿巧姐的去留，就是持着这种态度。譬如不曾遇见她，譬如她香消玉殒了，譬如她为豪客所夺，这样每自譬一次，便将阿巧姐看得淡了些。最后他终于下了决心，自己说一声：“君子成人之美！”然后叹口气，蒙头大睡。

第三章

第二天一早起身，周一鸣已经在等着了，临时客串听差，替他奔走招呼，所以阿巧姐虽不在身边，胡雪岩亦觉得并无不便。同时他心里在想，自己一向为求便捷爽利，不喜欢带个听差在身边，看来若有像周一鸣这样的人，带在身边亦自不妨，这一趟回去，或在杭州，或在上海，倒要好好物色一个。

等他漱洗完毕，周一鸣又要请他进城去喝早茶。胡雪岩心里有数，便连声答道："好的，好的！吃完早茶，我带你去见何学台，当面求他替你写信。"

于是进了城在"吴苑"茶店吃早茶。苏州的茶店跟杭州的又不同。杭州的茶店，大都是敞厅，一视同仁，不管是缙绅先生，还是贩夫走卒，入座都是顾客；苏州的茶店，分出等级，各不相淆。胡雪岩好热闹，与周一鸣只在最外面那间厅上坐，一面喝茶，一面吃各式各样的点心，消磨到十点钟，看看是时候了，算了账，安步当车到苏州府学去见何桂清。

由于爱屋及乌的缘故，何桂清对周一鸣也很客气，再三让坐。周一鸣守着官场的规矩，只是垂手肃立，最后却不过意，才屁股沾着椅子边，仿佛蹲着似的坐了下来。

看他这局促的光景，胡雪岩倒觉得于心不忍，便要言不烦地说明来意。何桂清当时答道："许大人亲自到上海督师去了。"接着转脸问胡雪岩，"现在倒有个好机会，是去收税，不知道这位周君愿意不愿意屈就。"

"屈就这两个字言重了。不知是哪一处税卡？"

"现在新创一种'厘金'，你总晓得。"

"这听说过。"胡雪岩答道，"到底怎么回事，却还不十分清楚。"

"是你们浙江的一个奇士的策划。此人算来是雪轩的部民，湖州府长兴人，名叫钱江——"

钱江字东平，是浙江长兴的一名监生，好大言，多奇计，仿佛战国的策士一流人物。鸦片战争一起，协办大学士兼吏部尚书的宗室奕经，奉旨以"扬威将军"的名义，到浙江督办军务。钱江叩辕献计，招募壮士，奇袭英军，擒其首脑。畏葸的奕经，如何敢用这样的奇计？敬谢不敏。

后来林则徐得罪遣戍，而钱江在广州犯了法，亦充军到伊犁。二人在戍所相遇，林则徐对他深为赏识。当林则徐遇赦进关时，设法将他洗脱了罪，带入关内，在京城里为他揄扬于公卿之间，令他声名鹊起。不幸地，林则徐不久病殁，钱江顿失凭依，于是挟策游于江淮之间。后来他在扬州遇到了雷以诚，献上两策。第一策是预领空白捐照，随时填发；第二策就是开办厘金。

穷了想富，富了想贵，人之常情。所以做生意发了财的，尤其是两淮的那班盐商，最喜欢捐官，捐到三品道员还觉得戴蓝顶子不够威风，总想找机会，如报效军需、捐助河工，花大把银子买个"特保"，弄个二品顶戴的红顶子才肯罢休。

但是捐官的手续甚为繁复，吏部书办的花样百出，往往"上兑"一两年，一张证明几品官员身份的"部照"还拿不到，这一来自然影响捐官人的兴趣。钱江的办法就是专为想过官瘾的富商打算的，一手交钱，一手交货，上了兑，立刻填发部照，爽快无比。雷以诚认为此策极妙，便托钱江上了个奏折，细陈其事。照他的办法，部里的书办就没有好处了，所以起初部议不准。无奈国库空虚，乾嘉年间积下的上千万银子，从道光年间鸦片战争以来，被奕经、耆英、琦善以及赛尚阿等总领师干的钦差大臣们花得光光；现在朝廷为对付洪、杨起义，“既要马儿好，又要马儿不吃草”，如果马儿自己觅草去吃，犹复不准，如何说得过去？因此，钱江的妙策，到底被批准了。部里领来大批的空白捐照，现款交易，而且没有层出不穷的小费，既快又便宜，捐官的人自然趋之若鹜。雷以诚就靠了这笔收入，招募乡勇，才得扼守扬州、镇江一带。

然而捐官只是一趟头的买卖，细水长流，还得另想别法，于是而有厘金。清朝的行商税，本来只有关税一种。大宗税收是钱粮地丁，因为失地太多而收额大减，两淮的盐税亦因为兵火的影响，销场不旺，弥补之道，就靠厘金。一钱抽一厘，看起来税额甚轻，但积少成多，为数可观。最先是由雷以诚在扬州仙女庙、邵伯镇等运河码头设卡试办，成效不坏，朝廷因而正式降旨，命两江总督怡良、江苏巡抚许乃钊、漕运总督杨以增在江南、江北各地试行捐厘助饷，以裕军需。

听罢何桂清的陈述，胡雪岩对钱江其人，深为仰慕，颇想一见；但这是一时办不到的事，只好丢开，先替周一鸣作打算。

“他是水师出身，运河、长江各码头，都是熟人。若得云公栽培，当差绝不致误事，坍云公的台。”

“我知道，我知道，看周君也是很能干的人，而况又是你的举荐，一定赏识不虚。”何桂清说，“我马上写信，请坐一坐！”

说罢，他退入书房，亲笔写了一封信。何桂清虽未做到封疆大吏，督抚的派头已经很足，两张八行笺，写着胡桃大的字，按科名先后，称雷以诚为“前辈”。胡雪岩接了信代周一鸣道谢，周一鸣自己则叩头相谢。

“你先回去吧！”胡雪岩对周一鸣说，“我还要陪何大人谈谈。”

等周一鸣一走，何桂清告诉胡雪岩一个消息，说江苏巡抚许乃钊有调动的消息。“今天一早，接到京里的密信。”他说，“我想等一等再说。”

许乃钊调动，何以他要等候？细想一想，胡雪岩明白了，必是何桂清有接此任的可能，不妨静以观变。

这个主意的变化，胡雪岩觉得对自己这方面大为不利，因而颇想劝他仍照原来的计划，先活动调任仓场侍郎，然后放到浙江去当巡抚。那一来，对王有龄，对自己，对嵇鹤龄便有左右逢源、诸事顺手之乐了。

暗中的猜测，不便明劝，万一猜得不对，变成无的放矢，是件可笑的事，叫何桂清看轻了自己；而且凡事明说不如暗示，旁敲侧击的效果最好，这是胡雪岩所深知的。于是他略想一想，有了一套说词。

“江苏巡抚这个缺，从前是天下第一，现在，我看是最末等的了。”他忽然发了这样一段议论。

何桂清当然要注意。“苏抚的缺分，不如以前是真的，”他说，“但亦不至于沦为末等。”

“我是瞎说说的，跟云公请教。”胡雪岩徐徐而言，想着末等的理由，想到一条说一条，“第一是大乱在江苏，地方少了，钱粮也就少了。”

“还好，苏松膏腴之地，还在我们手里。”

胡雪岩不便说苏松难保。“要保住，也很吃力，刘丽川至今还在上海。这且不去说它，第二，江苏的官太多。”他说，“浙江好的是巡抚独尊！”

“啊！”何桂清深深点头，“你这话有道理。督抚同城，确是麻烦，不是东风压倒西风，就是西风压倒东风。”

“巡抚要压倒总督，怕不大容易，这也不去说它。第三，”胡雪岩又说，“江南大营的向大人，听说很难伺候。云公，有这话没有？”

这话当然有的。何桂清心想，江南大营的骄兵悍将，不知凡几，向荣的难侍候，犹其余事。于是他本来想在江苏等机会，打算着能接许乃钊的遗缺的心思动摇了。

看他默然不语，胡雪岩猜到了他的心思，益发动以危言：“地方官要与城共存亡。我替我们杭州同乡许大人说句私话，如果能够调动一个缺，真正是‘塞翁失马，焉知非福’了。”

这句话才真的打动了何桂清。他最胆小，虽然纸上谈兵，豪气万丈，但其实他最怕打仗。看起来，江苏真的成了末等的缺，何必自讨苦吃，还是进京去吧！

主意打定了，何桂清却不便明说，只连连点头："高论极是，佩服之至。"

"我哪里懂什么，不过俗语道得好，'旁观者清'。不在其位，不关得失，看事情比较清楚。"

"说得一点不错。"何桂清答道，"我就正要老兄这样的人，多多指点。"

"云公这话说得太过分，真叫我脸红。"他趁势站了起来，"我就此告辞了，顺便跟云公辞行。"

"怎么？"何桂清顿现怅然之色，"你就这样走了？"

"是的，我预备明天一早动身回上海。"

"那么——"何桂清沉吟了好半晌说，"我们上海见面吧！那不会太久的。"

"是！我一回上海就把款子预备好，随时等云公的招呼。"

"还有件事，无论如何，奉托费心。"

胡雪岩一愣，随即会意，事实上此事已成功了一半，所以很有把握地说："云公请放心，一到上海，必有喜信。"

何桂清自然高兴，而过分的欣悦，反生感慨。"真想不到，这一次无端与雪岩兄结成知交。"他摇摇头说，"人生在世，都是一个缘字，想想真是不可思议。"

胡雪岩跟他的境遇约略相似，再加上王有龄，三个人天南地北，不知冥冥中是什么力量的驱使，得能聚在一起。像七巧板一样，看似毫不相干，居然拼出一副花样，实在巧妙之至。所以胡雪岩对他的话，深具同感。

"云公，说到缘字，还有让你想不到的事。"他紧接着又说，"眼前我不说破，说破了不好玩了。只盼你早则节前，晚则节后，到了上海，我们再叙。”

听他如此说法，何桂清便不肯多问，只说：“好，好！我们再叙。良晤非遥，我就不送你了。”

“不敢当，我也就不再来辞行了。”他站起身作揖。

“你请等一等。”

何桂清说完，匆匆又走入书斋，好久，都不见再露面。他是亲笔在写名帖。写信来不及了，只好用名帖，一共七八张，从苏州到上海，沿路掌管一方的文武官员，都有他的名帖致意。致意是门面话，其实是为胡雪岩作先容。

“你备而不用吧！”何桂清把一沓名帖交了过去，“交情深浅，都在措词上看得出来，该用不该用，怎么用法，你自己斟酌。”

“有云公这几张名帖，就等于派了百把兵保护，一路上可以睡到上海。多谢，多谢！”

“雪轩那里，我另外复信。这里跟浙江每天都有驿差，方便得很，我就不必麻烦你转信了。”

何桂清一面说，一面亲自送客，体制所关，送到二门为止。等胡雪岩回到客栈，他跟着又派人送了四样路菜，一部他新刻的诗稿，另外还有一个沉甸甸的小木箱。木箱打开来一看，是一只“汽锅”。

“难为你家大人想到。”

“我家大人交代，”那个叫何福的听差说，“胡大老爷的交情，与众不同，叫我跟胡大老爷请示，若还有事，我就在这里侍候胡大老爷上了船再回去。”

“不必，不必！我有人，你请回去吧，替我道谢。”

说完，胡雪岩在阿巧姐的梳头匣里取了个红封套。红封套甚多，备着赏人用的，轻重不等，最重的是五两一张银票。给何福的就是这一种。

* * *

这一下，胡雪岩就只有一件事了，等阿巧姐回来。原说午间可到，结果等到日落西山，仍不见芳踪，反倒是周一鸣又来相伴了。

“胡大老爷，真是多亏你栽培。我去请教过人了，说何大人这封八行的力量很够，一定会得个好差使。”他笑嘻嘻地说。

“那很好！”胡雪岩也替他高兴，“你得赶快到扬州才好。迟了就没有好差使了。”

“不碍。沿运河、长江两岸都要设卡子，差使多得很，抢不光的。我伺候了胡大老爷回上海，再到扬州，最多耽误十天的工夫，不要紧。”

看他意思甚诚，而且路上也还要他招呼，胡雪岩就点点头不再多说了。于是又闲谈了一会，周一鸣看胡雪岩有点心神不定的模样，便有些踌躇：再坐下去，怕惹他的厌；如果告辞，丢下他一个人在客栈，更为不妥。周一鸣想了想又劝他出去喝酒散心。

“谢谢，今天不行了。我得等人。”

“喔，”周一鸣知道他心神不定的由来了，“是等阿巧姐？”

“是啊！她回木渎娘家去，说了中午回来的，至今人面不见，不知是怎么回事。”

“此刻不来，今天不会回来了。木渎的航船，早就到了。”

“不是搭的航船，自己雇了一只船来回。”

“那这样，”周一鸣站起身来，“我到阊门码头上去打听打听看。”

“不晓得是哪一条船，怎么打听？”

“不要紧！我到那里，一问便知。”

“对了！你码头上最熟。”胡雪岩欣然答道，“那就拜托了。”

等周一鸣走不多时，忽然有个十五六岁的小后生，由金阊栈的店伙领了来见胡雪岩。他自道是潘家跑上房的书僮，奉了他家姨太太之命：“请胡老爷过去，有位堂客，要见胡老爷。”

又是姨太太，又是堂客，当着店伙在那里，胡雪岩倒有些尴尬，怕引起误会，传出谣言去，总是烦恼，所以不跟那小后生答话，只向店伙说道：“你们这里，另外有位胡老爷吧？他弄错了！”

“不错！”店伙答道，“他说了胡大老爷的官印，上雪下岩，我才领了来了。”

“那就奇怪了。”胡雪岩对那小后生说，“苏州我没有姓潘的朋友，更不认得你家姨太太。”

“原是木渎来的那位堂客要见胡老爷。”小后生说，“那位堂客是我们姨太太的要好姐妹。”

“原来是阿巧姐！”胡雪岩大惑不解，“怎么不回客栈，到了你家？”

“那就不清楚了。只说请胡老爷过去见面。”

胡雪岩为难了。素昧平生，应人家内眷的邀请，这算是怎么回事？同时阿巧姐有何理由到了潘家？而又叫自己去相会？凡此都是疑窦，以不去为妙。

话虽如此，事情却要弄清楚，真假之间，首先要问阿巧姐。“那位木渎来的堂客，你看见了没有？”他问。

“见了的。”

“是怎么个样子？”

那小后生把阿巧姐的身材、容貌、服饰形容了一遍，果然不错。阿巧姐在潘家这话，看来不假。

有了这个了解，事情就好办了。“好的，你到外面等一下。或者去逛一逛再来，我要等个人回来见了面，才能跟你去。”说着，胡雪岩随手在茶几上抓了些零钱给他，“你去买糖吃！”

“谢谢胡老爷！”小后生问道，“我歇多少时候再来？”

“歇半个时辰。”

未到半个时辰，等的人到了，是周一鸣。据他打听的结果，阿巧姐的那条船，早在下午三点钟，就已到达。

“这有点意思了！看起来不假。”接着，胡雪岩便将那个突如其来的邀请，说了给周一鸣听。

“这其中一定有道理。阿巧姐必有不便回来的理由。胡大老爷，我陪了你去。”

“你的话不错。不过我不想去，一个人不怕一万，独怕万一。”胡雪岩低声说道，“人心多险，一步错走不得。我平日做人，极为小心，不愿得罪人，但难免遭妒，有人暗中在算计我，亦未可知。别样事都好分辩，就是这种牵涉人家闺阁的事，最要远避。所以，我想请你替我去一趟。”

周一鸣久历江湖，各种稀奇古怪的事都经过，心想他是怕着了“仙人跳”，顾虑得倒也有道理。自己替他去走一趟，一样也要小心，当时便点点头说：“我去！去了只把阿巧姐请出来，看她是何话说。”

“对了！你问明了立刻来告诉我。”

正在谈着，那小后生已转了回来。胡雪岩随便找了个不能分身的理由，来人自无话说，带着周一鸣走了。

这一走，过了个把时辰，才见他回来。“阿巧姐的话很多，有些事，我也弄不清楚。”周一鸣略停一停，整理一下思绪，要言不烦地说，“阿巧姐夫家派了人，从木渎跟了她到这里，看样子是来找麻烦。阿巧姐不愿回这里，就是不愿意让他们发现她落脚的地方。阿巧姐说有好些话一定要跟胡大老爷你当面谈。她怕跟来的人在潘家附近守着，此刻不敢出门，到半夜里叫我去接了她来。”

“喔！”胡雪岩深为诧异，“据我知道，她夫家老实得很。怎有此事？”这话在周一鸣无可赞一词，只这样说：“反正见了面就知道了。”

“慢点！”胡雪岩双目炯炯，神色凛然，“不能去接她！万一为人跟踪，明天告我个拐带良家妇女，这个面子我丢不起。老周，我问你，那潘家是怎么回事？”

“苏州潘家有两潘，一潘是‘贵潘’，一潘是‘富潘’，阿巧姐的那一家，是富潘的同族。阿巧姐的小姐妹，是他家的姨太太，太太故世了，姨太太当家，所以能够作主，把阿巧姐留了下来住。”

“潘家的男主人，叫啥？你晓得不晓得？”

“不晓得。”

“不晓得也不碍。”胡雪岩说，“等我去拜他家男主人，当面说明经过，把阿巧姐找了出来，就当着他家男主人谈好了。不过，这一下，要委屈你了。”

这话周一鸣明白，是要他权且充任报帖的家人。这也无所谓，他很爽快地答应：“我伺候胡大老爷去。”

于是雇好一顶轿子，周一鸣持着拜匣，跟随胡雪岩到了潘家。帖子一投进去，潘家的男主人莫名其妙，但他的姨太太心里明白，说了经过，男主人方始恍然，立刻吩咐接见。

“来得冒昧之至，”胡雪岩长揖问道，“还不曾请教台甫。”

“草字叔雅。”潘叔雅说，“老兄的来意，我已经知道了。我把人请出来，你们当面谈。”

“是！是！承情不尽。只是深夜打搅，万分不安。”

于是潘叔雅道声：“暂且失陪。”转身入内。

趁这片刻工夫，胡雪岩将潘家的客厅打量了一番，这才讶然发现，潘家的里外大不相同。大门残旧狭隘，像个破落户，客厅中的陈设却是名贵非凡，光是壁上的字画，就让胡雪岩目眩不止。这面一堂屏条山水，四幅恰好就是“四王”，那面一堂屏条书法，四幅也恰好就是文徵明的真草隶篆“四体”。另有一幅中堂，顶天立地，写的是碗大的狂草，胡雪岩除了个“一”字，其余一字不识，但这么两丈多长，七八尺宽的一张大宣纸，就够他发半天的愣了。

“胡老爷，请用点心！”

一个穿着极整洁的蓝布大褂的听差，捧来了一只银盒，盒子凿成一朵梅花，花蒂就是把手。揭开来看，里面是五只细瓷碟子，盛着五样点心，红、绿、黄、黑、白俱备，颜色极艳。胡雪岩只认得红的是玫瑰年糕，拿起银镶牙筷，拈了一块放在嘴里，滑糯香甜，其味弥甘，但却不是玫瑰的味道。

“这是拿啥做的？”

“是拿桃子汁在粉里蒸的。”

这在胡雪岩可说闻所未闻，只有叹一声：“你们府上真讲究！”

听差矜持地微笑着，退后两步，悄悄侍立。胡雪岩一面进食，一面在想：等将来发了大财，总要比这潘家更讲究，做人才有意思。

正在他仰慕不已，胡思乱想的当儿，听得屏风后面有了人声，抬眼看时，阿巧姐正由个丫头陪着走了出来。她一见面就说：“我等你好久了。”

“请这面坐吧！”听差十分知趣，将他们两人引到靠里的炕床上，端来了盖碗茶，随即向那丫头使个眼色，便都退到了廊下。

“怎么回事？”胡雪岩问，“回一趟娘家，搞出很大的麻烦！早知如此，倒不如我叫老周陪了你去。”

“陪了去也没用。事情很奇怪——”

奇的是就在阿巧姐回去的前一天，有人寻到阿巧姐的夫家，直言相告，说是受阿巧姐的委托，来谈如何了结他们这层名存实亡的夫妇关系，如果愿意休妻另娶，可以好好送一笔钱。

阿巧姐的丈夫很老实，不知何以为答，但他有个堂房哥哥，名叫小狗子，却是个喜欢搅是非的坏蛋。小狗子一看奇货可居，当时便表示：一切都好谈，但要阿巧姐亲自出面料理。来人一再探询口风，小狗子说是只想要个两三百银子。

“是假话！小狗子的打算，是要骗我到家，好敲人家的竹杠。偏偏我第二天就回家，亏得消息来得早，所以小狗子来叫我，我不肯回去。我娘也叫我早早走。”阿巧姐接着又说，“哪知道小狗子带了两个地痞，弄了只船跟了下来。我一看这情形，不敢回客栈，同时关照船老大，不可说破是金阊栈代雇的船。上了岸，雇顶小轿，一直抬到这潘府上，还不晓得小狗子知道不知道我在这里。”

胡雪岩一面听，一面深深点头，等她说完，主意也就定了。“你做得好！”他说，“不要紧，我来料理。”

“你怎么样料理？”

“这家的姨太太，跟你的交情厚不厚？”

“从小在一起的姐妹。”阿巧姐答道，“交情不厚，我也不会投到这里来了。”

“那好！”胡雪岩欣慰地，“你就先住在这里。多住几日。”

阿巧姐大感意外。“多住几日？”她皱眉问道，“住到几时？”

胡雪岩的意思，最好住到何桂清动身北上的时节。但这话此时不便说，而且一时也说不清楚。再又想到，虽然阿巧姐跟人家的交情甚厚，但只是当居停的，到底不是正主人，作客的身份也有些尴尬。主客双方，都有难处，短时勾留还无所谓，住长了要防人说闲话。

“这样吧！”胡雪岩说，“见机行事。你在这里打搅人家，我自然有一番意思。明天就备一笔礼来，若是她家男主人好意相留，你就住下去，不然另想别法。”

“住下去倒没有什么。我只是问你，要住到哪一天？”阿巧姐又说，“我也知道你上海事情多，最多三两天就要回去，莫非把我一个人撇在这里？”

“当然不会！”胡雪岩说，“我另有安排。”

“啥安排？”阿巧姐抢着问，神气极其认真。

若是别人，看她这样咄咄逼人，会觉得招架不住，胡雪岩自然不会。“你不要着急，自然是极妥当的安排。”他接着又说，“长话短说，我让你住在这里，不让你回客栈，就是不想落把柄在小狗子手里。回头我就要去打听，到那里去的人是什么人！”

“对！这要去打听。”阿巧姐说，“在船上我一直想不通，为啥要冒我的名，说我托他们去谈的？莫非是我认识的人？”

这句话提醒了胡雪岩，念头像闪电一般从心里划过。这十有八九是尤五和古应春搞的把戏，自己曾经跟他们说过，请他们听自己的招呼行事，暂时不必插手。果然，他们不听自己的话，弄巧成拙，反惹出意外的麻烦。

不过，他也知道阿巧姐此时心神不定，不宜多说，便即答道："你不必瞎猜。一切有我。这件事办得顺利的话也很快，说不定明后天就可以水落石出。你先安心在这里玩几天，我把你的衣箱送过来。"

"那倒不必。我跟我那小姐妹身材相仿，她的衣服多得穿不完，不过，"阿巧姐又提到那话，"这总也要说个日子，到底住多少天？我也好安心，人家问起来，我也有话好答。"

"那——"胡雪岩心想，看样子到端午前后，何桂清动身的那时候，是不可能的了，既然如此，就早些了结这事，所以盘算了一会，很爽快地答道，"三天！第四天我准定来接你。"

阿巧姐很满意，却又叮嘱了一句："你可记在心里！"

"不会忘记！"说着，他从身上摇出一大沓银票来，捡了几张小数目的递了过去，"这里二百两银子，你留着用。在人家这里作客，小钱不要省，下人该当开发的，都要开发，出手也不可以小气。懂吧？"

阿巧姐如何不懂，点点头说："你放心好了，我不会丢你的面子。"

于是胡雪岩请见主人，道谢告辞。等周一鸣陪着他回到金阊栈，他把周一鸣留了下来，细谈究竟。

这段经过，前因后果，相当曲折，即令胡雪岩把不必说出的话，隐去了许多，仍旧使周一鸣听得津津有味，而且摩拳擦掌，大有跃跃欲试之意。

"乡下土流氓搞不出什么把戏，等我打发他们走。"

"人都还不知道在哪里，你先别忙！"胡雪岩说，"我们商量好再动手。只是摆脱这两个人，事情好办，我要跟小狗子打交道。"

"喔！"周一鸣把心定下来，因为看样子还有许多花样，且等听了再说。

"我现在又要叫小狗子晓得厉害，又要他感激。你倒想个办法看。"

这是个难题，胡雪岩原就有借此考一考周一鸣的意思。他好好考虑了一会，出了一个主意，胡雪岩认为可行，当天就开始动手。

第一步是去打听这两个人。乡下人到底是乡下人，不脱泥土气，所以第二天一早，周一鸣很快地在潘家附近找到了他们。潘家的巷口就是一爿俗称“老虎灶”的小茶店，光顾这里的茶客，大多是附近的平民，一到先自己取了木脸盆舀水洗脸漱口，相互招呼，然后吃茶吃点心，高谈阔论。只有坐在门口烧饼摊子后面那张桌子上，土里土气、贼头贼脑的两个茶客，不但不跟人招呼，而且两双眼睛只盯着过往行人，特别是看见堂客，更为注意。这就相当明显了。

“小狗子！”周一鸣冒叫一声。

小狗子哪知道“螳螂捕蝉，黄雀在后”，听得声音，转脸来看，看到周一鸣含笑注视，便即问道：“是你叫我？”

“是啊！哪一天进城来的？”

“昨……昨天。”小狗子嗫嚅着说，“我不认识你。”

“怎么会不认得我？”周一鸣也做出困惑的神色，“我倒请问，你是不是家住木渎？”

“是的。”

“那就对了！”周一鸣以极有把握的声音说，“你贵人多忘事，认不得我，我是不会记错的。我们上一次吃过讲茶，我那朋友多亏你帮忙。”

这又是周一鸣瞎扯。他料准像小狗子这样的人，少不得有吃讲茶、讲斤头的行径，所以放心大胆撒谎。小狗子不知是计，想了想问：“你的朋友是哪个？”

“姓王。”

“喔，”小狗子说，“想来是王胖子的朋友。不错，王胖子调戏刘二寡妇，挨了耳光，是我帮他叫开的。王胖子现在还好吧！”

“还不错，还不错！”周一鸣顺口回答，“他常常提到你，说你小狗子够朋友。来，来，我做个吃点心的小东。”说着他便向烧饼摊子高声吩咐：“拿蟹壳黄、油包来！”

“不好意思，不好意思。”小狗子一面说话，一面眼睛朝外看。街上走过一个女人，后影极俏，像极了阿巧姐。

这等于自画供状，周一鸣心里好笑，便根本不拿他当个对手。等那条俏影消失，小狗子快快地收拢目光，脸上并现懊恼与疑惑之色，周一鸣便单刀直入问道：“小狗子，你在等人？”

“不是，不是！”

“那个女的，”周一鸣遥遥一指，“后影好熟，好像在哪里见过。”

小狗子怎想得到这是有意在逗他？他惊喜交集地问：“你——啊，说了半天，看我荒唐不荒唐！还没有请教你老哥尊姓？”

周一鸣因为藐视他的缘故，便懒得改姓，照实答道：“敝姓周。”

“喔，周大哥，刚才过去的那个女人，你也觉得像是认识的？”

“是啊！”周一鸣说，“好像木渎见过，也好像在上海见过。”他摇摇头，“记不得了！”

这番做作，把小狗子骗得死心塌地，当时先不忙跟周一鸣答话，向他的同伴叫了声：“老吴！”接着向外努一努嘴。

那个老吴便飞奔而去，周一鸣越发匿笑不已。“小狗子，”他放低了声音说，“你们在盯人的梢？”他又用关切的神色，提出警告，“苏州城里，不比乡下，尤其是这年把，总督、巡抚、总兵，多少红顶子大官儿在这里，你们要当心。”

“这——”小狗子嗫嚅着，“不要紧的！是熟人。”

“什么熟人？说刚才那个女的是熟人？”

“是的。”小狗子觉得周一鸣见多识广，而且也说了相熟，便不再隐瞒，“周大哥，你说在木渎，在上海见过都不错。说起名字，你恐怕晓得，叫阿巧！”

听得这话，周一鸣又有番做作。他把腰一直，脸微微向后，眼略略下垂，好半晌才说：“我道是哪个，是在长三堂子里的阿巧！怪不得背影好熟。”

“对，对！周大哥，你也晓得的，她在堂子里。”小狗子更觉需要解释，赶紧又说，“那都是她娘家不好，她是私下从夫家逃出的，做出这种事来，害得夫家没面子，真正气数。”

“那你现在盯她的梢，所为何来？想捉她回去？”

“也不是捉她，她不守妇道，想劝她回去。”

“这，小狗子，不是我说一句，真正你们苏州人的俗语：鼻头上挂咸鱼——嗅鲞（休想）。这种人怎么劝得醒？”

小狗子点点头，想开口却又把话咽了回去。

周一鸣明白，这就到了要紧关头了。他原来定的计划是，找好“班房”里一个跑腿的小伙计，托他找个同事，两个人弄条链子，弄副手铐，等自己探明了小狗子的住处，便“硬装榫头”，随便安上他一个罪名，先抓到班房里，然后胡雪岩拿着何桂清留给他的致长洲知县的名片去保他出来。这就是既叫小狗子知道厉害，又要他感激的手法。而照现在来看，根本无须这样子大动干戈，直截了当谈判就行了。

对小狗子这面，毫无疑问，周一鸣认为“搓得圆、拉得长”，要他成什么样子就什么样子，极有把握，但在胡雪岩那方面不能没有顾忌。他觉得自己无论就身份、交情来说，替他办事，还没有能够到自作主张，独断独行的程度。自己只不过为胡雪岩奔走，他怎么说，自己怎么做，能把他的交代完全办到，便是最圆满的事。不听他的话做，即使效果超过预期，依然会使得胡雪岩有“此人不可靠”的感觉。因为不听话即是不易控驭。

为此，他改了主意。“小狗子，各人有各人的事，我也不来多问。”他略停一停说，“今天也是凑巧，我有个机会可以发笔小财，不过这件事我自己一个人做不成，正好路过看见你，想邀你做个帮手，不知道你有空没空。”

话甚突兀，小狗子一时不知如何回答。有钱进账的事，自然求之不得，但第一要看他的话靠得住靠不住；第二要看自己做得了做不了，所以先要问个清楚才能打主意。

“周大哥，你挑我，我自然没话说。是怎么回事，好不好请你先说一说？”

“说来话长。看你现在心神不定，我也还有点事要去办，这样，”周一鸣故意做个沉吟的神情，然后语声很急地问道，“你住在哪里，中午我来看你。”

“我住在阊门外一个朋友那里。”小狗子又说，“中午不见得回去。”

“那么，我们中午约在那里碰头好了。我请你吃酒，把你的朋友老吴也带来。”

“好的。”小狗子毫不迟疑地答道，“你约地方好了。哪个请哪个，自己弟兄都一样的。”

“对！我们准定中午在观前街元大昌碰头。先到先等，不见不散。”

说定了，周一鸣先走。他很细心，没有忘了先到烧饼摊上付了点心钱，然后匆匆奔到吴苑茶店。这是昨晚上约好了的，胡雪岩在那里等他。

“这个小狗子，两眼墨黑，啥也不懂！居然想来寻这种外快，真正叫自不量力！”周一鸣得意地细讲了发现小狗子的经过，然后又说，“杀鸡焉用牛刀？这种样子，胡大老爷你也犯不着费心了，有话跟他实说就是。本来我就想跟他打开天窗说亮话的，不过是胡大老爷的事，我不敢擅专。”

“不敢，不敢！”胡雪岩对周一鸣很满意，所以也很客气，拱着手说，“你帮我的这个忙，帮得不小。”

“哪里的话？胡大老爷，你不必说客气话。”周一鸣很恳切地答道，“该当怎么办，你尽管吩咐，我去跑。”

“你的办法已经很好了。能够就在这一两天内办妥当了，说句实话，是意想不到的顺利。你中午去赴约，约了他到我客栈里，我们一起跟他谈。不过，那个姓吴的，最好把他撇开。”

“这容易。我自有法子。”

“还有件事，很要紧。”胡雪岩略想一想说，“不管它了，我自己去办，你就只管约了小狗子来。只要约到，以下都是我的事。”

“只要约到”四个字，等于提醒周一鸣，小狗子可能心生疑惑，有意爽约。那在胡雪岩面上就不好交代了。

于是周一鸣不暇多说，匆匆出了金阊栈。为求快速，他赁了一匹供游客逛山用的马，认镫扳鞍，跨上马背，将缰绳一带朝城里走。

“喂，喂，客人，你到哪里？”赁马的马夫赶紧抢着嚼环，仰脸问说。

这些马照例有马夫带路，而马是跑熟了路的，出行之时，一步踏一步，到归途回槽，撒开四蹄，却又大不相同。马都是上了岁数的，实在也快不到哪里去，而且除却逛山，从不进城，所以马夫要那样诧异地问。

周一鸣原晓得这些规矩，一看不能通融，便很简捷地说：“我要进城，你赁不赁？不赁我就下来。”

“做生意哪有不赁之理。不过——”

周一鸣没有工夫跟他多磨，跳下马来将缰绳一丢，掉头就走。

这态度就不大好了，而那马夫也是有脾气的，当时便吐一口唾沫，自言自语地骂道：“真叫气数！碰着‘老爷’哉！”

苏州话的“老爷”，用在这里当鬼解释。周一鸣正因赁马不成，惹了一肚子气，此时怒不可遏，转过身来，抢上两步，戟指喝道：“你骂谁？”

那马夫一看来势汹汹，便有惧意，但“苏州人打架”的那副工架是出了名的，一面用怎么样也硬不起来的苏州话，连声警告：“耐要那哼？耐要那哼？[①]”一面倒退着揎拳捋袖、捞衣襟、盘辫子，仿佛要拼个你死我活似的。

苏州人又最好看热闹，顿时围了一圈人。那马夫有本地人助威，声音便高了，用极快的苏州话指责周一鸣不通人性，即令是吵架，也忘不了说几句俏皮话，于是看热闹的人丛中，便有了笑声。

周一鸣此时处境甚窘。他倒不是畏惧，而是怕闹得不可开交，误了小狗子的约会，便误了胡雪岩的要紧事，心里颇为失悔，却苦于找不到一个台阶可下。

幸好，有了救星，是胡雪岩。“老周，”他从人背后挤了出来，问道，“跟他吵什么？”

---

① 方言，你想怎么样。

“为了赶辰光，想赁匹马进城，这家伙的马，要拣地方走的，那就算了！‘买卖不成仁义在’，用不着骂人。”

“哪个骂人？”马夫也抢上来分辩，却让胡雪岩止住了。

“‘相骂无好口’，谁是谁非，不必再辩。我只问你，耽误了你的生意没有？”

“就耽误了生意，也只好我认倒霉。”

“那就没话可说了。”胡雪岩说，“你赶快招呼你的生意去吧！”说着，他把周一鸣一拉，掉臂而出。也不必劝解，更不必追问，两个人雇了两顶轿子抬进城，在观前下轿，重新约一约时间，准定正午在金阊栈见面，然后分手，各去干各的。

* * *

胡雪岩本想去找“炉房”，一打听地方远得很，只好找钱庄。踏进一家门面很像样的“永兴盛”，开口便问：“有没有刚出炉的‘官宝’？”官宝就是五十两一个的大元宝，由藩库监视熔铸，专备解京及其他公用，所以称作“官宝”。

钱庄不见得有刚出炉的官宝，但可以到炉房去兑换，甚至现铸，只要顾客愿意“贴水”，无不办到。永兴盛有个伙计，架子甚大，双手分开成个八字，撑在柜台上，歪着头问：“要多少？”

“要二十个。”

二十个就是一千两银子，那伙计拿过算盘来，滴沥嗒拉打了几下，算出贴水的银数，然后说道：“要下午才有。”

“我有急用，另贴车费，拜托代办一办。”

于是又说定所贴的车费，胡雪岩付出一大一小两张阜康的“即票”，那伙计斜睨着说：“这票子我们不收。”

“为什么？”

“信用靠不住。”

如果说跟阜康没有往来，不知道它的虚实，不便收受，胡雪岩倒也无话可说，但说阜康“信用靠不住”，近于诬蔑，他不由得气往上冲。他伸手入怀，准备取出一大沓银票——其中有鼎鼎大名的京师“四大恒”，以及总号设在汉口、分号二十余处的“日升昌”的票子，预备拿到柜台上叫他自己挑一张。胡雪岩手已经摸到银票了，转念一想，不必如此，便忍住了怒气问道：“宝号可出银票？”

“当然。”

“那好。”胡雪岩问道，“如果是宝号的本票，自然是顶靠得住了？”

“那还用说吗？你有多少，我们兑多少。”

“我没有。既然宝号不肯收阜康的票子，我只好到别家了。”胡雪岩拱拱手说，“对不起，对不起！”

出了永兴盛，他觉得这口气真咽不下去，最好马上就能报复，但这不是咄嗟可办的事，只得暂且丢开，先另找一家钱号，兑换了二十个官宝，托那家钱庄派一名“出店”送到了金阊栈。

也不过刚刚把银子堆好，周一鸣陪着小狗子到了。引见以后，胡雪岩开门见山地说：“我是阿巧姐的客人，她托我替她来说句话，如果他夫家肯放她，她愿意出一千两银子，让她丈夫另外攀亲，还可以买几亩田，日子很可以过得去了。我听老周说，这件事有你‘轧脚’在内，‘皇帝不差饿兵’，我替阿巧姐作主送你一百两银子。你看如何？”

这番话说得很明白，而小狗子仍有突兀之感，最叫他困惑的是，这个自称是王胖子的朋友，曾经一起吃过讲茶的“周大哥”，何以会把自己的底细，摸得这么清楚？因此，看看周一鸣，又看看胡雪岩，翻着一双白多黑少的三角眼，竟无从作答。

就在他这迟疑不语之际，突然觉得眼前一亮——胡雪岩把张被单一揭，下面盖着的二十个大元宝，尽皆揭露，簇簇全新，银光闪亮，着实可爱，另外又有一堆银子，几个“中锭”，一些“元丝”，估计是百把两上下。这不消说得，是预备送自己的谢礼。

俗语道得好：财帛动人心。胡雪岩是钱眼里不知翻过多少跟斗的，最懂得这句俗语，所以特地要换官宝，好来打动小狗子的心。

这是胡雪岩熟透世故，参透人生，驾驭世人的一帖万应灵药。小狗子心里也知道，阿巧姐真正成了奇货。说书的常说，“美人无价”，若是咬定牙关不放松，弄个一万八千的也容易得很，这区区一千两银子算得了什么？

无奈心里是这样想，那双眼睛却不听话，盯住了叠得老高、耀眼生花的大元宝不肯放。当然口中无话。周一鸣要催他，嘴唇刚一动，让胡雪岩摇手止住了。

他很有耐心，尽让小狗子去想。银子如美色，“不见可欲，其心不乱”，或者刚看一眼，硬生生被隔开，倒也罢了，就是这可望而不可即的境况之下，一定越看越动心。小狗子此时的心情，就慢慢变成这个样子了。

“凡事不必勉强。”胡雪岩开口了——再不开口，小狗子开不得口，会成僵局，“你如有难处，不妨直说。”

“难处？”小狗子茫然地问。

胡雪岩看他有点财迷心窍的模样，便像变戏法似的，拎起被单的一角，往上一抖，被单飞展，正好又把元宝覆住。这一来，小狗子的一颗心，才又回到了腔子里。

“我也晓得你老哥是在外头跑跑的，做事‘落门落槛’，所以爽爽快快跟你说。”胡雪岩说，“我是受人之托，事情成不成，在我毫无关系，只要讨你一句回话，我就有交代了。”

银子等于已经收起来了，似乎只等自己一句话，事情便成罢论。这样一个局面，轻易放弃，总觉得“于心不忍”，因此小狗子不择言地答了句：“我来想办法。”

“这就是了。”胡雪岩接着他的话说，“我们都是居间的人，有话尽不妨实说，有难处大家商量着办。你老哥是何办法？我要请教。”

“事情我做不得主，我只有尽力去说。成不成，不敢包。”小狗子又说，“如果数目上有上落，应该怎么说法？要请胡老爷给我一句话，我心里好有个数。”

这到了讨价还价的时候，可说大事已定，胡雪岩略想一想说：“我在苏州很忙，实在没有闲工夫来磨。这样，予人方便，自己方便，如果不耽误我的工夫，我花钱买个痛快。明天一早，能够立笔据，我自己贴四个大元宝。”

“明天一早怕来不及。”

“至迟明天中午，中午不成，这件事就免谈了。一千两银子有人想用。”

这话是什么意思？小狗子方在猜疑，周一鸣便桴鼓相应地说了句：“刑房的张书办，我是约了明天中午吃酒。”

两句话加在一起，表示这一千两银子，可能送给张书办。送钱给刑房书办用，自然是要打官司，小狗子越发心存警惕，于是连连点头：“好的，好的。我准定明天中午，把‘原主’带了来，要立笔据，我就是中人。”

“我们这方面，请老周做中人。”胡雪岩把那一百两银子取了来，放在小狗子面前，“这个，你先收了。”

小狗子喜出望外，但口头还自要客气两句：“没有这个规矩！”

“规矩是人立的，我的规矩一向如此，你先把你的一百两银子拿了去，跑起腿来也有劲。”

胡雪岩还附带奉送了一块簇新的绸面布里的包袱，将银子亲手包好，交了过去。小狗子算一算，这件事办成功了，那一千二百两银子中，明的中人钱，暗的二八回扣，还有三百两银子好进账，平白撞出这一炷财香，也多亏周一鸣，所以向胡雪岩道了谢，招招手说：“周大哥，请你陪我出去。”

周一鸣陪他出了门，等走回来时，手里托着两个“中锭”，笑嘻嘻地说：“这家伙倒还有良心，说饮水思源，是我身上来的路子，要送二十两银子给我，我乐得收下来，物归原主。”说着，把两锭银子摆在胡雪岩面前。

“笑话，他送你的，跟我啥相干？你收下好了！明天‘写纸’，我们照买卖不动产的规矩，‘成三败二’，中人钱五厘，你们‘南北开’，还有三十两银子，是你应得的好处。”

周一鸣也平白进账了五十两银子，高兴得不得了，自然也把胡雪岩奉若神明，敬重得不得了。他自告奋勇，要去接阿巧姐回来。

“不忙，不忙，让她在潘家住两天。”胡雪岩说，“我倒有两件事跟你商量。”

这两件事，第一件是他这天早上在永兴盛受的气要出，问周一鸣有何妙计。

“心思好不过胡大老爷。”周一鸣答道，“你老想出法子来，跑腿归我。”

“法子倒有一个，我怕手段太辣。我先讲个票号的故事你听——”

京师的票号，最大的四家，招牌都有个“恒”字，通称“四大恒”。行大欺客，也欺同行，有家异军突起的票号，字号“义源”，专发钱票，因为做生意迁就和气，信用又好，营业蒸蒸日上。而且票号发钱票专跟市井细民打交道，这口碑一立，一传十，十传百，市面上传得很快，连官场中都晓得义源的信誉了。

四大恒一看这情形，同行相妒，就要想法打击义源，于是一面暗地里收义源所出的票子，收了去兑现，一面放出谣言，说义源快要倒闭了，这一来造成了挤兑的风潮。哪知一连三天，义源见票即兑，连等都不用等。第四天，风平浪静，义源的名气反倒越加响了。

四大恒见此光景，自然要去打听它的实力，一打听才晓得遇上了不倒的劲敌。义源有实钱四百万，出了一张票子，照数提一笔另行存贮，从来不发空票，所以不致受窘。

这个故事一说，周一鸣就懂了。“胡大老爷，”他问，“你的意思也是想收义源的票子，去‘整’它一家伙？”

“对了！不过我又怕像四大恒跟义源一样。”胡雪岩说，“你做初一，人家做初二，弄义源不倒，义源来整我的阜康，岂不是自讨苦吃？”

“是的。这一点不可不防。”周一鸣说，“等我去打听打听义源的实力看。实力不厚，不妨‘将他一军’。不然，还得另想别法。”

“我就是这个意思，你去打听了再说。好在这件事不忙。我讲另外一件。”

另一件事是要送潘叔雅一笔礼，一则酬谢他暂作阿巧姐居停的情谊，再则是胡雪岩觉得像这样的人，大可做个朋友，有心想结纳。

如果说仅仅是还人情债，这笔礼很容易送，反正花上几十两银子，买四色礼物，情意就算到了。但要谈结纳，则必须使潘叔雅对这笔礼重视，甚至见情。他家大富，再贵重的礼物，也未见得放在心上，若是杭州的土产，物稀为贵，倒也留下一个印象。无奈人在苏州，无法办到。

胡雪岩将这番意思说了出来，等于又替周一鸣出了个难题。“送礼总要送人家求之不得的东西。”他说，“潘家有钱，少的是面子。能不能送他个面子？”

“这话说得妙！”胡雪岩抚掌称赏，“我们就动脑筋，寻个面子来送他。”

这两句话对周一鸣是极大的鼓励，他凝神眨眼，动足脑筋，果有所得。“我倒有个主意，你老看行不行？”他说，“何学台跟你老的交情够了，托他出面，送潘家一个面子。”

“这个主意的意思很好。”胡雪岩深深点头，“不过，我倒想不出，这个面子怎么送法？”

“可以这样子办，你老写封信给何学台，事情要不要说清楚，请你老自己斟酌，如果不愿意细说，含含糊糊也可以。就说，这趟很承潘某人帮忙，请何学台代为去拜访潘某人道谢。”周一鸣说，“二品大员，全副导子去拜访他，不是蛮有面子的事？”

“好极，好极。这个主意高明之至，高明得——老周，你自己都不晓得高明在哪里？”

这是什么怪话？周一鸣大为困惑，自然也无法赞一词，只望着胡雪岩翻眼。

胡雪岩也不作解释，还没有到可以说破的时候。他已经决定照官场中通行的风气，买妾以赠，安排阿巧姐做何桂清的侧室。这一来，阿巧姐在潘家作客，何桂清亦应见情，所以代胡雪岩道谢，实在也就是他自己道谢。周一鸣的主意，隐含着这一重意义，便显得格外高明，只是他自己不明白而已。

“准定这样子办。”胡雪岩相当高兴，但也相当惋惜，“老周，你很能干，可惜不能来帮我。”

周一鸣心中一动。他也觉得跟胡雪岩做事，不但爽脆痛快，而且凡事都是着着占上风，十分够味，但到扬州去办厘金，大小是个官，而且出息不错，舍弃了似乎也可惜，所以也只好表示抱歉：“是啊！有机会我也很想跟胡大老爷。”

“那都再说了。”胡雪岩欣快地站起身，“今天我没事了，到城里去逛逛。你去打听打听永兴盛的虚实，晚上我们仍旧在元大昌碰面。”

于是胡雪岩去逛了玄妙观，吃茶“听大书”，等书场散了出来，安步当车到元大昌，挑了一副好座头，一个人先自斟自饮，等候周一鸣。

吃完一斤花雕，周一鸣来了，脸上是诡秘的笑容。胡雪岩笑道：“看样子，永兴盛要伤伤脑筋了。”

“说巧真巧！”周一鸣很起劲地说，“恰好我有个熟人在永兴盛当‘出店’，邀出来吃了碗茶，全本《西厢记》都在我肚里了。”

“好极，好极！先吃酒。”胡雪岩亲手替他斟了碗热酒，“边吃边谈。”

“永兴盛这爿店，该当整它一整，来路就不正——”

周一鸣从这家钱庄的来路谈起。老板本来姓陈，节俭起家，苦了半辈子才创下这点基业，不想老板做不到一年，一场伤寒，一命呜呼，死的那年，四十刚刚出头，留下一妻一子。孤儿寡妇，容易受人欺侮，其中有个伙计也姓陈，心计极深，对老板娘嘘寒送暖，无微不至，结果人财两得，名为永兴盛的档手，其实就是老板。

“真叫是一报还一报！”周一鸣大大喝口酒说，“现在这个陈老板，有个女儿，让店里一个伙计勾搭上了，生米煮成熟饭，只好招赘到家。这伙计外号‘冲天炮’，就是得罪了你老的那个家伙。”

“怪不得这么神气！原来是‘钦赐黄马褂’的身份。”胡雪岩问道，“这个陈老板图谋人家孤儿寡妇，他女婿又是这样子张牙舞爪，他店里的朋友一定不服，这爿店怎么开得好？”

“一点不错！”周一鸣放下酒杯，击着桌面说，“真正什么毛病都逃不过你老的眼睛。不是这样子，我那个朋友，怎么会‘张松献地图’来泄他的底？”

照周一鸣所知的底细，永兴盛已经岌岌可危。毛病出在姓陈的过于贪心，贪图重利，放了几笔账出去，收不回来，所以周转有些不灵，本来就只有十万银子的本钱，票子倒开出去有二十几万。永兴盛的伙计因为替死掉的陈老板不平，所以都巴不得活着的这个陈老板垮了下来。

胡雪岩是此道中人，听了周一鸣的话，略一盘算，就知道要搞垮永兴盛并不难，如果有五万银票去兑现，就能要它的好看，有十万银票，则非关门不可。看姓陈的为人，在同行当中所得的支持，一定有限。而且同行纵讲义气，到底“救急容易，救穷难”，永兴盛的情形，不是一时周转不灵，垫了钱下去收不回来，没有人肯做这样的傻事。

转念一想，自己搞垮了永兴盛，有何好处？没有好处，只有坏处。如果传出风声，说杭州阜康的胡雪岩，手段太辣，苏州同业动了公愤，合力对付，阜康在苏州这个码头就算卖断了。

“算了！”胡雪岩笑笑说道，“我不喜欢打落水狗，放他一马！”

“胡大老爷，”周一鸣反倒不服气，“总要给他个教训，而且阜康也来创创牌子。”

胡雪岩想了想说：“这倒可以！让我好好想一想。”

这件事就不谈了。胡雪岩放宽了心思喝酒，难得有这样轻松的时候，不觉过量，喝到酩酊大醉，连怎么回金阊栈的都记不清楚了。

到得第二天醒过来，他只觉得浑身发软，因而便懒得出门，在客栈里静坐休息。他一个人喝着酽茶，回想前一天的一切，觉得周一鸣有句话，倒颇有意味。跟永兴盛斗闲气是犯不着，但阜康的招牌，要到苏州来打响了它，却是很高明的看法。因为苏州已是两江的第一重镇，军需公款，各省协饷，进出甚巨，如果阜康要想像汉口日升昌那样，遍设分号，大展身手，苏州是个一定要打的码头。

打码头不外乎两种手段，一是名副其实的“打”，以力服人，那是流氓“立万儿”的法子，胡雪岩也可以办得到，逼垮永兴盛，叫大家知道他的厉害。然而他不肯这样做，他的铁定不变的宗旨，是杭州的一句俗语：花花轿儿人抬人。这个宗旨，为他造成了今天的地位，以后自然还是奉行不渝。这样，他便只有“以德服人”来打码头，虽然想起“冲天炮”的脸嘴实在可恨，但做生意绝对不可以斗气。他心平气和地考虑下来，觉得永兴盛大可用来作为踏上苏州这个码头的跳板，现在要想的是：这条跳板如何搭法？

看样子那个陈老板不是好相与的人。像这样的人，胡雪岩也看得多，江湖上叫作半吊子，上海人称为“蜡烛”，“不点不亮”，要收服他，必得“先辣后甜”。叫他苦头吃过尝甜头，那就服服帖帖了。

照此想法，胡雪岩很快拟定了一个计划。浙江跟江苏的公款往来，他可以想法子影响的，第一是海运局方面分摊的公费，第二是湖州联防的军需款项，以及直接由湖州解缴江苏的协饷，这两部分汇到江苏的款子，都搜罗永兴盛的票子，直接解交江苏藩司和粮台。公款当然提现，这一下等于借刀杀人，立刻就要叫永兴盛好看。

到了不可开交的时候，便要由阜康出面来“挺”了。那时永兴盛便成为俎上之肉，怎么宰割都可以，或者维持它，或者接收了过来。当然，这要担风险。永兴盛是个烂摊子，维持它是从井救人，接收下来可能成为不了之局。整个计划，这一点是成败的关键所在。胡雪岩颇费思考，想来想去，只有这样做法最稳妥，就是临时见机行事，能管则管，不能管反正有江苏官方出面去提款，自己这方面并无干系。

然而这样做法，稳当是稳当，可能劳而无功，也可能损人不利己，徒然搞垮永兴盛。转念到此，他觉得现在还不到决定的时候，这事如果真的要做，还得进一步去摸一摸永兴盛的底。永兴盛到底盈亏如何？陈老板另外有多少产业？万一倒闭下来，“讲倒账”有个几成数？这些情形都了解了，才能有所决定。因此，等周一鸣一到，他就这样问：“你那个在永兴盛的朋友，对他们店里的底细，究竟知道多少？”

“那就说不上来了，不过，要打听也容易，永兴盛的伙计大都跟陈老板和那个‘冲天炮’不和，只要知道底细，一定肯说。”

“好的，你托你那朋友去打听。”胡雪岩说，“事情要做得秘密。”

“我知道，不过，这不是三两天的事。怕你老等不及。”

“不忙，不忙！”胡雪岩说，“你打听好了，写信给我就是。”

“是！”周一鸣停了一下又说，“我把胡大老爷的事办好了，就动身到扬州，先看看情形。倘或没啥意思，我到上海来投奔你老。”

“我也希望你到我这里来。果真扬州没意思，我欢迎你。不过，不必勉强。”胡雪岩仍旧回到永兴盛的话头上，“你那个朋友叫啥？”

“他姓郑，叫郑品三。”

“为人如何？”

“蛮老实，也蛮能干的。”

“这倒难得！老实的往往无用，能干的又以滑头居多。”胡雪岩心念一动，“既然是这样一个人，你能不能带他来见一见？”

“当然！当然！他也晓得你老的。”

“他怎么会晓得？”

“是我跟他说的。不过他也听说过，杭州阜康的东家姓胡。”周一鸣问道，“胡大老爷看什么时候方便？我带他来。”

“你明天就要动身，你今天晚上带他来好了。”

* * *

小狗子果然很巴结，“午炮”刚刚放过，人就来了。一共来了五个人，三个留在院子里，带着麻袋和扁担，一个带进屋来——不用说，是阿巧姐的丈夫。

据说他姓陈，四十岁左右，畏畏缩缩，是个极老实的人，臃臃肿肿一件棉袄，外面罩着件簇新的毛蓝布衫，赤脚草鞋。他进得门来，只缩在门边，脸上说不出是忸怩还是害怕。

“请坐，请坐！”胡雪岩转脸问小狗子，“都谈好了？”

“谈好了。”说着，他从身上掏出来两张桑皮纸的笔据，连“休书”都预备好了。

胡雪岩接过来看了一遍，写得十分扎实，表示满意。“就这样！”他指着周一鸣说，“我们这面的中人在这里，你算是那方面的中人。还要个‘代笔’，就挑金阊栈的账房赚几个。”

“胡大老爷，”小狗子赶紧抢着说，“代笔我们带来了。”接着便往外喊了一声：“刘先生！”

五个人当中，只有这个“刘先生”是穿了长衫的，獐头鼠目，不似善类。

胡雪岩忽然动了疑心，然后发觉自己有一步棋，非走不可的，却忘了去走。因此，他一面敷衍着，一面把周一鸣拉到一边，悄悄说道：“有件事，我疏忽了。你看，这姓陈的，像不像阿巧姐的男人？”

“这怎么看得出来？”

“万一是冒充的，怎么办？钱还是小事，要闹大笑话！”胡雪岩说，“我昨天忘了关照一句话，应该请他们族长到场。”

“那也可以。我跟小狗子去说。”

“一来一往，耽误工夫也麻烦。”胡雪岩说，“只要‘验明正身’，不是冒充，他们陈家族长来不来，倒也不生关系。”

“哪个晓得他是不是冒充？”周一鸣说，“除非请阿巧姐自己来认。”

这倒是一语破的！除此以外，别无善策。胡雪岩考虑了一下，断然定下了缓兵之计。于是周一鸣受命招待小狗子吃午饭，胡雪岩则以要到钱庄去兑银子作托词，出了金阊栈，坐轿直奔潘家。

一张名帖，附上一个丰腴的门包，胡雪岩向潘家的门房，坦率道明来意：他家主人见不见都无所谓，目的是要跟阿巧姐见面。

潘叔雅是惮于世俗应酬的“大少爷”，听得门房的通报，乐得偷懒，便请阿巧姐径自出见。她一见胡雪岩空手上门，颇为失望，不免埋怨：“你也要替我做做人！我在这里，人家客气得不得了，真正叫人不安。”

“你放心！我已经打算好了，一定叫你有面子。现在闲话少说，你马上跟我回客栈，去认一个人。”

“认一个人！认哪个？”阿巧姐眨闪着极长的睫毛，异常困惑地问。

“你想想看，还有哪个是非要你去认不可的？”

这句反问，就点得很清楚了，然而阿巧姐却越感困惑。“到底怎么回事？”她有些不悦，觉得胡雪岩办这样的大事，不该不先商量一下，所以很认真地表示，“你不说清楚，我绝不去。”

胡雪岩十分见机，赔着笑说：“你不要怪我独断独行，一则是没有机会跟你说，二则是免得你操心，我是好意。”

“谢谢你的好意。”阿巧姐接受了他的解释，但多少还有些余憾，而且发觉处境颇为尴尬，“当面锣，对面鼓，你叫我怎么认法。”

“不是，不是！用不着你照面，你只要在壁缝里张一张，认清楚了人，就没你的事了。”接着，胡雪岩把如何收服了小狗子的话，扼要说了一遍。

“你的花样真多！”阿巧姐笑着说了这一句，脸色突然转为严肃，眼望着砖地，好久不作声。

这神态使得胡雪岩有些着急，同时也有些失悔：事情真的做得欠检点了！阿巧姐与她丈夫的感情不太好，只是怡情老二的片面之词，她本人虽也在行为上表现出来，与夫家几乎已断绝往来，但这种门户人家的话，靠不住的居多。俗语说得好，“骗死人不偿命”，自己竟信以为真，一本正经去办，到了紧要关头，就会变成自讨苦吃。阿巧姐固然不见得有意欺骗，然而“家家有本难念的经”，看样子是别有衷曲，须当谅解？说来说去是自己鲁莽，怪不得她。

怪不怪她在其次，眼前的难题是，阿巧姐如果不肯点头，小狗子那面就不好交代。跑到苏州来做这么一件荒唐事，传出去成为笑话，自己的这个面子丢不起。因而急于要讨她一句实话。

“阿巧姐！”他神色严重地说，“到这时候，你再不能敷衍我了，你心里的意思，到底怎么样，要跟我实说！”

“咦！”阿巧姐深感诧异，“我几时说假话敷衍过你？”

“那么，事情到了这地步，你像煞要打退堂鼓，是为啥？”

阿巧姐觉得好笑。“我又不曾像县大老爷那样坐堂，啥叫打退堂鼓？”她这样反诘。

话越发不对了，细辨一辨，其中有刺，意思是说，胡雪岩做这件事之先，既未告诉过她，更未征求同意，这就是“不曾坐堂”，然则又何来“退堂鼓”可言？胡雪岩心想，阿巧姐是厉害角色，此时不宜跟她讲理，因为自己道理欠缺，讲不过她，唯有动之以情，甚至骗一骗她再说。

于是他先认错：“这件事怪我不好。不过我一定顺你的心意，绝不勉强。现在人在那里，你先去认一认，再作道理。人不对，不必再谈，人对了，看你的意思，你说东就东，你说西就西，我决无二话。”

人心到底是肉做的，听得他这样说，阿巧姐不能再迟疑了。其实她的迟疑，倒不是对她丈夫还有什么余情不忍割舍，只是想到她娘家，应该让胡雪岩拿笔钱出来，替她娘养老。这个条件，似乎应该在此时一并来谈，但她却又不知如何谈法。迟疑者在此，而胡雪岩是误会了。

“那么你请坐一坐，我总要跟主人家去说一声。”她又问，“你可曾雇了轿子？”

“这方便，我轿子留给你，我另雇一乘。”胡雪岩说，“到了金阊栈，你从边门进来，我叫人在那里等你。”

这样约定了，胡雪岩先离了潘家。轿子是阊门附近的，坐过两回，已经熟识，等吩咐妥当，胡雪岩另雇一乘赶回金阊栈，再赁一间屋子。他关照伙计，专门守在边门上，等阿巧姐一到，悄悄引入，然后伙计再进来照一照面，无须开口。

一切布置妥帖，胡雪岩方回到自己屋里，坐候不久，周一鸣领着小狗子等人吃了饭回来。他们一个个脸上发红，似乎喝了不少酒。彼此又作了一番寒暄，胡雪岩便海阔天空地谈苏州的风光。周一鸣会意，是要拖延辰光，就在一旁帮腔，谈得极其热闹，却始终不提正事。

小狗子有些忍不住了，好不容易找到一个空隙，插进一句话去："胡大老爷，我们今天还想赶回木渎，时间太迟了不方便。现在就动手吧！"

"喔，喔，"胡雪岩歉意地说，"对不起，对不起，再略等一等，等钱庄的伙计一到，凑够了银钱，我们马上动手。好在只是画一个花押，快得很。"

这样一说，小狗子就又只好耐心等候，但局促不安的情状，越来越明显。胡雪岩冷眼旁观，心头疑云愈密，暗暗又打了第二个主意。

正想托词把周一鸣找到一边商量，那守候的伙计出现了。他也很机警，提着茶壶来冲茶，暗中使了一个眼色，竟连周一鸣都不曾发觉。

于是胡雪岩告个便，在另一屋中见着阿巧姐，悄悄说道："回头我引一个人出来，你细细看，不要作声。我马上又会回来。"他叮嘱完了，仍回原处，对阿巧姐的丈夫招招手。那个畏畏缩缩的中年人，只是望着小狗子，用眼色在讨主意。

"胡大老爷，你有啥话，跟我说！"

"没有啥要紧话，不过，这句话也不便让外人听见。"胡雪岩又连连招手，"请过来，请过来。"

乡下人纵或不上"台盘"，但私底下说句话，何至于如此畏缩不前？所以小狗子不便再加阻挠，那个姓陈的，也只好硬着头皮，跟了主人出去。胡雪岩是何等角色？一看这姓陈的，木头人似的只由小狗子牵线，便不待阿巧姐来“验明正身”，即已料到了七八分。因而引到外面，面对着阿巧姐所隐藏的窗户，他开口第一句话问的是：“你到底姓啥？”

“我姓陈。”

这句话答得极爽利，显见不假，于是胡雪岩又问第二句：“你是阿巧姐的什么人？”

这句话问得他显了原形，支支吾吾地嗫嚅着不知所云。果然，胡雪岩暗叫一声：惭愧！若非临时灵机一动，叫小狗子骗了一千多两银子去，那才真是阴沟里翻船，吃了亏还不能声张。声张出去，是个绝大的话柄。

胡雪岩心里是又好气又好笑，脸上却是声色不动，反倒好言安慰：“老陈，小狗子玩的把戏，我都晓得，你跟我说实话，我不难为你。回头在小狗子面前，我也不说破，免得害你为难。”

最后这句话，说到了这个老实人心里。“胡大老爷，我跟你说了实话，”他很认真地问，“你真的不会告诉小狗子？”

“真的。你要不要我罚咒？”

说到这话，姓陈的放心了，当时将内幕实情和盘托出。他是阿巧姐的堂房大伯子，欠了小狗子的钱，所以不得不受小狗子的挟制，让他来冒充阿巧姐的丈夫。讲明了旧欠一笔勾销，另外送他一个大元宝。

有这样荒唐事！胡雪岩问道：“你不怕吃官司？”

“我也怕！”那姓陈的哭丧着脸说，“小狗子说不要紧，中人、代笔都是自己人，告到县衙门里，只说那张笔据是假的，根本没得这回事。”

“这家伙！”胡雪岩心想，小狗子倒厉害，要让他吃点苦头，于是悄悄说道：“你不要怕，回头他叫你怎么做，你就怎么做，你只要咬定不曾跟我说实话，小狗子就不会怪你了。”

脑筋简单的人，只有这样教他。姓陈的倒也心领神会，连连点头，只说：“晓得，晓得。”

二人相偕回了进去，小狗子的脸色阴晴不定，但等胡雪岩说出一句话来，他的神态马上又轻松了。

“来，来！”胡雪岩说，“我们就动手，立好笔据，你们抬了银子，早早回木渎，大家省事。”

周一鸣不知就里，只当已经证实，姓陈的果真是阿巧姐的丈夫。得此结果，总算圆满，于是他欣然安设笔砚，让小狗子把笔据铺在桌上，首先在中人名下画了花押。接着是小狗子和代笔拈起笔来画了个“十”字，最后轮着姓陈的，“十”字都不会画，只好蘸了印油，盖个手印。

手续齐备，该当“过付”了。胡雪岩说：“老周，你是中人，先把笔据拿好，等付清了款子，再把笔据交给我。”说着，略微使个眼色。

周一鸣恍然大悟，还有花样！一把就将笔据抢在手里，一折两，两折四，紧紧捏住。

于是胡雪岩又说：“婚姻大事，合也好，分也好，都要弄得清清楚楚，现在笔据是立下了，不过男女两造，只有一造到场，而且就是男方，我们也是初见。”他问周一鸣，“老周，你是中人，万一将来有了纠葛，你怎么说？”

周一鸣知道他是有意作此一问，便装作很诧异地说：“有什么纠葛？”

“是啊！”小狗子也赶紧接口，“有啥纠葛？绝不会有的。”

“不然。”胡雪岩向姓陈的一指，“我看他不大像阿巧姐的丈夫，刚才私底下问了一声，他一口咬定不假。这且不去说它了，不过，这张笔据，还要有个手续，才能作数。我们替人办事，总要做得妥当扎实，不然将来男婚女嫁出了麻烦，是件不得了的事。”

“对！”周一鸣帮腔，“这个中人不好做。假使说是钱债纠纷，大不了中人赔钱就是。如果人弄错了，说要赔个阿巧姐出来，怎么赔法？”

“就是这话啰。”胡雪岩说，“人是货真价实的本人，还是冒充？阿巧姐不在这里，无法来认，也就不去说它，至少这张笔据，要能够证明它是真的。”

听说阿巧姐不在这里，小狗子大放其心，心头一宽，脑筋也灵活了，他振振有词地说：“胡大老爷的话，一点不错，要中人，要代笔，就是要证明这张笔据是真的。我倒不懂，胡大老爷你还要啥见证？”

“有中人，有代笔是不错。”胡雪岩淡淡一笑，“不过打开天窗说亮话，万一出了纠葛，打到官司，堂上也不能只凭老周一个人的见证，我们不如到县衙门里，在‘户房’立个案，好比买田买地的‘红契’一样，请一方大印盖一盖。要多少花费，都归我出。”

“好，好！”周一鸣首先赞成，对小狗子说，“这一来我们中人的责任都轻了。”

小狗子支吾着不置可否。这是出其不意的一着，乡下人听到“县衙门”，心里存怯意，提到书办，就想起城隍庙里面目狰狞的“判官”。到了“户房”，书办如果说一声“下乡查一查再说”，西洋镜就完全戳穿了。

然而，这是极正当的做法，无论如何想不出推辞的理由。因此，小狗子急得满脸通红，不知如何是好，再看到周一鸣的诡秘的笑容，以及他手里捏着的那张笔据，蓦然意会：银子不曾到手，自己的把柄先抓在别人手里，这下要栽大跟斗了！

这一转念间，小狗子就如当头着了一棒，眼前金星乱爆，一急之下，便乱了枪法，伸出手去，要抢周一鸣掌握中的笔据。

一抢不曾抢到，周一鸣却急出一身汗，慌忙将字据往怀里一塞，跳开两步，将双手按在胸前，大声说道：“咦，咦！你这是做啥？”

小狗子一看行藏等于败露，急得脸如土色，气急败坏地指着周一鸣说：“事情太啰唆！我不来管这个闲事了。请你把笔据拿出来，撕掉了算了，只当没有这回事。”

周一鸣相当机警，知道自己这时候应该“做红脸”，然后好让胡雪岩出来打圆场、“讲斤头”，于是一伸手做个推拒的姿态，同时虎起脸说：“慢慢，小狗子，我们把话说清楚！你到底是怎么回事？我一片血心，拿你当个朋友，你不要做半吊子，害得我在胡大老爷面前，不好交代。”

“不是这话，不是这话！”小狗子极力分辩，“我也是好意，不过这场闲事实在难管。周大哥，你做做好事，把这张笔据还给我。”

“还给你？”周一鸣变色冷笑，“哪有这样方便！”

这一说，小狗子把双眼睁得好大，盯着周一鸣一眼不眨，倒像以前从未认清他的面貌似的。胡雪岩了解小狗子的心理，觉得周一鸣的火候还差些，翻脸不能翻得这么快。于是赶紧站出来说话。

“有话慢慢谈。”胡雪岩对小狗子说，“白纸写黑字，要说随便可以撕掉，也是办不到的事。你倒说说看，事情怎么样‘啰唆’？有啥难处，说出来大家商量。”

小狗子的难处，就是难说。情急之下，他只好随便抓个人作挡箭牌。“他是老实人，”他指着姓陈的说，“从来没有上过衙门。胡大老爷要他到户房去立案，他一定不肯去的，岂不是害我们中间人为难。好在银子亦不曾收，大家一笔勾销，本夫在这里，你们当面锣，对面鼓，重新谈过。谈得好，我做个现成中人，谈不好，只算我白跑一趟腿，白当一回差。”

强词夺理，居然也说了一大套，胡雪岩笑道：“已经谈好了，笔据都立了，还谈什么。如果说，不愿意到衙门里去，也不要紧，大不了多费点工夫，我们一船到木渎，请你们这方面的陈家族长也做个见证，这总可以吧！”

这一下，西洋镜还是要拆穿，但无论如何总是到了木渎以后的事，小狗子觉得可以先喘口气再说，便硬着头皮答道：“好的！”

“那么，什么时候走？”

“说走就走。随你们便。”

小狗子的态度仿佛很硬气，但另外一个老实人却没他这点点“功夫”。姓陈的可沉不住气了，拉一拉小狗子的衣服，轻声说了句：“去不得！”

“什么去不得？”小狗子大声叱斥，“怕什么！”

“对啊！怕什么？”周一鸣在旁边冷冷地说，“大不了吃官司就是了。”

这一说，姓陈的越发着急。他已经拿实情告诉了胡雪岩，如何还能跟着小狗子去蹚浑水？却又不便明说，人家已经知道是假冒，话说得再硬都无用，所以只是搓着手说：“我们慢慢儿再谈。”

胡雪岩看出他的窘迫，便见风使舵，抓住他这句话说：“谈就谈。事体总要让它有个圆满结局。你们自己去谈一谈。”

有这句话，绷急的弦，就暂时放松了。小狗子一伙，避到外面，交头接耳去商议。周一鸣与胡雪岩相视一笑，也走向僻处去估量情势，商量对策。

“果不其然是假冒。”胡雪岩将姓陈的所说的话，告诉了周一鸣，却又蹙眉说道，“我看这件事怕要麻烦你了。”

“好的！”周一鸣这两天跟胡雪岩办事，无往不利，信心大增，所以跃跃欲试地说，“我去一趟，好歹要把它办成了。”

“你也不要把事情看得太容易——”

照胡雪岩的分析，小狗子出此下策，必是走正路走不通，却又不甘心舍弃这一堆白花花的大元宝，因而行险以图侥幸。如果这个猜测不错，则在阿巧姐夫家那面，一定有何窒碍。首先要打听清楚，才好下手。

“这容易。”周一鸣说，“我只要逼着小狗子好了。把柄在我们手里，不怕他不说实话。”

等到一逼实话，方知胡雪岩这一次没有料中。小狗子不务正业，有意想骗了这笔钱，远走高飞，阿巧姐的丈夫根本不知有此事。当然，这些话是周一鸣旁敲侧击套出来的。小狗子的意思是，这桩荒唐行径，一笔勾销，他愿意陪着胡雪岩到木渎，从中拉拢，重新谈判，又表示绝不敢再在中间做手脚、“戴帽子”，只巴望谈成了写纸，仍旧让他赚一份中人钱。

胡雪岩同意这样的办法。他的处置很宽大，当时就将那张笔据销毁，委托周一鸣作代表，即时动身到木渎办事。

第四章

等这些人走了，阿巧姐也可以露面了。胡雪岩觉得已到了一切跟她说明白的时候，于是凝神想了想，开口问道："阿巧，我替你做个媒如何？"

他是故意用此突兀的说法，为的一开头就可以把阿巧姐的心思扭了过来。这不是一下子可以办得到的，被问的人眨着一双灵活的眼睛，在不曾想好话回答以前，先要弄清楚他这句话是什么意思。

"你这句话是什么意思？"她摇着头，一双翠玉耳环晃荡不停，"我真不懂。"

"你是不是当我说笑话？"

"我不晓得。"阿巧姐答道，"反正我领教过你了，你的花样百出，诸葛亮都猜不透。"

胡雪岩笑了："你这句话是捧我，还是骂我？"

"也不是捧，也不是骂，我说的是实话。"

"我跟你说的也是实话。"胡雪岩收敛笑容，一本正经地说，"我替你做的这个媒，包你称心如意，将来你也想着我一点好处，能替我说话的时候要替我说话。"

这几句话说得相当率直，也相当清楚，阿巧姐很快地懂了，特别是“包你称心如意”这六个字，撞在心坎上非常舒服。然而，到底是怎样一个人呢？不用她问，胡雪岩也要说：“这个人，你见过，就是学台何大人。”

听得是这一个人，阿巧姐不由得脸就发热，一颗心跳得很厉害。她还想掩饰，要做出无动于衷的神情，无奈那双眼睛瞒不过目光如炬的胡雪岩。

“怎么样？”他故意问一句，“何大人真正是白面书生，官场中出名的美男子。马上进了京，就要外放，听说大太太身子不好，万一有三长两短，说不定拿你扶了正，不就是坐八抬大轿的掌印夫人？”

这说得多有趣！阿巧姐心花怒放，嘴角上不由得就绽开了笑意，只是这笑容一现即逝。因为阿巧姐突然警觉，事太突兀，多半是胡雪岩有意试探，如果信以为真，等拆穿了，便是一个绝大的话柄。别样事可以开玩笑，这件事绝不是一个玩笑，太天真老实，将来就会难做人！

这样一转念间，阿巧姐不由得有愠色，冷笑一声，管自己退到床帐后面的夹弄中去换衣服。

胡雪岩见她态度突变，自然诧异，不过细想一想，也就懂了。这也难怪她。“你不相信我的话，是不是？”他平静地问，“你说，要怎么样，你才相信？”

这正也就是阿巧姐在自问的话。只是不知有何办法，能够证明此事真假，在此刻的态度，要表现得对此根本漠不关心，才是站稳了脚步。因此，她故意用不耐烦的声音答道：“不晓得。你少来跟我啰唆。”

这样水都泼不进去的话锋，倒有点叫人伤脑筋。胡雪岩踱着方步在盘算，想着回头有句话可以让她相信自己不是跟她开玩笑。反正真是真，假是假，事情总会水落石出，该说的话，此时尽不妨先说，她自会记在心里，到她信其为真的那一刻，这些话就会发生作用了。

于是他“自说自话”地大谈何桂清的一切，以及他预备采取的步骤，最后便必然又要问到：“现在要看你的意思怎么样？”

阿巧姐的衣服早已换好了，故意躲在床后不出现，坐在那里听他说得有头有尾、活龙活现，心思倒又活动了。只是自己的态度，她依然不肯表示，而万变不离其宗的还是“装佯”二字。

“什么我的意思？”她袅袅婷婷地走了出来，一面折衣服，一面答道，“我不晓得。”

胡雪岩知道再逼也无用，只有反跌一笔，倒有些效用，于是装出失望的神情说道：“你既然不肯，那也无法。什么事都可以勉强，但这件事必得两厢情愿才行。幸亏我在那面还没有说破，不然就搞得两面不是人了。”

一听这话，阿巧姐怕煮熟了的鸭子，就此飞掉，这岂不是弄巧成拙？但如果老实说一句“愿意”，则装了半天的腔，又是前功尽弃。她左右为难之下，急出一计。她尽力搜索记忆，去想七岁当童养媳开始，受婆婆虐待，冬天生冻疮还得用冷水洗粗布衣服；夏天在柴房里，被蚊子叮得一夜到天亮不能睡觉的苦楚，渐渐地心头发酸，眼眶发热，抽抽噎噎地哭出声来。

漂亮女人的眼泪威力绝大，胡雪岩什么都有办法，就怕这样的眼泪，当时惊问：“咦，咦，怎么回事？有啥委屈好说，哭点啥？”

“我的委屈哪里去说？”阿巧姐趁机答话，带着无穷的幽怨，“像我们这样的人，还不是有钱大爷的玩儿的东西，像只猫、像笼鸟一样，高兴了花钱买了来，玩厌了送人！叫她到东，不敢到西，还有啥好说？”

“你这话说得没良心。”胡雪岩气急了，“我是为你好。”

“哪个晓得是坏是好？你倒想想看，你做事自说自话，从来不跟人商量，还说为我好！”

这是有所指的，指的就是周一鸣去办的那件事。胡雪岩自觉有些理亏，只好不作声。

沉默带来冷静，冷静才能体味。他细想一想阿巧姐的话，似逆而实顺，也可以说是似怨而实喜，她心里已是千肯万肯了，只是不能不以退为进地做作一番。这是人之常情，甚至不妨看作她还有“良心”，如果一定要逼她说一句“愿意做何家的姨太太”，不但不可能，就算可能又有什么意味？

胡雪岩想透了这一层，便不觉她的眼泪有什么了不起。他心里在想，此刻必得争取她的好感，让她对自己留下一个感恩图报的想法，将来她才会在何桂清那里处处为自己的利益着想。他想起听嵇鹤龄谈过的秦始皇身世的故事，自己倒有些像吕不韦，不知不觉地笑了出来。

“别人哭，你笑！”阿巧姐还在装腔作势，白着眼，嘟着嘴说，“男人最没有良心，真正叫人看透了。”

“对！”胡雪岩顺着她的语气说，“我也承认这句话。不过男人也很聪明，不大会做赶尽杀绝的事，该讲良心的时候，还是讲良心的。”

阿巧姐不答，拭一拭眼泪，自己倒了杯热茶喝。茶刚送到唇边，她忽又觉得这样不是道理，于是把那杯茶放在胡雪岩面前，自己又另倒一杯。

“阿巧！”胡雪岩喝着茶，很悠闲地问，“你家里到底还有些什么人？”

“不跟你说过，一个老娘，一个兄弟。”

“兄弟几岁，干啥营生？”

“兄弟十八岁，在布店里学生意。”

“可曾讨亲？”

“还没有‘满师’，哪里谈得到此？”阿巧姐说，“再说，讨亲也不是桩容易的事。”

“也没有什么难。阿巧，”胡雪岩说，“我另外送你一千银子，你找个妥当的钱庄去存，动息不动本，贴补家用，将来等你兄弟满师，讨亲也好，自己弄爿小布店也好，都在这一千银子上头。”

阿巧姐看一看他，眨着眼不响。胡雪岩以为她不相信自己的话，便很大方地，取出一千两银票，塞到了她的手里。

“你真的要帮我的忙？”

“这还有啥假的。”胡雪岩笑道，“你真当我没有良心？”

“我也是说说而已！人心都是肉做的，你待我好，我难道心里没有数？”阿巧姐又说，“你真的要帮我的忙，不要这样帮。”

“那怎么帮法？”

“我兄弟人很聪明，长得也不难看，在我们镇上，是有名的漂亮小官人……”

“你不用说了。”胡雪岩笑道，“看姐姐，就晓得做兄弟的一定长得很秀气。”

“不是娘娘腔的那种秀气，长得又高又大，站出来蛮登样的。这也不去说他，我在想，你如果肯照应我兄弟，我叫他出来，跟了你去，不比在我们那个小地方学生意来得强？”说着，把银票退了回来。

“原来如此！可以，可以。我一定提拔你兄弟，只要他肯上进。银子你还是收着，算我送你老娘的‘棺材本’。”

明知跟胡雪岩不用客气，但阿巧姐总觉得不便收受，于是这样说道：“我替我娘磕个头谢谢你。钱，暂时先存在你这里。”

“不必！你还是自己保管好了。”

阿巧姐不肯，胡雪岩也不肯，取过银票来，塞到她口袋里。她穿的是件缎子夹袄，探手入怀，温软无比，他心头不免荡漾起绮思，倒有些失悔：这样一个人，遣之远离，实在不大舍得。

因此，他一时无语，心里七上八下，思绪极乱。阿巧姐当然猜他不透，又提到她兄弟的事。

“我兄弟小名阿顺。你看，什么时候叫他出来？”

胡雪岩定定神说：“学生意是写好了‘关书’的，也不能说走就走。我这里无所谓，随便什么时候来好了。”

学生意未曾满师，中途停止，要赔饭食的银子。这一点阿巧姐也知道，不过有一千两银子在身上，她有恃无恐，便即答道：“这不要紧，我自会安排妥当。”

“那好。你写信叫他出来好了。”

阿巧姐心想，除了这件事以外，还有许多话要跟家里人说，那就不如再回去一趟。她这样转念，便即问道：“你哪天走？”

“工夫已经耽误了。等老周一回城，如果你的事情已经办妥当，我明天一早就走。”

“那，”阿巧姐怏怏然说，“那来不及了。”

“怎么样？”

“如果你还有一两天耽搁，我想回去一趟。现在，当然不必说它了。”

经此片刻工夫，胡雪岩的浮思已定。话已经说了出去，绝无翻悔的道理，既然如此，原来打算让阿巧姐仍旧住在潘家的计划，不妨更改一下。

“我是这样在想，在外面做事，绝不可受人批评。从此刻起，你算是何学台的人了，我们就不便再住在一起，不然不像话。我原来的意思，想让你住在潘家，现在你自己看，你住到娘家去也可以。”

这番话在阿巧姐颇有意外之感，细想一想，又觉得胡雪岩做事，真个与众不同，心思细密，手法漂亮。既然他如此说，自己将来在何桂清面前也占身份，就无须多说什么了。

她转念又想，若作此表示，显得毫无留恋，像煞没有良心，所以还是得有一句话交代。这句话很难，她总不能说：反正还未到何家，住在一起，又有何妨？那不成了堂子里的行径？就是堂子里，姑娘答应了嫁客人，马上就得“下牌子”，也不能说未曾出门以前，还可以接客。但如果不是这样说，又怎么说呢？

她终于想到一句话来了：“一个人讲心，行得正，坐得正，怕什么？反正我们自己晓得就是了。”

“话不是这么说，嫌疑一定要避。”胡雪岩又说，“我明天请老周送了你回去。你乡下住两天，如果觉得气闷，再回潘家也是一样，或者到上海来玩几天也可以。反正在我，从现在起，就当你何家姨太太看待了！”

胡雪岩的这一句话，为他自己和阿巧姐之间筑起了一道篱笆，彼此都觉得该以礼自持，因而言语举止，突然变得客气了，也生疏了。

这样子相处，便有拘束之感，胡雪岩便说：“你回潘家去吧，我送了你去。”

“那么，你呢？”

“我，”胡雪岩茫然无主，随口答道，“我在城里逛逛。”

阿巧姐很想说一句，陪着他在城里逛一逛。但想到自己的“何家姨太太”的身份，那句话便难出口，关切之意，无由寄托，不免踌躇。

“怎么样，早点走吧！”

“不忙！我再坐一息。”

枯坐无聊，少不得寻些话来说，阿巧姐便谈苏州的乡绅人家，由富潘到贵潘，由贵潘谈到“状元宰相”。苏州是出大官的地方，这一扯便扯不完了。看看天色将晚，入夜再去打搅潘家，不大合适，胡雪岩便催阿巧姐进城。送她到潘家，约定第二天再碰面，胡雪岩便不再惊动主人，径自作别而去。

* * *

轿子已经打发走了，胡雪岩信步闲行。他一走走到观前，经过一家客栈，正有一乘轿子停下。轿中出来一个人，背影极熟，他定神想了想，大喜喊道：“大哥，大哥！”

那人站住脚，回头一望，让胡雪岩看清楚了，果然是嵇鹤龄。

“真想不到！”嵇鹤龄也很高兴，“竟在这里会面。你是怎么到苏州来的？”

“我也要问这话。”胡雪岩说，“大哥，你是怎么来的？”

“我来接头今年的海运。来了几天了。”

“这样说，杭州漕帮出乱子的事，你还不晓得？”

“我听说了。虽不是我的事，但到底与海运有关，心里急得很，只是公事未了，脱不开身。”嵇鹤龄问，“你是怎么知道的呢？”

“这里不是说话之处，你的屋子在哪里？”

“喔！在这里。”

嵇鹤龄引着胡雪岩到他的住处，也是一个小院子。有人开门出来，胡雪岩一愣，没有想到是个妙年女子。

“这是胡老爷！我换帖兄弟。”

“胡老爷！”那妙年女子，含笑肃客，“请里面坐。”

胡雪岩不知如何称呼，只含含糊糊地点头示意，视线却始终不离。看她不到二十岁年纪，穿一件月白缎子夹袄，外罩一件玄缎长背心，散脚裤，天足，背后垂着漆黑的一条长辫子，像是青衣侍儿，但言谈举止，却是端庄稳重，又不像个丫头，倒有些识不透她的路数。

嵇鹤龄照理应该引见，却一直不提。胡雪岩越发纳闷，但当着她本人，不便动问，只好谈漕帮闹事、王有龄求援的经过。

“好！有尤五去调停，一定可以无事。”嵇鹤龄极欣慰地说，“这一下，我可以放心了。”他接着又问，“那么，你是怎么到苏州来的呢？”

“说来话长。”胡雪岩站起身来，“大哥，走，我们出去吃饭，一面吃，一面谈。”

嵇鹤龄欣然同意。“不过，有件事要先作安排。”他问胡雪岩，“你搬了来与我一起住如何？”

“我今天住在这里好了，行李就不必搬了。”胡雪岩说，“本来我想明天就走，既然你在此，我多住一天，后天在阊门外下船，一动不如一静。”

“也好。我叫人替你找屋子。”

于是嵇鹤龄唤了他那新用的跟班长庆来，叫他到柜上关照，留一间干净上房。胡雪岩怕周一鸣回来找不到人，所以又托长庆专程到金阊栈去说明自己的下落。

这样安排停当，才一起出门。元大昌近在咫尺，走走就到了。两个人找了个隐僻的角落坐下，把杯倾谈，胡雪岩将此行的经过，原原本本告诉了嵇鹤龄。

“你倒真像你们西湖上所供奉的月下老人！”嵇鹤龄笑道，“尽做这些好事。”

“这好事不得不做。阿巧姐的心已经变了，我何苦强留？至于何学使那方面，我完全是‘生意经’，也可以说押宝。押中了，大家有好处。”

嵇鹤龄懂这“大家”二字，意思是包括他和王有龄在内，因而越觉得胡雪岩这个朋友，真是交着了。不过，他到底是读过几句书的人，不以为拉这种裙带关系是件很体面的事，所以不肯作何表示。

“现在要讲你屋里的那个人了。”胡雪岩问，“是怎么回事？”

听这一问，嵇鹤龄笑了。“你当是怎么回事？”他反问一句。

“我哪里猜得出？你自己说吧。”

“是瑞云的表妹，原来嫁在常熟，去年居孀，不容于翁姑，写信给瑞云，想来投靠她表姐。瑞云问我的意思，你想，我莫非那么小气，养个吃闲饭的人都不肯？所以趁这趟到苏州来公干的机会，预备把她带到杭州。”

“怎么？”胡雪岩不胜惋惜地说，“年纪轻轻就居孀了。”

看他大有惜花之意，嵇鹤龄心里一动，但随即警觉，不宜多事，点点头说：“将来自然要遣嫁。如果你有合适的人，譬如像陈世龙那样的，拜托你留意。”

“好！”胡雪岩很切实地答应，“我一定替她找。”

这一段又揭过去了，嵇鹤龄问到时局：“上海的情形怎么样？”

“小刀会不成气候，只是有洋人在后面替他撑腰。看样子，上海县城，一时怕难收复。”胡雪岩说，“这种局面一长，无非便宜了洋人。”

“怎么呢？”嵇鹤龄近来对“洋务”很关心，所以逼视着胡雪岩问，“你倒说个道理我听听。”

“第一，租界本是一片荒地，有地无人，毫无用处，现在这一乱，大家都逃到夷场去避难，人多成市，市面一繁荣，洋人的收入就多了；第二，现在两方面都想拉拢洋人，鹬蚌相争，渔翁得利，洋人乐得从中操纵。”

“怎么个操纵法？”

“无非‘见人说人话，见鬼说鬼话’，你要想他帮忙，就得先跟他做生意。现在两江总督怡大人，决定断绝他们的货源，我看这个办法，维持不长的。”

接着胡雪岩讲了许多夷场上与洋人有关的“奇闻异事”，这在嵇鹤龄是很好的下酒物，当然，也增长了许多见识。他觉得胡雪岩似乎也有些偏见，洋人虽刁，刁在道理上，只要占住了理，跟洋人的交涉也并不难办。最怕自己疑神疑鬼，或者一定要保住“天朝大国”的虚面子，洋人要听一句切切实实的真心话，自己偏跟他推三阻四地敷衍，那就永远谈不拢了。

不过，这番见解，究竟尚未经过印证，而且因风气所播，最好是痛骂洋人，如果说两句持平的话，一定为卫道之士斥为不明夷夏之辨，甚之加以“认贼作父”“汉奸”等等恶名。因此，嵇鹤龄就是对胡雪岩这样的至交，也未便径发议论。

话锋一转，又谈到浙江的政局。嵇鹤龄亦认为黄宗汉的调动，只是日子迟早而已。最明显的迹象是，黄宗汉自己亦已在作离任的准备，该他收的陋规好处，固然催得甚紧，不该他得的好处，亦伸长了手在捞。这都是打算随时可以卷铺盖的模样。

“那么，大哥，你看何学使有没有调浙江的希望？”胡雪岩很关切地问。

“这哪里晓得？现在也不必去管他！”

胡雪岩很坦率地说了他所以特感关怀的原因。在这次上海的丝生意结束以后，他虽说决定了根本的宗旨，仍然以做钱庄为主，但上海这个码头，前程似锦，也不大肯放弃。在他的想法是，有了官场与洋场的势力，商场的势力才会大。如果何桂清放了浙江巡抚，以王有龄跟他过去的渊源，加上目前自己在苏州与他一见投契的关系，这官场的势力，将会无人可以匹敌，要做什么生意，无论资本调度，关卡通行，亦就无往不利。

“所以我现在一定要想办法看准风头，好早作预备。如果何学使放到浙江，是没有希望的事，我的场面就要收缩，抱定稳扎稳打的宗旨，倘或放到浙江是靠得住的，我还有许许多多花样拿出来。”胡雪岩又说，“不是为此，我丢下上海、杭州许多等着料理的杂务，跑到苏州来跟小狗子这种人打交道，不发疯了吗？”

这一说，嵇鹤龄自然要为他认真去想了。他点点头，不即开口，喝着酒细细思量。

“我想有希望的。”嵇鹤龄先提了句使胡雪岩高兴的结论，“现在他们乙未这一榜，声气相通，团结得很，外面的几个缺，抓到了不肯轻易放手的。江西巡抚张芾，是他们乙未的传胪，从前穆彰阿门下的‘穆门十子’之一，今年正月里革了职，上个月马上又推出来一个他们同榜的郑敦谨，到河南去当巡抚。现在江浙两抚，都是乙未，听说江苏的许巡抚，圣眷已衰，早有调动的消息，如果黄巡抚再一调，一下子去了两处要紧地盘，自然要作桑榆之计。照这样说起来，何学使去接浙江，大有可能。再还有一层，此公亦愿意自己人去接。”嵇鹤龄一面说，一面拿筷子蘸着酒写了个“黄”字，自然是指黄宗汉。

“何以见得？”聚精会神在倾听的胡雪岩问。

“这就跟我接雪公的海运局，是一样的道理。”

“啊！一语惊醒梦中人！”胡雪岩恍然大悟，多想一想，拍案说道，“岂止有希望，简直十拿九稳了！”

他接着提出一套深一层的看法。黄宗汉为人阴险工心计，目前虽红，但冤家也不少。既然在浙江巡抚任内有许多“病”，他自然要顾虑到后任谁属。“官官相护”原是走遍天下十八省所通行的惯例，前任有什么纰漏，后任总是尽量设法弥补。有些人缘好的官儿，闹了亏空，甚至由上司责成后任替他设法清理，也是数见不鲜的事。只是有两种情形例外：一种是与后任的利害发生冲突，不能不为自己打算；一种就是前后任有仇怨，恰好报复。

黄宗汉要顾虑的，就是后一种的情形。浙江巡抚虽说归闽浙总督管辖，但总督驻福州，浙江的巡抚是名副其实的一省最高长官，倘或后任抓住他的什么毛病，不需跟总督商量，就可以专折参劾，连个缓冲的余地都没有。所以照这样子，黄宗汉必得设法找个有交情的来接他的任，而何桂清跟他的交情，是没有话可说的。

“是的！我的看法也差不多。”

“但是，”胡雪岩却又提出疑问，“如果上头对何学使想重用，而江苏的许巡抚又要调动，那么，何不将何学使放到江苏？这岂不是人地相宜，顺理成章吗？”

“不会！这有两个道理。第一，何学使在江苏常常上奏折谈军务，颇有伤及许巡抚的话，他们是同年，不能不避嫌疑，所以即使上头要派他到江苏来，他怕人家说他上折谈军务，是有取而代之的心，一定也不肯就的。”嵇鹤龄喝了一口酒又说，“其次，江苏巡抚要带兵打仗，而且目前是军功第一。布政使吉尔杭阿在上海打小刀会，颇为卖力。照我的看法，许巡抚倘或调动，多半是吉尔杭阿接他的手。”

这一番分析下来，胡雪岩就更放心了，何桂清一定会当浙江巡抚，不过日子迟早而已。如果来得迟，对自己不利，但对嵇鹤龄却是有帮助的，因为这一定是中间转一任仓场侍郎，将来在通州验收海运的漕米时，嵇鹤龄可以得到许多方便。

通过了这些，他颇有左右逢源之乐，因而酒兴和谈兴也都更好了，喝得酩酊大醉，方跟嵇鹤龄回客栈去休息。

第二天早晨胡雪岩起身，问起伙计，听说嵇鹤龄一早拜客去了，留下话，中午一定回来，要胡雪岩等他。他枯坐无聊，而且自己也还要去等周一鸣的消息，以及跟阿巧姐见面，所以决定回金阊栈。他也留下了话，说下午再来看嵇鹤龄。

未出阊门，先去看阿巧姐，跟她略说经过，表示不得不多留一天。这对阿巧姐是好消息，她决定立刻回木渎，把她的兄弟去领来见胡雪岩。

“也好！索性都把它办妥当了。不过你一个人是办不了的，等周一鸣回来，我叫他再辛苦一趟，陪你一起回木渎。”胡雪岩说，“回头你也见见我那拜把子的大哥。”

于是阿巧姐又随着胡雪岩回金阊栈，随身带着一大包衣服，其中有她的小姐妹送她的，也有这两天现做的。潘家常年搭着案板，雇着两名女裁缝，按日计酬。除却三节，无日不制新衣，因而近水楼台，方便得很。

当然，阿巧姐晓得胡雪岩的脾气，不会把人家送她的实新而名旧的衣服在他面前穿出来。新制的衣裙，款式自不如夷场上来得新颖，但也有一样好处，就是庄重。她索性连头面的修饰都改过了，尽洗铅华，只梳一个极亮的头，髻上插一支碧玉簪，耳上戴一副珠环。陌生人见了她，怎么样也察觉不出一点风尘出身的气息。

就在她在金阊栈刚打扮好，预备饭后随着胡雪岩去见嵇鹤龄的时候，要去看的人却先到了。胡雪岩引见过后，阿巧姐执礼极恭，使得嵇鹤龄大起好感，当着她的面，赞不绝口。

“雪岩！”等阿巧姐退到里室时，嵇鹤龄忍不住说了，“我略知柳庄相法，这个徐娘老去的佳人，着实有一段后福。”

“这一说，我的做法是对了。”胡雪岩笑道，“看她走几步路，裙幅不动，稳重得很，倒是掌印夫人的样子。”

“不然——”嵇鹤龄忽然停住了。

“怎么不说下去？”胡雪岩真忍不住要追问，“这个‘不然’，大有文章。”

嵇鹤龄想了好半天，摇摇手说：“不谈了！说出来徒乱人意。反正你‘失之东隅，收之桑榆’，也无所谓。”

他引用的这句成语，胡雪岩是懂的，意思是放弃了阿巧姐可惜，但也有补偿。这个补偿，自然是从何桂清身上来，由于嵇鹤龄这样说法，胡雪岩也就把未来所能得的那一份补偿，看得特别认真了。

秋收全靠春耕，他觉得就从此刻起，对何桂清还得重新下一番功夫，想一想另外换了个话题，但仍旧是关于何桂清与阿巧姐的。

“大哥！”他说，“有件事正要托你。我想请你写封信。”

“写给谁？”

“何学使！这封信要写得漂亮，最好是‘四六’……”

“你怎么想来的？”嵇鹤龄笑着打断他的话，“你简直是考我。骈文要找类书，说得干脆些，无非獭祭成章，客边何来《佩文韵府》之类的书？”

这番话说得胡雪岩不懂，但大致猜得出来是为难。胡雪岩也知道对仗工整的‘四六’，不是人人会做，心里倒有些懊悔，贸然提出来，害得嵇鹤龄受窘。

“不管它了！”嵇鹤龄看出他的心思，急忙改口，“你的事，我也只好勉强试一试。你说吧，怎么个意思？”

胡雪岩大喜。“是这样，”他说，“第一，向他道谢，自然是一番仰慕的客套；第二，就说阿巧姐寄住潘家，我欠了人家的情，请他代为致谢！”

“第三，”嵇鹤龄笑着接口，“托他照拂佳人！”

“是有这么个想法，不过我不知道怎么说法？”

“我会说。”嵇鹤龄极有把握地，“我好好想两个典故，隐隐约约透露点意思给他。”

“对！就这样。”胡雪岩半羡慕、半感慨地说，“你们的这支笔，实实在在厉害。小时候读蒙馆，记得读过两句诗：别人怀宝剑，我有笔如刀。当时心里在想，毛笔哪有宝剑厉害？现在才知道有些笔上刻的那句‘横扫千军’，真正一点不错。”

“也不见得那么厉害！”嵇鹤龄由此想到了胡雪岩的不足之处，“有句话我早想跟你说了，依你现在的局面，着实要好好用几个人。牡丹虽好，绿叶扶持，光靠你一个人，就是三头六臂，到底也有分身不过来的时候。”

这句话搔着了胡雪岩的痒处。“着啊！”他拍着大腿说，“我也久已想跟大哥讨教了，而且也作过打算。我想要用两个人，一个是能够替我出面应酬的，这个人有了，就是刘不才；另外一个是能够替我办笔墨的，在湖州有个人姓黄，本说要跟我一起到杭州，后来因为别样缘故，打消了此议。我看他的本事也有限。如今我要跟大哥商量，”他很吃力地说，“这些人，我实在也还不知道怎么用法。”

嵇鹤龄将胡雪岩的情况细想了一遍，很清楚地看出来他的“毛病”，于是这样从远处说起：“我说句很老实的话，你少读书，不知道怎么把场面拉开来。有钱没有用，要有人；自己不懂不要紧，只要敬重懂的人；用的人没本事不妨，只要肯用人的名声传出去，自会有本事好的人，投到门下。”

接着，嵇鹤龄由“千金市骨”的故事，谈到孟尝君门下的鸡鸣狗盗之徒。胡雪岩一面听，一面心潮起伏，有了极多的启示。等嵇鹤龄谈完，他不住赞叹，颇有茅塞顿开之感。

“我懂了！”胡雪岩连连点头，“我这样奔波，不是一回事！要弄个舒舒服服的大地方，养班吃闲饭的人。三年不做事，不要紧，做一件事就值得养他三年。”

“你真的懂了！”嵇鹤龄极其欣慰地说，“所谓‘门客’就是这么回事。扬州的盐商，大有孟尝遗风，你倒不妨留意。”

胡雪岩不答，心里在细细盘算，好久，他霍地站了起来：“就是这样了！这一趟回去，我要换个做法。”

“怎么换？”

“用人！”胡雪岩一拍双掌说，“我坐镇老营，到不得已时才亲自出马。”

“对了！要这样子你的场面才摆得开。”嵇鹤龄又说，“我帮你做！”

“自然。”胡雪岩说，“大哥就是我的诸葛亮。”

“这不敢当。”嵇鹤龄笑了，然后又仿佛有些不安地，“你本来是开阔一路的性情。我劝你的话，你自己也要有个数，一下子把场面扯得太大，搞到难以为继，那就不是我的本意了！”

“大哥放心！”胡雪岩在这时候才有胜过嵇鹤龄的感觉，“只要是几十万银子以内的调动，绝不会出毛病。”

“只要你有把握就行了。”嵇鹤龄站起身来，“我回去了。早早替你把那封信弄出来。”

“不是有什么约会，或者要去拜客？”

“都没有。”

“那何不就在这里动手？”

正说着，阿巧姐听见了，也走出来留客，相邀便饭，这是无所谓的事，嵇鹤龄也就答应了。

“不必多预备菜。”他说，“我只想吃一样东西，附近有陆稿荐没有？”

“陆稿荐到处都有。”阿巧姐说，“我叫他们去买酱猪肉。”

“不是酱猪肉，是煮酱肉封口的那东西。”

大锅煮酱猪肉，到了用文火焖的时候，为防走气泄味，用面条封住锅口，那东西虽能吃，却不登大雅之堂。阿巧姐便笑道：“这是卖给叫花子吃的呀！”

“你不管！”胡雪岩知道嵇鹤龄的脾气，这样抢着说，“只叫人去买就是。”

于是话题又转到陆稿荐。胡雪岩与嵇鹤龄有同样的困惑，不知道苏州卖酱肉卤味的熟食铺，何以市招都用陆稿荐？到底是一家主人的许多分店，还是像杭州张小泉的剪刀店一样，真的只有一家，其余都是冒牌？

“自然是冒牌的多！”阿巧姐说。

“怎么叫陆稿荐呢？这名字题得怪。”嵇鹤龄问，“其中一定有个说法。”

“是的——”

阿巧姐一本正经地讲陆稿荐的故事，是个神话。据说陆家祖先起初设个卖酱肉的小铺子，有个乞儿，每天必来乞讨。主人是忠厚长者，总是操刀一割，割下好大一块肉给他。这乞儿后来就露宿在他家檐下，有一天忽然不见了，剩下一床破草荐，废置在屋角，从无人去理它。

有一次煮肉将成，这家主人发觉还须有一把猛火，才够火候。这最好是用柴草，苏州人称为“稻柴”。稻柴一时无处去觅，恰好拿那床破草荐派用处，谁知这床草荐一烧，锅中的酱肉，香闻数里。生意就此做开了。这家主人为了不忘本起见，便题名陆稿荐。

“禾秆为稿。这个名字倒是通人所题。”嵇鹤龄说，“不过我就不懂了，为什么这床草荐能叫酱肉香闻数里？”

“那自然是沾着仙气的缘故。”阿巧姐说，“这个叫花子，不是真的叫花子，是吕洞宾下凡。”

“原来吕仙游戏人间。”

“鬼话！”胡雪岩笑道，“人发达了，总有段离奇古怪的故事，生意做得发达了，也是如此。”

“能叫人编出这么个荒诞不经的故事来，也足以自豪了。但愿后人提起胡雪岩，也有许多离奇的传说。”

“身后的名气我不要！”胡雪岩随口答道，“我只要生前有名，有一天我阜康的招牌，就像苏州陆稿荐一样，到处看得见，那就不白活一世了。”

“这也不是办不到的事。就看你能不能立志！”嵇鹤龄勉励着换帖弟兄。

胡雪岩脱口答道：“立志在我，成事在人！”

“这两句话说得好！”嵇鹤龄大为赞赏，“雪岩，你的吐属，真是大不凡了。”

“大哥，你不要捧我。”胡雪岩高兴地谦虚着。

“不是捧你，你这两句话，确是见道之言。成语所说，‘谋事在人，成事在天’，自己作不得自己的主，算得了什么好汉？像你这样就对了！先患不立志，次患不得人！”

这几句话说得胡雪岩脸发烫，觉得他的夸奖，真个受之有愧。他原来的意思，亦等于“成事在天”，事情成不成，要看别人；而嵇鹤龄却把“在人”解释为“得人”，并非本意。然而这样解释，确比本意高明。

“仅有志向，不能识人、用人，此之谓‘志大才疏’。像那样的人，生来就苦恼！”嵇鹤龄停了一下又说，“不得志的时候，自觉埋没英才，满腹牢骚，倘或机缘凑巧，大得其发，却又更坏！”

“这——”聚精会神在倾听的胡雪岩失声而问，“什么道理？”

“这个道理，就叫‘爬得高，跌得重’！他的爬上去是靠机会，或者别的人有意把他捧了上去的，捧上了台，要能守得住，也不是件容易的事。这一摔摔下来，就不送命，也跌得鼻青眼肿。所以这种志大才疏的人，怎么样也是苦恼！”嵇鹤龄又说，“稽诸史实，有许多草莽英雄，因缘时会，成王称帝，到头来一场春梦，性命不保，说起来大都是吃了这四个字的亏。”

这番议论，胡雪岩心领神会，大有领悟。他每次跟嵇鹤龄长谈，总觉得深有所得，当然，也深深领受了友朋之乐。不过这份乐趣，较之与郁四、尤五，甚至王有龄在一起的感受，是大不相同的。

“说实在，我的见识，实在在大哥之下。”他心悦诚服地说，“为人真是不可不读书。”

“‘世事洞明皆学问’，光是读死书，做八股，由此飞黄腾达，倒不如一字不识，却懂人情世故的人。”

“大哥这话，又是牢骚了！”胡雪岩知道，科甲出身的官儿，看不起捐班，但捐班中有本事的，一样也看不起科甲中的书呆子。

“你说他牢骚，他说他老实话也可以。”

“我倒说句老实话，”胡雪岩忽然想起，“也是极正经的话，大哥，你还打算不打算‘下场’？”

嵇鹤龄是俗称秀才的生员，“下场”是指乡试，他自然也打算过。“‘下场’也不容易，”他说，“辕门听鼓，闲了好多年，刚得个差使，辞掉了去赴乡试。就算侥幸了，还有会试，这一笔浇裹哪里来？”

“这怕什么？都是我的事。”

“论你我的交情，果真我有秋风一战的雄心，少不得要累你。不过，想想实在没有意思。”

“何以呢？”胡雪岩怂恿他说，“今年甲寅，明年乙卯才是大比之年，有一年多的工夫，正好用用功。”

嵇鹤龄是久绝此想了，摇摇头说：“时逢乱世，哪里都可以立功名，何必一定要从试场去讨出身？越是乱世，机会越多。其中的道理，我想，你一定比我还清楚。”

这又是一个启示。胡雪岩想想果然，自己做生意，都与时局有关，在太平盛世，反倒不见得会这样子顺利。由此再往深处去想，自己若生在太平盛世，应变的才具无从显见，也许就庸庸碌碌地过一生，与草木同腐而已。

感慨之下，不由得脱口说了一句：“乱世才会出人才！”

“这话倒是有人说过。”嵇鹤龄有着嘉许之意，“上下五千年，人才最盛的是秦末汉初跟魏、蜀、吴三分的时候，那时候就是乱世。”

“如今呢？”胡雪岩说，“也可以说是乱世。就不知道后世来看，究竟出了多少人才？”

“不会少！只说眼前，雪岩，你不要妄自菲薄，像你就是难得的人才。”

胡雪岩笑笑不作声。就这时候，阿巧姐来请用饭。馆子里叫的菜十分丰盛，另外一大盘陆稿荐的酱肉，自然也有那不登大雅的食物在内。

“你也一起来吃吧！”胡雪岩对阿巧姐说。

“哪有这个规矩？”她笑着辞谢。

“又没有外人。”嵇鹤龄接口说道，“我跟雪岩都是第一趟到苏州，要听你谈谈风土人情。”

她听得这样说，再要客套，就显得生分了。阿巧姐心想，反正也要照料席面，站着显得尴尬，倒不如坐了下来。

于是她打横作陪，一面斟酒布菜，尽主人的职司，一面跟嵇鹤龄谈家常。苏州女人长于口才，阿巧姐又是历练过的，所以嵇鹤龄觉得她措词得体、声音悦耳，益生好感。

这一来，一顿酒便喝得时候长了，喝到四点多钟，方始结束。等嵇鹤龄一走，周一鸣跟着就到，阿巧姐的事，已经顺顺利利谈成功，只待“过付”，便可“成交”。

“恭喜，恭喜！”胡雪岩笑着问阿巧姐说，“你算是脱掉束缚了。”

“多亏周先生费心！”阿巧姐向周一鸣道了谢，接着又歉然地说，“明天只怕还要劳驾。”

于是胡雪岩代为说明，要请他陪阿巧姐再回木渎去一趟，将她的弟弟领了出来。周一鸣自然毫不迟疑地应承下来。

经过这一番细谈，又到了晚饭时分，胡雪岩留下周一鸣吃饭，自己只喝着茶相陪。他口中闲谈，心里却在打主意，等盘算定了，闲闲问道："老周，我倒问你一句话，你平时有没有想过，自己发达了是怎么个样子？"

周一鸣无从回答。"我没有想过。"他很坦率地说，"混一天，算一天！"

"这样子总想过，譬如说，要做个怎么样的官，讨个怎么样的老婆？"

"我在家乡有一个。"周一鸣说，"我那女人是从小到我家来的，比我大两岁，人很贤惠，一直想接她出来，总是办不成功。"

"这总有个道理在里头。你说，何以办不成功？"

"这还不容易明白？说来说去，是个钱字。"周一鸣不胜感慨地说，"这两年，一个人混一个人，替人跑腿，又不能在哪里安顿下来。想想不敢做那样冒失的事。"

"那么，你要怎么个样子，才能把你女人接出来？"

"现在就有希望了。"周一鸣换了副欣慰的神情，"多亏胡大老爷照应。这趟到扬州，谋好差使，如果靠得住，一年有二百两银子的入息，我就要接我女人出来，让她过几天安闲日子了。"

"这也不算什么。"胡雪岩说，"照我想，像你这样的人，一个月总得要有五十两银子的入息，才不委屈你。"

"哪有这样的好事？"周一鸣说，"如果哪个给我这个数，我死心塌地跟他一辈子。"

"这话是真的？"

周一鸣是信口而答，此刻发现胡雪岩的神色相当认真，倒不敢随便回答了。

"我们随便谈谈。"胡雪岩放缓了语气，"无所谓的。"

话虽如此，周一鸣却必得认真考虑，看胡雪岩的神情，倒有些猜不透他的用意，只好这样答道："若是胡大老爷要我，我自然乐意。"

"不是这话，不是这话！"胡雪岩摇着手说，"我用人不喜欢勉强。"

"我是真心话。跟胡大老爷做事，实在痛快，莫说每月五十两，有一半我就求之不得了。”

看他说得恳切，胡雪岩也就道破了本意。他说他想用周一鸣，是这天跟嵇鹤龄畅谈以后的决定。他预备论年计薪，每年送周一鸣六百两银子，年终看盈余多少，另外酌量致送红利，要周一鸣仔细想过以后再答复他。如果周一鸣不愿意，仍旧想到扬州，他也谅解，因为厘金关卡上的差使，到底是“官面上的人”。

“哪个要做那种‘官面上的人’？我也无须仔细想，此刻就可以告诉胡大老爷，一切都遵吩咐。”

“好！”胡雪岩欣然说道，“这一来，我们就是自己人了。”

不过，在周一鸣这一来反倒拘束了，不便再一个人在那里自斟自饮。他匆匆吃完饭，自己收拾了桌子，接着便问起阿巧姐明日的行程。

“我把阿巧姐托给你了。”胡雪岩说，“明天等立了笔据，你陪她到木渎。事情办完了，你把他兄弟带到上海来。回头我抄上海、杭州的地址给你。”

“那么，”阿巧姐听见了，走来问道，“你呢？”

“我看嵇大哥的意思。”胡雪岩答道，“明天再陪他一天，大概后天一早，一定要动身。现在有老周照应你，你落得从容，在木渎多住几天，以后有什么事，我请老周来跟你接头。总而言之，‘送佛送到西天’，一定要把你安顿好了，我才算了掉一件大事。”

一则是当着周一鸣，阿巧姐不愿她与胡雪岩之间的“密约”，让局外人窥出端倪；再则是这两三日中，她对胡雪岩的观感，又有不同，所以当时便作了表示。

“啥个‘送佛送到西天’？我不懂！”

不管她是真不懂，还是假不懂，反正对“送佛送到西天”这番好意，她并不领情，却是灼然可见的。胡雪岩也发觉了，自己说话稍欠检点，所以很见机地不提此事，只对周一鸣说：“你早点请回吧！你自己有啥未了之事，最好早早料理清楚。我顺便有句话要叫你先有数，我做事是要‘抢’的，可以十天半个月没事，有起事来，说做就要做。再说句不近情理的话，有时候让你回家说一声的工夫都没有。当然，你家里我会照应，天大的难处，都在我身上办妥。凡是我派出去办事的人，说句文绉绉的话，“绝无后顾之忧”。老周，你跟了我，这一点你一定要记在心里。”

“胡大老爷……”

“慢点！”胡雪岩很快地打断了他的话，“称呼要改一改了。我的这个‘大老爷’，是花银子买来的，不是真的坐堂问案的‘大老爷’。如果是不相干的人，要这样子叫我，虽然受之有愧，不过既然有‘部照’，好歹也是个官，朝廷的体制在那里，硬要不承认，就叫却之不恭。做生意没有什么大老爷、二老爷的，只有大老板、二老板。不过我也不喜欢分出老板、伙计来，我另外有两个‘朋友’，一个叫刘庆生，一个叫陈世龙，都是我的得力帮手，他们都叫我胡先生，你也这样叫好了。别的地方，我要跟你学，做生意，我说句狂话，你要跟我学，这个‘先生’，就是你跟我学做生意的先生。”

“喔唷唷！”阿巧姐在旁边作出蹙眉不胜，用那种苏州女人最令人心醉的发嗲的神情说，“闲话多是多得来！”

“话虽多，句句实用。”周一鸣正色说道，“胡先生，我就听你吩咐了。”

“就这样了。你明天一早来。”

* * *

就在周一鸣要离去的那一刻，金阊栈的伙计带进一个人来。这个人阿巧姐认得，是潘家的听差。

“他叫潘福。”阿巧姐在窗子里望见了，这样对胡雪岩说，“不晓得为啥来，如果是跟我有关系的事，不要随便答应。”说完，她将他轻轻一推。

于是胡雪岩在外屋接见潘福。来人请安以后，从拜匣里取出一封梅红帖子，递了上来。打开一看，是潘叔雅用“教愚弟”署名，请他吃饭，日期是第二天中午。帖子上特别加了四字：务乞赏光。

这就很突兀了！潘叔雅是十足的“大少爷”，对不相干的人懒于应酬，所以胡雪岩到潘家去过几次，根本就不请见男主人。而此时他忽然发帖请客，必有所谓。被请的人自然要问一问：所为何来？

“只为仰慕胡大老爷。”潘福答道，“也没有请别位客，专诚请胡大老爷一个人。”

胡雪岩实在想不到潘叔雅是何用意，但此时亦不必去想，到明日赴宴，自然明白。当即取了一张回帖，向潘福说明准到，先托他代为道谢。

“敝上又说，如果胡大老爷明日上午不出门，或者要到哪里，先请吩咐，好派轿来接。”

“大概不出门，不过派轿来接，大可不必。”

“一定要的。敝上说，不是这样，不成敬意。”

既然如此，亦就不必客气。等潘福告辞去后，他少不得与阿巧姐研究其事。彼此的意见相同，潘叔雅下此请帖，一则说是“务乞赏光”，再则要派轿来接，必是有事重托。至于所托何事，连住在潘家好几天的阿巧姐都无从猜测。

“不管它了！”胡雪岩说，“你让老周陪着你进城吧！顺便先在潘家姨太太那里探探口气，明天我到了，先想法子透个信给我。”

阿巧姐还有些恋恋不舍之意，但当着周一鸣不便多说什么，终于还是雇轿进了城。

一夜无话。第二天清早，胡雪岩进城逛了逛，看嵇鹤龄不在客栈，亦未惊动瑞云的表妹，悄悄回到金阊栈。十一点钟刚打过，潘家所派的轿子到了。居然是顶大轿。问起来才知道潘叔雅一出生未几，他父亲就仿照扬州盐商的办法，花了两万银子，替他捐了个道员。三品官儿，照例可以坐绿呢大轿，按规矩还可以有“顶马”。但这份官派，潘叔雅未摆，只是那顶大轿，十分讲究。大轿三面玻璃窗，挂着彩绸的窗帷，轿檐上是彩色的缨络，轿杠包铜，擦得雪亮。轿子里有盖碗、水果、闲食，还有一管水烟袋、两部闲书。一部《隔帘花影》，一部《野叟曝言》。如果是走长路，途中不愁寂寞，尽有得消遣。

胡雪岩还是第一趟坐大轿，看到四名轿夫抬轿的样子，不由得想起嵇鹤龄的话。嵇鹤龄讲笑话，说四名轿夫，各有四个字的形容，前面第一个昂首天外，叫作“扬眉吐气”；第二个叫作“不敢放屁”，因为位置正在“老爷”前面，一放屁则“老爷”首当其冲；后面两名轿夫，前面的一个，视线为轿子挡住，因而叫作“不辨东西”；最后一个亦步亦趋，只有跟着走，那就是“毫无主意”。

据说军机大臣的情形，就跟这四名轿夫一样。军机领袖自然“扬眉吐气”；奏对时，照例由他一个人发言，所以第二个叫作“不敢放屁”；第三个进军机不久，还摸不清楚底细，以“不辨东西”形容，亦是刻画入微；至于最后一个，通称“打帘子军机”，当然是“毫无主意”了。

由此胡雪岩又想到何桂清的同年，军机大臣彭蕴章，不知他位列第几？如果是“不敢放屁”，则又何能为何桂清说话？几时有机会倒要问一问他。

就这样胡思乱想着，不知不觉已到了潘家，轿子一直抬到大厅檐外，胡雪岩才知道潘福的话靠不住。除了主人以外，另外还有两位客，一般是华服的贵公子派头。

宾主互揖以后，主人为胡雪岩引见两位新交。他猜得果然不错，一个叫吴季重，一个叫陆芝香，都是贵介公子，父兄皆是京官，本人是秀才。彼此道过仰慕，潘叔雅延入花园接待。

潘家的花园甚大，但房屋显得很旧了，只有一座楠木船厅是新建的，潘叔雅就在这里款客。男仆在厅外，厅内用两个丫头伺候。苏州的丫头得一俏字，一式滚花边的竹布衫、散脚裤，束得极细的腰，梳得极光的辫子，染得极红的指甲。两个丫头莺声呖呖地，叫潘、吴、陆三人都是“少爷”，只称胡雪岩才是“胡老爷”！

时已正午，就在船厅中开席。主人奉胡雪岩首座，不待他谦让，首先声明：客人只有胡雪岩一位，吴季重和陆芝香连陪客都不是，算是三个主人公请，有事要向胡雪岩请教。潘福的话是不错。

有事要托他是胡雪岩早已意料到，等酒过三巡，他先开口动问了，潘叔雅才细叙缘由。事起于阿巧姐的闲谈。跟潘家姨太太在一起盘桓，闺中无事，她把从尤五、怡情老二以及胡雪岩本人那里听来的许多故事，作为消遣之资。胡雪岩的故事本来就与众不同，加以阿巧姐口齿伶俐，渲染入微，所以潘家姨太太深感兴趣。

于是这些故事又从枕上传到了潘叔雅的耳朵里。这一下，他对胡雪岩刮目相看。纨绔子弟交朋友，从不交平淡无奇的方正君子，一定要交“有趣”的人物，或者能说会道，或者仪表出众，或者行事漂亮。照潘叔雅看，胡雪岩就是这一路人物，但是最使他佩服的，却是胡雪岩的义气。也就因为这一点，他要重托胡雪岩。

“胡大哥，”他叙入正题，“苏州从没有这么乱潮！官兵打仗，保民不足，骚扰有余，我们三个都想到上海夷场上去看看，要请胡大哥照应。”

“是的。”胡雪岩平静地回答，心里在想，所谓照应，无非买房子之类，这是小事，于是又加了一句，“好的，都在我身上。”

“我想这样，我有一笔现款，交给胡大哥，看怎么给我用出去？”潘叔雅说，“这笔款子数目不大，大概十二三万银子。”

十二三万银子，还说数目不大，好阔的口气！胡雪岩正要开口，吴季重抢在他前面说了。

“我跟叔雅的情形，差不多，有十万银子，也要请胡大哥替我费心用出去。”

“我的情形，稍为不同些。”陆芝香说，“我有一箱东西，放在苏州不放心，请胡大哥看看，是存在什么地方妥当。”

“喔，”胡雪岩问道，“是一箱什么东西？”

“是一只画箱。”

“芝香家府上的收藏，是有名的。”潘叔雅说，“有几件精品，还是明朝留下来的。”

就凭这句话，便可以想象得到那只画箱的珍贵。这一点胡雪岩却不敢轻易回答，只点点头说：“我们再商量。”

所谓“商量”是推托之词，胡雪岩已经决定不做这种吃力不讨好的事。果然吃力不讨好，也还罢了，就怕出了什么毛病——古玩古画是无法照样赔偿的。所以他作了这样一个明智的决定。

但陆芝香的目的，是希望在画箱运出危城，转移到洋人所保护的夷场时，胡雪岩能保他的险，因而提到了尤五。

“听说胡大哥跟漕帮的首脑，是至交？”

这是不能赖也不必赖的，他点点头答道：“是的。松江的漕帮，管事的老少两代，都很看得起我。”说到这里，胡雪岩很机警地想到，陆芝香说这话，自然有事要托尤五，那就落得放漂亮些，不必等他再开口，便说：“如果老兄有什么事，只要力所能及，我可以代求。”

“是的。是要请胡大哥代求。”陆芝香说，“松江漕帮的势力很大，跟这里的‘老大’也有联络。我想请胡大哥探探口气，如果松江漕帮肯帮我的忙，我自然有一份微意。”接着，他问潘叔雅，“送五千银子差不多了吧？”

潘叔雅还未答话，胡雪岩在一旁连连摇手：“谈不到，谈不到！谈到这个，我那姓尤的朋友，反倒不肯搭手了。老兄，”他很诚恳地向陆芝香说，“你听我一句话，几位老哥都是大少爷出身，出手豪阔，不过，江湖上交朋友，也有用钱买不到的东西。老兄的委托，我尽全力去办，只要有把握，这点事算不了什么！将来办好了，我们总要在上海碰头，那时我备桌酒，替各位引见，老兄当面谢过就够了。”

前半段话略带教训的意味，但以态度恳切，所以陆芝香不但不以为忤，且连连拱手受教：“是的，是的！一谈酬劳就俗了。”

接着他们便谈漕帮的内幕，然后又谈到夷场的奇闻异事，言不及义地大谈特谈，反将正事搁在一边。

胡雪岩一面应酬着，一面很冷静地在观察，很快地明白了这三位“大少爷”想移居上海，一半是逃难，一半是向往夷场的繁华。照此看来，如今要替他们在上海所办的第一件事，就是替他们每一家造一所住宅。

这三所“住宅”的图样，很快地就已在他的脑中呈现——是洋楼，有各种来自西洋的布置，软绵绵的“梭化”椅、大菜台，还有烧煤或者烧木柴的壁炉。

这样想着，对于潘、吴两人的现款，胡雪岩也有了生利的办法。不过这个办法是“长线放远鹞”，要图急功近利，就根本无从谈起。如果他们是望远了看，那对于自己的生意也是一大帮助。胡雪岩心想，有二十万可以长期动用的头寸，何不在上海再开一家钱庄?

这一转念间，他才发觉自己又遇到了一个绝好的机会，于是仔细盘算了一会，想停当了，才找个他们谈话间的空隙，向潘叔雅说道：“我有句话想动问。”

“好，好。你请说。”

“承两位看得起我，我不敢不尽心。不过两位对这笔现款，总有个打算，是做生意，还是放息，如果是放息，是长放，还是短放？总要先拿个大主意，我才好措手。”

潘叔雅向吴季重看了一下，以眼色征询意见。

“胡大哥，”吴季重只谈他自己的情形，“我也不知道该怎么办，只好把我的想法告诉你。如果要逃难，苏州的入息自然中断了，田上的租米收不到，市房也不知道保得住保不住，更不用谈什么房租。那时候，舍间一家十八口，养命之源，都靠这笔款子。实情如此，请你看着办。”

“我的情形也差不多。”潘叔雅说，“我自己一家不过十三口，只是寒族人多，如果都逃在上海，生活不济，少不得我也要尽点心。”

“我明白了！”胡雪岩说，“万一苏州沦陷，不知道哪一天恢复，一年半载，还是三年五年，谁也不敢说。既然拿这笔款子作逃难的本钱，就得要细水长流，以稳当为第一。”

“‘细水长流’这话，说得太好了！”吴季重很欣慰地，“我就是这意思。”

胡雪岩点点头，放下筷子，两手按在桌上，作出很郑重的姿态：“两位给我的这个责任不轻，我只能勉力以赴。我想应该作这么一个兼顾的打算。第一，在上海夷场上，要有自己的住宅；第二，看每个月要多少开销，提出一笔钱来放息，动息不动本。住的房子有了，日常家用有了，先稳住了‘老营’，就不妨放手干一番，余下的钱，或者买地皮，或者做生意。这样子做法，就朝最坏的地方去想，哪怕蚀光了，过日子依旧可以不愁，也就不伤元气。两位看我这个打算行不行？”

“怎么不行？太好了。”吴季重转脸说道，“叔雅，这位胡大哥老谋深算，真正叫人佩服。”

朋友是从潘叔雅来的，听得这番赞扬，真所谓“与有荣焉”，所以他也极其得意，一高兴之下，马上唤着丫头说：“你进去跟姨太太说，铁箱里有只拜匣，连钥匙都拿了来。”

“慢慢！”胡雪岩急忙阻止，“你现在先不要拿什么东西给我。”

“一样的。”潘叔雅说，“我家里有五六万的银票，先交了给胡大哥。”

“不，不！我们做钱庄的，第一讲究信用，第二讲究手续。等谈好了办法，你们两位的款子，交到钱庄里来，我要立折子奉上，利息多寡，期限长短，都要好好斟酌。”

“也好！”潘叔雅说，“那就请胡大哥吩咐。”

于是胡雪岩从买地皮，造房子谈起，一直谈到做洋货生意，大致有了个计划。购地造屋，以一万两银子为度，其余的对半分成两份，一半是五年期的长期存款，一半是活期存款，用来作为经商的资本。存放的钱庄，由胡雪岩代为介绍，实际上都等于长期存款，因为用来做生意的那一半活期存款，亦要听胡雪岩的主意。如果他的头寸紧，某一笔生意就可以不做，翻来覆去都听他口中一句话。

“好，我们就这样。”潘叔雅问陆芝香，“你呢？是怎么个主意？”

“听你们谈得热闹，我自然也要筹划筹划，在上海大家房子造在一起，走动也方便。”

于是你一言，我一语，都是谈的将来住在一起、朝夕过从的乐事。胡雪岩冷眼旁观，觉得这三个阔少与庞二、高四、周五那班人，脾气又自不同。周、高等人到底自己也管过生意，比较精明——唯其比较精明，反容易对付，但这三个却完全是不知稼穑艰难的大少爷，也许期望太高，不切实际，也许未经世途，不辨好歹。谈的时候什么都好，等一做出来，觉得不如理想，立刻就会有很难听的话，吃力而不讨好，那就太犯不着了。

于是他问：“三位都到上海去过没有？”

“我去是去过一次，那时只有四岁，什么都记不得了！”潘叔雅说，“他们两位最远到过常熟。”

“这样说，夷场是怎么个样子，你还是没有见过。”

“是啊！”潘叔雅说，“我今年四十二，四岁的时候，还是嘉庆年间，哪里来的夷场？”

“都说夷场热闹，我倒要跟三位说一句：热闹是在将来。眼前热闹的，只是一小块地方，鱼龙混杂，不宜于像你们三位琴棋书画、文文雅雅的人住。我倒想到一处，可以买一大块地皮住宅，但那里现在还像乡下，将来等洋人修马路修到那里，就会变成闹中取静，住家的好地方。不过，这是我说，到底如何，要等你们自己去看了再说。”

“只要你说好就好，先买下来再说。”

“潘三哥的话是不错。”胡雪岩很率直地说，“不过我们是第一次联手做事，以后的日子也还长，所以第一趟一定要圆满。我现在倒有个主意，三位之中，哪位有兴，我陪着到上海先去看一看，怎么样？”

“这个主意好！”陆芝香很兴奋地说，“我早就想去玩一趟，只怕没有熟人，又不懂夷场规矩，会闹笑话。如今有胡大哥在，还怕什么？”

这一说，潘、吴二人的心思也活动了，但吴季重十分孝母，又有些舍不得轻离膝下，潘叔雅则因为有一笔产业要处分，其势不能远离，所以商量结果，决定还是由陆芝香一个人去。

“我们哪一天走？”他问。

“我想明天就动身。”

“唷！”陆芝香大为诧异，“那怎么来得及？”

做生意的人出远门是常事，说走就走。像陆芝香这样的人，出一趟远门，是件了不得的大事，首先要挑宜于长行的黄道吉日，然后备办行李，打点送亲友的土仪，接着是亲友排日饯别，自己到各处去辞行。这样搞下去，如果十天以后走得成，还算是快的。

胡雪岩明白这些情形，心想，不必跟他“讨价还价”了，就算多等他两三天，亦是无济于事，而自己的这两三天的工夫，却宝贵得很，不能无谓消耗，于是这样说道：“好在我也不是急的事，你尽管从容，定了日子，我派人专程来迎接，或是我自己再来一趟，包你平平安安、舒舒服服到上海。”

“这样就再好都没有了。”陆芝香拿皇历来挑日子，本来挑在月底，又以端阳将届，要在家里过节，最后挑定了五月初七这个黄道吉日。

谈完正事，一席盛宴，亦近尾声，端上来四样“压桌菜”，只好看看，倒是小碟子装的八样酱菜，一扫而空。胡雪岩喝了一碗香粳米粥，拍拍肚子站起来说：“我要告辞了，大概明天动身，不再来向各位辞行，等过了端午，我一定设法抽空，亲自来接芝香兄，那时候再叙吧！”

潘叔雅还要留他多坐，吴季重和陆芝香又要请他吃晚饭。胡雪岩觉得对这班“大少爷”，不必过于迁就，所以一律托词拒绝，厚犒了潘家的婢仆，仍旧坐着那乘装饰华美的四人大轿出阊门。

* * *

这时不过午后两点钟，胡雪岩一面在轿中闭目养神，一面在心里打算。这一下午只剩下一件事，就是立阿巧姐恢复自己之身的那张笔据，一杯茶的工夫就可了事。余下来的工夫，都可用来陪嵇鹤龄。等下进城，不妨到慕名已久、据说还是从明朝传下来的一家“孙春阳”南货店去看看。

打算得倒是不错，不想那顶四人大轿害了他。阊门外是水陆要道，金阊栈成了名副其实的“仕宦行台”，而苏州因为江宁失守，大衙门增多，所以候补的、求差的、公干的官员，平空也添了许多。近水楼台，他们都喜欢住在金阊栈，看见这顶四乘大轿，自然要打听轿中是哪位达官。

胡雪岩性情随和，出手豪阔，金阊栈的伙计，无不巴结，于是加油添酱，为他大大吹嘘了一番。说他是浙江官场上的红人，在两江也很吃得开，许巡抚是小同乡，何学使是至交，亲自来看过他两次，总督怡大人派了戈什哈送过一桌燕菜席，这顶四人大轿是苏州城里第一阔少、一生下来就做了道台的潘大少爷派来的。把胡雪岩形容成了一个三头六臂、呼风唤雨的“通天教主”。

恰好潘、吴、陆三家又讲究应酬，送路菜的送路菜，送土仪的送土仪，派来的又都是衣冠整齐的俊仆，这一下越显得胡雪岩交游广阔，伙计所言不虚。于是官员纷纷登门拜访，套交情，拉关系，甚至还有来告帮的，把个胡雪岩搞得昏头搭脑，应接不暇，直到上灯时分，方始略得清静。

“胡先生！”周一鸣提出警告，“你老在这里住不得了！”

“是啊！”胡雪岩苦笑着说，“这不是无妄之灾？”

“话倒不是这样说。有人求还求不来这样的场面，不过你老不喜欢这样子招摇。我看，搬进城去住吧！”

“明天就要走了。一动不如一静，只我自己避开就是了。”

好在最要紧的一件大事，已经办妥。胡雪岩带着阿巧姐的那张笔据，与周一鸣约了第二天再见，然后进城，一直去访嵇鹤龄。谈起这天潘叔雅的晚宴，嵇鹤龄大为惊奇，自然也替他高兴。

“真正是‘富贵逼人来’！雪岩，我真想不到你会有这么多际遇！”

不过嵇鹤龄是读书人，总忘不了省察的功夫，看胡雪岩一帆风顺，种种意想不到的机缘，纷至沓来，不免为他忧虑，所以接下来便大谈持盈保泰的道理，劝他要有临深履薄的警惕，处处小心，一步走错不得。

话是有点迂，但胡雪岩最佩服这位“大哥”，觉得语重心长，都是好话，一字一句，都记在心里。最后便谈到了彼此的行期。

“动身的日子一改再改，上海也没有信来，我心里真是急得很！”胡雪岩问，“不知道大哥在苏州还有几天耽搁？如果只有一两天，我就索性等你一起走。”

“不必。我的日子说不定。你先走吧！我们在杭州碰头。”

“那也好！”胡雪岩说，“明天上午我要到孙春阳看一看，顺便买买东西。铁定下午开船。明天我就不来辞行。”

“我也不送你的行。彼此两免。”嵇鹤龄说，“提起孙春阳，我倒想起在杭州临走以前，听人谈起的一个故事，不妨讲给你听听。这个故事出在方裕和。”

方裕和跟孙春阳一样，是一家极大的南北货行。方老板是有“徽骆驼”之称、专出典当朝奉的徽州人，刻苦耐劳，事必躬亲，所以生意做得蒸蒸日上。提起这一行业，方裕和在杭州城内首屈一指。

哪知道从两年以前，方裕和开始发生货色走漏的毛病，而且走漏的是最贵重的海货，鱼翅、燕窝、干贝之类。方老板明察暗访，先在店里查，伙计中有谁手脚不干净，再到同行以及馆子里去查，看哪家吃进了来路不明的黑货。然而竟无线索可寻。

到了最近，终于查到了。是偶然的发现，他发现有毛病的是“火把”——用干竹子编扎的火炬，寸许直径三尺长，照例论捆卖。贵重的海货，就是藏在火把里，走漏出去的。

方老板头脑很清楚，不能找买火把的顾客，说他勾结店中的伙计走私，因为顾客可以不承认，反咬一口，“诬良为盗”，还得吃官司。考虑的结果，是他声色不动，将那捆有挟带的火把，亦依旧摆在原处。

不久，有人来买火把。去接待“顾客”的，是他最信任的一名伙计，也是方老板的同宗，不但能干，而且诚实。这一下方老板困惑了，这个人忠诚可靠，绝不会是他走私。也许误打误撞，一时巧合，决定看一看再说。

过了几天，又发现火把中有私货，这次来买火把的是另一个人，但接待的却仍是那方姓伙计。这就不会是巧合了，他派了个小徒弟，暗中跟踪那名“顾客”，一跟跟到漕船上。这就很容易明白了，怪不得本地查不出，私货都由漕船带到外埠去了。

于是有一天，方老板把他那同宗的伙计找来，悄悄地问道：“你在漕船上，有朋友没有？”

“没有。”

那伙计说是这样说，但神色之间，微微一惊。方老板心里明白，事无可疑了，如今要想的是处置的办法。

谈到这里，嵇鹤龄问道：“雪岩，换了你做方老板，如何处置？”

“南北货这一行，我不大熟悉。不过看这样子，店里总还有同伙勾结。”

“是的，有同伙勾结。”

胡雪岩略想一想说：“南北货行的规矩，我虽不懂，但待人接物的道理是一样的。我有我的处置办法，你先说，那方老板当时怎么样？”

方老板认为他这个同宗走私，能够两年之久，不被发觉，是个相当有本事的人，同时这件事既有同伙勾结，闹出来则于信誉有损，而且势必要开除一班熟手，生意亦有影响，所以决定重用此人，升他的职位，加他的薪水。这一来，那方伙计感恩图报，自然就不会再有什么偷漏的弊病发生。

听嵇鹤龄讲完，胡雪岩点点头说：“那个老板的想法不错，做法还差一点。”

嵇鹤龄大为诧异，在他觉得方老板的处置，已经尽善尽美，不想在胡雪岩看，还有可批评之处，倒有些替方老板不服气。

“噢！我倒要看看，还有什么更好的办法？”

“做贼是不能拆穿的！一拆穿，无论如何会落个痕迹，怎么样也相处不长的。我放句话在这里，留待后验，方老板的那个同宗，至多一年工夫，一定不会再做下去。”

“嗯，嗯！”嵇鹤龄觉得有些道理了，“那么，莫非不闻不问？”

“这怎么可以！”胡雪岩说，“照我的做法，只要暗中查明白了，根本不说破，就升他的职位，加他的薪水，叫他专管查察偷漏。莫非他再监守自盗？”

“对！”嵇鹤龄很兴奋地说，“果然，你比哪个生意人都高明。‘羚羊挂角，无迹可寻’，这才是入于化境了。”

“不过话要说回来，除非那个人真正有本事，不然，这样做法，流弊极大，变成奖励做贼，所以我的话也不过是纸上谈兵。大哥，”他说，“我常常想到你跟我说过的那句话，‘用兵之妙，存乎一心’。做生意跟带兵打仗的道理是差不多的，只有看人行事，看事说话，随机应变之外，还要从变化中找出机会来！那才是一等一的本事。”

“我看你也就差不多这个本事了。”嵇鹤龄又不胜惋惜地说，“你就是少读两句书。”

说到此事，胡雪岩只有摇头。嵇鹤龄倒是想劝他折节读书，但想想他那样子忙法，何来读书的工夫？也就只好不作声了。

到了第二天，他刚刚起身，又有个浙江到江苏来公差的佐杂官儿，投帖来拜。胡雪岩一看这情形，果真应了周一鸣的话。此地不能再住了，因此托客栈去通知他的船老大，当天下午启程，自己匆匆忙忙避了出去，临走时留下话，如果周一鸣来了，叫他到城内吴苑茶馆相会，不见不散。

坐上轿子，胡雪岩自觉好笑，世间的麻烦，有时是意想不到的，自己最不愿做官，偏偏有人拿官派套上头来，这是哪里说起？

自然，他也有些懊恼，一清早在自己住处存不住身，想想真有些不甘心。

这样怏怏然进了城，便觉意兴阑珊，只在吴苑喝茶，听隔座茶客大谈时事。那人是浓重的湖南口音，相当难懂，而且声音甚大，说话的神态，亦颇不雅，指手画脚，口沫横飞，胡雪岩深为不耐。但看他周围的那些听众，无不聚精会神，十分注意，不由得有些好奇，也耐着心细听。

慢慢听懂了，是谈曾国藩在湖南省城长沙城外六十里的靖港，吃了败仗，愤而投水，为人所救的情形。湖南的藩司徐有壬、臬司陶恩培本来就嫌曾国藩是丁忧在籍的侍郎，无端多事，办什么团练，分了他们的权柄，所以会衔申详巡抚骆秉章，请求出奏弹劾曾国藩，同时遣散他的部队。

骆秉章还算是个明白人，而且他刚请到一位襄办军务的湘阴名士左宗棠，认为曾国藩已经上奏自劾，不可以再落井下石，而且敌势正盛，也不是裁军的时候，所以骆秉章断然拒绝了徐、陶两人的要求。

哪知就在第二天，归曾国藩节制的长沙协副将塔齐布，败太平军于湘潭。湖南的提督鲍起豹，上奏自陈战功，朝廷拿曾国藩自劾与鲍起豹表功的奏折一比较，知道吃败仗的应该奖励，“打胜仗”的根本不曾出兵，于是一道上谕，免了鲍起豹的官，塔齐布则以副将越过总兵这一阶，超擢为指挥一省绿营的湖南提督。

部将尚且如此，主帅的地位绝不会动摇，自可想可知。徐有壬和陶恩培大为不安，深怕曾国藩记仇，或者塔齐布要为他出气，随便找他们一个错处，参上一本，朝廷一定准奏。因而两个人约好了，到长沙南门外高峰寺，曾国藩驻节之处，磕头道贺兼道歉。

这是一大快事，听的人无不抚掌。“曾侍郎吃了这个败仗，反而站住脚了。”那人说道，“士气反比从前好，都是朝廷明见万里，赏罚公平的缘故。”

“正是，正是！”好些人异口同声地附和。

由此开始，谈话便乱了，你一言，我一语，胡雪岩只觉得意气激昂，心里暗暗在想：真叫“公道自在人心”，看样子洪、杨的局面难以久长。一旦战局结束，抚辑流亡，百废俱举，那时有些什么生意好做？得空倒要好好想它一想，须抢在人家前面，才有大钱可赚。

于是他海阔天空地胡思乱想，及至警觉，自己不免好笑：想得太远了！再抬头看时，茶客寥寥无几，早市已经落场。辰光近午，周一鸣不知何以未来，这一上午就此虚耗。胡雪岩叹口气站起身来，付过茶账，决定到孙春阳去买了土产，回客栈整顿行装上船。

刚走出吴苑，劈面遇着周一鸣，彼此叫应，胡雪岩问道："哪里来？"

"我从阊门来。"周一鸣答道，"一早先到潘家去看阿巧姐，约好明天上午到木渎。阿巧姐要我陪她到金阊栈，才知道你老进城了。"

"喔，那么阿巧姐呢？"

"她在客栈里收拾东西，叫我来接胡先生。"周一鸣说，"听客栈里的人说，你老今天动身，所以有些行李已经发到船上去了。"

"噢。"胡雪岩问道，"孙春阳在哪里，你知道不知道？"

"知道。在吴趋坊。"

于是周一鸣领路，安步当车到了吴趋坊以北的孙春阳。孙春阳门前一株合抱不交的大树，光秃秃的却有几枝新芽，证明不是枯树。周一鸣告诉胡雪岩说，这株老树还是明朝留下来的，此地原是唐伯虎读书之处。

胡雪岩对这个古迹不感兴趣，感兴趣的是孙春阳的那块招牌。泥金的底子已经发黑，"孙春阳"三字，亦不甚看得清楚，然而店老却有朝气，一眼望去，各司其事，敏捷肃穆。有个白胡子老头，捧着管水烟袋，站在店堂中间，左右顾盼，拿着手里的纸媒，指东指西，在指挥伙计、学徒招呼客人。

奇怪的是有顾客，不见货色。顾客交易，付了钱手持一张小票，往后走去，不知是何花样。

"孙春阳的规矩是这样，"周一鸣为他解释，"办事分六房，不是衙门里吏、户、礼、兵、刑、工六房，是南货、北货、海货、腌腊、蜜饯、蜡烛六房。前面付钱开票，到后面凭票取货。"

"顾客看不见货色，怎么挑？或者货色不合，怎么办？"

"用不着挑的，说啥就是啥，货真价实。"周一鸣说，"孙春阳做出牌子，货色最道地，斤两最足，老少无欺。如果这里的货色不满意，就没有再好的货色了。"

"牌子做到这么硬，倒也不是件容易的事。"

于是胡雪岩亲自上柜，买的是茶食和蜡烛，也买了几条火腿，预备带回杭州跟金华火腿去比较优劣。付款开票，到货房交涉，要店里送到金阊栈。孙春阳的牌子真是“硬”，说是没有为客送货的规矩，婉词拒绝。

“这就不对了！”胡雪岩悄悄对周一鸣说，“店规不是死板板的。有些事不可通融，有些事要改良，世界日日在变，从前没有外国人，现在有外国人，这就是变。做生意贵乎随机应变。孙春阳从明朝传到现在，是因为明朝下来，一直没有怎么变。现在不同了，海禁大开，时势大变，如果还是那一套几百年传下来的老规矩，一成不变，我看，孙春阳这块招牌也维持不久了。”

周一鸣也觉得大宗货色，店家不送，是件说不通的事。听了胡雪岩的话，心里好好体会了一番，因为他晓得这是胡雪岩在教导，以后跟着他做生意，得要记住他这番话，随机应变，处处为顾客打算。

照胡雪岩的打算，本想在城里吃了午饭再回金阊栈，现在因为有几大篓的茶食之类的拖累，不得不雇个挑夫，押着出城。到了金阊栈，只见阿巧姐已将他的箱笼什物收拾得整整齐齐，堆在一边，只等船家来取。

于是他唤来金阊栈的伙计，一面准备午饭，一面吩咐结账。等吃了饭，付过账，阿巧姐送胡雪岩到船上。送到船上，她却又说时候还早，不妨坐一会。周一鸣知趣，托词避到岸上去了。

胡雪岩归心如箭，急待开船，但阿巧姐不走，却不便下逐客令。看她站在那里，默然有所思的神气，又不免诧异，当即问道：“可是还有话要跟我说？”

阿巧姐在想心事，一时未听清他的话，眨着眼强笑道：“你说啥？”

“我说，你是不是还有话要跟我说？”

“话？”她迟疑了一下，“又像有，又像没有。”

这就是说，不忍舍去，想再坐一会。胡雪岩觉得她的态度奇怪，不弄弄清楚，一路回去，想起来心里就会有个疙瘩，所以自己先坐了下来，歪身过去，拉开一张骨牌凳，示意她也坐下。

一个是在等她开口，一个是在找话好说，想来想去，想到有件事要问：

“昨天，潘家三少请你吃饭，到底为啥？是托你在上海买地皮造房子？”

“你已经晓得了。”

“晓是晓得，不太清楚。”

于是胡雪岩很扼要地把昨天聚晤的情形，约略说了一遍。

“照这样说，你过了节还要到苏州来？”

“不一定，要看我有没有工夫。我看是来不成功的，将来总是让老周辛苦一趟。”

“那时候——”阿巧姐说，“我不晓得在哪里。”

这是变相的询问，问她自己的行止归宿。胡雪岩便说：“到那时候，我想一定有好消息了。”

“好消息？”阿巧姐问，“什么好消息？”

这是很明白的，自然是指何桂清“筑金屋”。胡雪岩不知道她是明知而装傻，还是真的没有想到，心里不免略有反感，便懒得理她，笑笑而已。

“有工夫，你最好自己来！”

“为什么呢？”

“到那时候，我也许有话要跟你说。”

“什么话？何不此刻就说？”

“自然还不到时候。”阿巧姐又说，“也许有，也许没有，到时候再说。”

言词闪烁，越发启人疑窦。胡雪岩很冷静地将她前后的话和恋恋不舍的神态，合在一起来想，终于明白了她的心思。此刻她还在彷徨，一只手已经抓住了那一何，这一只手却还不肯放弃这一胡。然而这倒不是她取巧，无非这几日相处，易生感情，遽难割舍罢了。

意会到此，自己觉得应该有个表示，但亦不宜过于决绝，徒然刺伤她的心，所以用恳切规劝的语气说道：“你不要胡思乱想了！终身已定，只等着享福就是了。”

“唉！”阿巧姐忽然幽幽地叹了口气，“啥地方来的天官赐？”

胡雪岩一愣，旋即明白。苏州人好说缩脚语，“天官赐”是隐个“福”字，于是他笑道：“你真是得福不知，好了，好了，”他摆出不愿再提此事的神态，“你请上岸吧！我叫老周送你回去。”

“还早！”阿巧姐不肯走，同时倒真的想起一些话，要在这时候跟胡雪岩说。

算了，算了！胡雪岩在心里说，多的日子也过去了，何争这一下午？倒要看看她，究竟有些什么花样。所以索性取出在孙春阳买的松子糖之类的茶食，一包包打开，摆满了一桌子说：“你慢慢吃着谈。”

阿巧姐笑了。“有点生我的气，是不是？”

“我改了主意了。今天不走！”胡雪岩又说，“不但请吃零食，还要请你吃了晚饭再走。”

“这还不是气话？”

“好了，好了！”胡雪岩怕真的引起误会，“我怎么会生你的气，而且也没有什么可气的。你一定还有许多话，趁我未走以前，尽量说吧！”

“这倒是真话，我要托你带两句话到上海。”阿巧姐拈了颗杨梅脯放在嘴里，“请你跟二小姐说——”

说什么呢？欲言又止，令人不耐，胡雪岩催问着：“怎么样，要跟老二说啥？”

“我倒问你，尤五少府上到底怎么样？”阿巧姐补了一句，“我是说尤五奶奶，是不是管五少管得很紧？”

问到这话，胡雪岩便不必等她再往下说，就明白了她的意思。“你是想劝老二，跟尤五少说一说，让他接回家去，是不是？”他问。

“是啊！外面借小房也不是一回事。”

“这件事，用不着你操心，有七姑奶奶在那里，从中自会安排。”胡雪岩说，“五奶奶人最贤惠，不管尤五少的事。”

“那么，为什么不早早办了喜事呢？”

这自然是因为尤五的境况，并不顺遂，无心来办喜事。不过这话不必跟阿巧姐说，他只这样答道："我倒没有问过他，不知是何缘故。我把你的话带给老二就是了。"

说到这里，只见舱门外探进一个人来。是船老大来催开船，说是天色将晚，水关一闭，就得明天早晨才能动身。

"不要紧，"胡雪岩说，"我有何学台的名片，可以'讨关'。"

这意思是只等阿巧姐一走，哪怕水关闭了，他也要开船。意会到此，她实在不能再逗留了，便站起身来说："我要走了！"

胡雪岩也不留，一面派人上岸招呼周一鸣来接，一面送客。等阿巧姐袅袅娜娜地上了岸，船老大抽去跳板，正待开船，忽然周一鸣奔了来，大声喊道："慢慢，慢慢！"

胡雪岩就站在舱门口，随即问道："还有什么话？"

"阿巧姐有个戒指，掉在船里了。"

于是重新搭起跳板，让阿巧姐上船，胡雪岩问她，是掉了怎么样的一个戒指？她支支吾吾地，只是在船板中低头寻找。这就令人可疑了。胡雪岩故意不理，不说话也不帮她找，只站着不动。

他是出于好玩的心理，要看她如何落场。阿巧姐却以为胡雪岩是看出她说假话，心中不快，有意造成僵局，不免有些恼羞成怒了。

于是，她仰起身子站定脚，用女孩子赌气的那种声音说："寻不着这个戒指，我不走！"说完，气鼓鼓地坐了下来，眼睛偏到一旁去望，是气胡雪岩漠不相关的态度。

这让他诧异了，莫非真的掉了一个戒指？看样子是自己弄错了。因而赔笑说道："你又不曾说明白，是怎样一个戒指，我想帮你寻，也无从寻起。"

这话道理欠通，阿巧姐便驳他："戒指总是戒指，一定要说明白了，你才肯劳动贵手，帮我去寻？"

"好，好！"胡雪岩摇摇手说，"我都要走了。何必还斗两句口。"他定神想了想，只有用"快刀斩乱麻"的办法，"走，我们上岸！"

“上岸？”阿巧姐愕然相问，“到哪里去？”

“进城。”胡雪岩说，“你的戒指也不要寻了，我赔你一个，到珠宝店里，你自己去挑。”

这一下就像下象棋“将军”，一下子拿阿巧姐“将”住了，不知如何应付，支支吾吾地答道：“算了，算了，我也不要你赔。”

胡雪岩回答得极快：“那也就不要寻了！你就再坐一会儿，让老周送你回潘家。我到了上海，自会写信给你。”

能够再与胡雪岩相聚片刻，而且又听得这样一句话，她觉得也可满意了，所以刚才那种绷紧了脸的神情，不知不觉地消失，重重地钉了一句：“你自己说的，要写信来！看你守不守信用。”

“一定会守。我自己没有空写信，请古大少写，或者请七姑奶奶写。”

“七姑奶奶通文墨？”

“好得很呢！她肚子里着实有些墨水。”胡雪岩说，“我都不及她。”

这在阿巧姐听来，好像是件极新鲜有趣的事。“真看不出！”她还有些不信似的，“七姑奶奶那副样子，不像是通文墨的人。”

“你是说她不够‘文气’是不是？”胡雪岩说，“人不可貌相！七姑奶奶的为人行事，另有一格，你们做梦都想不到的。”

接着，他讲了七姑奶奶的那段“妙事”，有意灌醉了古应春，诬赖他“酒后乱性”，以至于逼得古应春指天发誓，一定要娶七姑奶奶，绝不负心。阿巧姐听得目瞪口呆。

“这真正是新闻了。哪里有这样子做事的？”她说，“女人的名节最重，真有这样的事还要撇清，没有这样的事，自己拿烂泥抹了一脸。这位七姑奶奶的心思，真是异出异样！”

“是啊，她的心思异出异样。不过厉害也真厉害，不是这样，如何叫老古服服帖帖？”胡雪岩掉了一句文，“欲有所取，先有所予，七姑奶奶的做法是对的。”

阿巧姐不作声，脸色慢慢转为深沉，好久，说了一句：“我就是学不到七姑奶奶那样的本事。”

那副神色加上这么句话，言外之意就很深了，胡雪岩笑笑，不肯搭腔。见此光景，阿巧姐知道胡雪岩是“吃了秤砣——铁心”了，再挨着不走，也未免太自轻自贱。所以她霍地站了起来，脸扬在一边，用冷冷的声音说：“我要走了！”

胡雪岩不答她的话，只向外高喊一声：“搭跳板！”

跳板根本没有撤掉，而且他也是看得明明白白的，是有意这样喊一声。阿巧姐心里有数，这就是俗语说的“敲钉转脚”，将她离船登岸这回事，弄得格外牢靠，就算她改变心意，要不走也不行了。

做出事来这么绝！阿巧姐那一片微妙的恋意所转化的怨恨，越发浓了。“哼！”她冷笑一声，“真正气数，倒像是把我当作‘瘟神’了！就怕我不走。”

这一骂，胡雪岩亦只有苦笑，一只手正插在袋里，摸着表链子上系着的那只“小金羊”，突然心潮起伏，几乎想喊出来：“阿巧，不要走！”

然而她已经走了，因为负气的缘故，脚步很急也很重，那条跳板受了压力，一起一伏在晃荡，她虽握着船老大伸过去的竹篙当扶手，但到底也是件危险的事。胡雪岩深怕她一脚踩空，失足落水，瞠目张口，自己吓自己，什么话都忘记说了。等他惊魂一定，想要开口说句什么，阿巧姐已经上了轿，他只有高声叫道：“老周，拜托你多照料！”

“晓得了！请放心。”周一鸣又扬扬手说，“过几天我就回上海，有要紧事写信，寄到金阊栈转好了。”

第五章

胡雪岩到了上海，仍旧径投大兴客栈。行李还不曾安顿好，他就写条子叫客栈专人送到七姑奶奶的寓所，请古应春来相会。

不到一个钟头，古应春亲自驾着他的那辆“亨斯美”赶到大兴客栈，一见面叫应了，什么话不说，先仔细打量胡雪岩的行李。

“怎么回事，老古！”

“阿巧姐呢？”

“没有来！”胡雪岩说，“事情大起变化，你想都想不到的。”

“怎么样呢？”

“说来话长。回头有空再谈。喂，”他问，“五哥回来了没有？”

“还没有。”古应春又问，“阿巧姐呢？怎么事情起了变化？你要言不烦说两句。”

胡雪岩不知道他何以对阿巧姐特别关心，便反问一句：“你是不是派人到木渎去谈过？”

“你先不用管这个，只说阿巧姐怎么样了。”

“名花有主，是我一手经理。不久，就是何学台的姨太太了。”接着，便讲移植这株名花的经过，胡雪岩虽长于口才，但经过太曲折，三言两语说不完，站着讲了一刻钟，才算说清楚。

“这样也好！”古应春拉着他的袖子说，“走！去晚了，七姐的急性子，我是晓得的，又要埋怨我。”

“慢来，慢来！”胡雪岩按住他的手说，“我的话告诉你了，你一定也有话，怎么不告诉我？”

“当然要告诉你的。到家再说。”

等坐上马车，古应春承认曾派人到木渎去谈过阿巧姐的事，但一场无结果，派去的人不会办事，竟连何以未能成功的原因都弄不清楚。

“我倒比你清楚。阿巧姐吃了一场惊吓，由此让我还交了三个朋友，都是苏州的阔少，有一大笔款子要我替他们用出去。”胡雪岩笑道，“老古，我这一趟苏州，辛苦真没有白吃，谈起个中的曲折，三天三夜都谈不完。”

事情太多，东一句，西一句，扯来扯去，古应春一时也听不清楚，只知道他这趟大有收获。彼此在生意上休戚相关，胡雪岩有办法，他自然也感到兴奋。

转眼间到了七姑奶奶寓所，马蹄声音是她听熟的，亲自下楼来开门，老远就在喊：“小爷叔，你回来了。”

“回来了，回来了！”胡雪岩说，“先告诉你一桩开心的事，你总说苏州的糖食好吃，我替你带了一大篓来，放在石灰缸里，包你半年都吃不完。”

“谢谢，谢谢！”七姑奶奶口中是对胡雪岩说话，眼睛却看着古应春。

“阿巧姐不来了！”古应春轻声对她说，“她也不会姓胡了。”

“怎么闹翻了？”

“不是，不是。你不要乱猜，回头再跟你说。总而言之，可以放心了！”

“嗯，嗯！”七姑奶奶很高兴地拍拍胸。

胡雪岩听他们这番对答，越觉困惑。“老古，”他用低沉的声音问，

“到底是怎么回事？什么事可以放心？”

“现在不会‘白板对煞[1]’了，”七姑奶奶搭腔，“大家都可以放心。小爷叔，快上楼来，看看哪个来了？”

上楼掀帘一看，含笑凝睇的竟是芙蓉，胡雪岩惊喜之余，恍然大悟所谓“白板对煞”作何解。

“你是怎么来的？”

“我跟三叔一起来的。”芙蓉说，“一到就住在七姐这里。本来要写信告诉你，七姐说不必，你就要回来的。”

“那么三叔呢？”

“他就住在不远一家客栈。”古应春笑道，“这位先生真是妙人！从他一来，你晓得哪个最开心？”

“哪个最开心？”胡雪岩想了想说，“照我看，只有他自己。”

大家都笑了。“还有一个，”古应春指着七姑奶奶，“她！”

这一说，胡雪岩又大惑不解了。“何以七姐最开心？”

“你想呢？我们这位姑奶奶一刻都静不下来的，现在听了你小爷叔的话，要学做千金小姐，大门不出，二门不迈，叫她怎么坐得住？刘三爷一来算救了她了，他每天到各处去逛，看了稀奇古怪的花样，回来讲给她听，真好比听大书。”

“听大书都没有听刘三叔说笑话来得发噱。”七姑奶奶也爽朗地笑着，“这个人真有趣。”

“来了，来了！”古应春说，“他的脚步声特别。”

因为有此一句话，胡雪岩便先注意门帘下的脚，原来刘不才着的是一双只有洋人用的黑色革履，上了油，擦得闪闪发亮。他身上只穿长袍，未着马褂。那件袍子纯黑，非绸非缎，细细看去，才知是洋人用来做礼服的呢子，刘不才别出心裁，做成长袍，配上水钻的套扣，显得相当别致，也

---

① 指对双方都没有好处的僵持。

相当轻佻。

“喔！”刘不才先开口，“你总算回来了！人像胖了点。”

胡雪岩先答他的话，忍着笑将他从头看到底。“刘三爷，”他又似嘲弄，又似佩服地说，“你真正时髦透顶了！”

“刘三爷真开通。”古应春也说，“叫我就不敢穿了这一身奇装异服，招摇过市。”

“这有啥要紧？人穿衣服，不是衣服穿人。”七姑奶奶帮刘不才说话，“‘女要俏，一身孝，男要俏，一身皂’，刘三爷这身打扮真叫俏！看上去年纪轻了十几岁。”

这一说大家都笑了。“闲话少说，”古应春问道，“我们是下馆子，还是在家吃饭？”

“在家吃吧！”胡雪岩说，“我不想动了。”

于是七姑奶奶和芙蓉都下厨房去指挥娘姨料理晚餐，胡雪岩开始畅谈此行的经过。因为有刘不才在座，关于阿巧姐的曲折，自然是有所隐讳的。

“照此看来，刘不才来得正好，”等听完了，古应春异常兴奋地说，“五月初七去接陆芝香，就请刘三爷去。”

“是的。”胡雪岩点点头，“我也这么想，将来陪他们吃喝玩乐，都是刘三爷的事。何学使经过上海，也归刘三爷接待。”

“好的！”刘不才欣然答应，“都交给我。包管伺候得他们服服帖帖。”

“你这身衣服，”古应春说，“陆芝香或许不在乎，在何学使一定看不顺眼。”

“我懂，我懂！”刘不才说，“陪啥人穿啥衣裳，我自己有数。”

“我在想，”胡雪岩说，“将来刘三爷跟官场中人打交道，甚至到家里去的机会都有，有个功名在身上，比较方便得多。我看，捐个官吧？”

“最好不捐。一品老百姓最大。”

胡雪岩很机警，听出刘不才的意思。不捐官则已，要捐就要捐得像样，不过自己也不过“州县班子”，不能替刘不才捐个“知府”，所以他这样说道：“我们是做生意，不是做官，大小不在乎，只为了做生意方便。譬如说逢关过卡，要讨个情，一张有官衔的名帖投进去，平坐平起，道弟称兄，比一品老百姓，就好说话得多了。”

“小爷叔的话不错，我也想捐一个，捐他个正八品的县丞。”

“那也不必，都是州县班子好了，弄个‘大老爷’做做。”

接着胡雪岩的话，那边笑了。七姑奶奶手里捧着一瓶洋酒，高声说道：“各位‘大老爷’请上桌吧！”

“啊呀！”古应春突然说道，“我倒忘记了，有位仁兄应该请了他来。”

“谁啊？”胡雪岩问。

“裘丰言。”

“喔，他也来了。这可真有得热闹了。”胡雪岩笑着说了这一句，却又摇摇头，“不过今天不必找他。我们还有许多事要谈。”

生意上的许多机密，只有他俩可以知道，连刘不才都不宜与闻，因此饭桌上言不及义，只听刘不才在大谈这天下午所看的西洋马戏，马背上的金发碧眼的洋美女，如何婀娜多姿，大露色相。别人倒都还好，芙蓉初涉洋场，听了目瞪口呆，只是不断地说：“哪有这样子不在乎、不顾脸面的？我不信！”

“百闻不如一见。”胡雪岩说，“你明天自己去看一次就晓得。”

“对的！”七姑奶奶的兴致也来了，“明天我们也去看一场。”

“女人也许看吗？”

“女人难道不是人？为啥不许！”

“有没有女人去看？”芙蓉问她三叔。

“有，有。不但有，而且还跟不认识的男人坐在一起——”

“三叔又要瞎说了。”芙蓉老实不客气地指责，“这话我绝对不信。”

“我话没有说完，你就怪我！”刘不才说，“我说的是西洋女人。”

古应春衔杯在口，忍俊不住一口酒喷了出来，亏得脸转得快，才没有喷到饭桌上，但已呛了嗓子，又咳又笑好半天才能静下来。

“小爷叔！”七姑奶奶也笑着对胡雪岩说，“我们这位刘三爷跟‘酒糊涂’裘大老爷，真正是‘宝一对’，两个人唱双簧似的说起笑话来，简直把人肚肠都要笑断。我情愿每天备了好酒好菜请他们吃，听他们说说笑话，消痰化气，延年益寿。”

“你倒真阔！”古应春笑道，“请两位州县班子的大老爷做清客。”

“我倒想起来了。”七姑奶奶问道，“刚才你们在谈，是不是刘三爷也要捐个官做？”

“老古也是！”胡雪岩接口，“老古精通洋务，现在刚正吃香的时候，说不定将来有人会借重，真的挂牌出来，委个实缺。七姐，那时候你就是掌印夫人了。”

“谢谢！”七姑奶奶撇着嘴说，“我才不要做啥官太太。”

“老古！”胡雪岩先是当笑话说，转一转念头，觉得倒不是笑话，“说真的！老古，我看你做官，倒是蛮好一条路子。于你自己有益，对我们大家也有好处。”

七姑奶奶口快，紧接着问：“对老古自己有没有益处，且不去说它，怎么说对大家都有好处？”

“自然啰！”胡雪岩答道，“你只看王雪公，他做了官，不是我们都有好处？”

“喔，我懂了，是仰仗官势来做生意。既然如此，老古为朋友，倒不妨打算打算。”

“你啊！”古应春叹口气说，“得着风，就是雨。晓得的人，说你热心，不晓得的人，当你疯子。”

七姑奶奶听了胡雪岩的劝，脾气已改得好多了，受了古应春的这顿排揎，笑笑不响。

“小爷叔！”古应春转脸又说，“我样样佩服你，就是你劝我做官这句话，我不佩服。我们现在搞到兴兴头头，何苦去伺候贵人的颜色？”

胡雪岩很知趣，见这上头话不投机，就不肯再说下去，换了个话题说：“从明天起，我们又要大忙特忙了。今天早点散吧！”

“对！”七姑奶奶看一看胡雪岩和芙蓉笑道，“你们是小别胜新婚，早点去团圆，我也不留你们多坐。吃了饭就走好了。”

于是止酒吃饭。古应春拿起挂在门背后的一支西洋皮马鞭，等在那里，是预备亲自驾车送他们回大兴客栈的样子。

“你住得近，不必忙走！就在这里陪七姑奶奶谈谈闲天解解闷。”胡雪岩向刘不才说。

虽然七姑奶奶性情脱略，但道理上没有孤身会男客的道理，所以刘不才颇现踌躇，而古应春却懂得胡雪岩的用意，是怕刘不才跟到大兴客栈去，有些话就不便谈了，因而附和着说：“刘三爷，你就再坐一会好了。”

既然古应春也这么说，刘不才勉强答应了下来。古应春陪着胡雪岩和芙蓉下楼，戴着顶西洋鸭舌帽的小马夫金福已经将马车套好，他将马鞭子递了过去，命金福赶车，自己跨辕，以便于跟胡雪岩谈话。

“先到丝栈转一转，看看可有什么信？”

先到裕记丝栈，管事的人不在，古应春留下了话，说是胡大老爷已从苏州回到上海，如有他的信，直接送到大兴客栈，然后上车又走。

到了客栈，芙蓉便是女主人，她张罗茶烟，忙过一阵，才去检点胡雪岩从苏州带回来的行李。胡雪岩便向古应春问起那笔丝生意。

刚谈不到两三句，只听芙蓉在喊：“咦！这是哪里来的？”

转脸一看，她托着一方白软缎绣花的小包袱走了过来，包袱上是一绺头发，两片剪下来的指甲。

“头发上还有生发油的香味，”芙蓉拈起那一绺细软而黑的头发，闻了一下说，“铰下来还不久。”

胡雪岩很沉着地问：“你是在哪里寻出来的？”

“你的那个皮包里。”

不用说，这是阿巧姐替他收拾行李时，有意留置的“私情表记”，胡雪岩觉得隐瞒、分辩都不必要，神色从容地点点头说：“我知道了，回头细细告诉你。”

芙蓉看了这两样东西，心里自然不舒服，不过她也当得起温柔贤惠四个字，察言观色，见胡雪岩是这样地不在乎，也就愿意给他一个解释的机会，仍旧收好原物，继续整理其他的行李。

“洋人最近的态度，改变过了。”古应春也继续谈未完的生意，“听说，英国人和美国人都到江宁城里去看过，认为洪秀全那班人搞的花样，不成名堂，所以有意跟我们的官场，好好坐下来谈。苦的是‘上门不见土地’。”

“这叫什么话？”

“找不着交涉的对手。”古应春说，“历来的规矩，朝廷不跟洋人直接打交道，凡有洋务，都归两广总督兼办，所以英国、美国公使要见两江总督，督署都推到广州，拒而不见。其实，人家倒是一番好意。”

“何以见得？”

“这是有布告的。英、美、法三国领事，会衔布告，通知他们的侨民，不准接济小刀会刘丽川。”古应春又说，“我还有个很靠得住的消息，美国公使麦莲，从香港到了上海，去拜访江苏藩司吉尔杭阿，当面声明，并无助贼之心。只是想整顿商务、税务，要见两江怡大人。此外又听说英、美、法三国公使会衔送了一个照会，为了上海新设的内地海关，提出抗议。”

“这是什么意思？”

“多设一道海关，多收一次税，洋商自然不愿。”

胡雪岩很用心地考虑了一会，认为整个形势，都说明了洋人的企图，无非就想在中国做生意；而中国从朝廷到地方，有兴趣的只是稳定局势。其实两件事是可以合起来办的。要做生意，自然要求得市面平静；要求市面平静，当然先要在战事上取胜，英、美、法三国公使禁止他们的侨民接济刘丽川，正就是这个意思。当今最好的办法，是开诚布公，跟洋人谈合作的条件。

当他陈述了自己的意见，古应春叹口气说：“小爷叔，要是你做了两江总督就好了，无奈官场见不到此。再说一句，就是你做了两江总督也不行，朝廷不许你这样做也是枉然，我们只谈我们自己的生意。”他提醒他说，“新丝快要上市了。”

新丝虽快上市，不准运到上海与洋人交易，则现有的存货，依然奇货可居。疑问是这样的情势，究竟可以维持多久？一旦禁令解除，丝价下跌是一可虑；陈丝品质不及新丝，洋人要买一定买新丝，陈丝的身价更见下跌，说不定卖不出去是二可虑。胡雪岩意会到此，矍然而惊，当即问道：“老古，照你看，我们的货色是卖，还是不卖？”

古应春不作声。这个决定原是很容易下的，但出入太大，自己一定要表现出很郑重的态度，才能说动胡雪岩，所以他的沉默，等于盘马弯弓，实际上是要引起胡雪岩的注意和重视。

“你说一句啊！”胡雪岩催促着。

“这不是一句话可以说得尽的，贵乎盘算整个局势，看出必不可易的大方向，照这个方向去做，才会立于不败之地。”

胡雪岩一面听，一面点头。“不错。”他说，“所谓眼光，就是要用在这上头。照我的看法洪、杨一定失败，跟洋人一定要合作。”

“对！我也是这样的看法。既然看出这个大方向，我们的生意应该怎么做，自然就很明白了。”

“迟早要合作的，不如放点交情给洋人，将来留个见面的余地。”胡雪岩很明确地说，“老古，丝我决定卖了！你跟洋人去谈。价钱上当然多一个好一个。”

古应春只点头，不说话。显然的，怎样去谈，亦须有个盘算。

古应春想了想说：“这样做法，不必瞒来瞒去，事情倒比较容易办。不过‘操纵’二字就谈不到了。”

这句话使得胡雪岩动容了，他隐隐然觉得做生意这方面，在古应春面前像是差了一着，然而那股好胜之心，很快地被压了下去。做生意不是斗意气！他这样在想，见机最要紧。

"'操纵'行情，我何尝不想？不过当初我计算的时候，没有想到最要紧的一件事。这件事，洋人占便宜，我们吃亏。所以要想操纵很难，除非实力厚得不得了。"

"哪一件事？"古应春问，"洋人占便宜的是，开了兵船来做生意……"

"着啊！"胡雪岩猛然一拍手掌，"我说的就是这件事。洋人做生意，官商一体，他们的官是保护商人的，有困难，官出来挡，有麻烦，官出来料理。他们的商人见了官，有什么话也可以实说。我们的情形就不同了，官不恤商艰，商人也从来不敢期望官会替我们出面去论斤争两。这样子的话，我们跟洋人做生意，就没有把握了，你看这条路子走得通，忽然官场中另出一个花样，变成前功尽弃。譬如说，内地设海关，其权操之在我，有海关则不便洋商而便华商，我们就好想出一个办法来，专找他们这种'不便'的便宜，现在外国领事提出抗议，如果撤消了这个海关，我们的打算，岂不是完全落空？"

胡雪岩知道他在动脑筋，这笔生意，脑筋不灵活是无法去做的，跟洋人打交道已经不容易，还有一批丝商散户要控制。主意是胡雪岩所出，集结散户，合力对付洋人，并且实力最强的庞二这个集团，亦已由于胡雪岩的交情和手腕，联成了一条线。而指挥这条线的责任，却落在古应春的身上。以前为了说服大家一致行动，言语十分动听，说是只要团结一致，迫得洋人就范，必可大获其利。如今这句话必得兑现，倘或丝价不如预期之高，一定要受大家的责难。其中还有一部分是垫借了款子的，丝价不好，垫出去的钱不能十足收回，就非吃赔账不可。

这样考虑了好一会，盘算了坏的这方面，又盘算了好的这方面，古应春大致决定了一个做法。"小爷叔，"他说，"我想先跟洋人去谈，开诚布公说明白，大家一起来维持市面，请他们开个底价给我。这个底价在我们同行方面，不宜实说，留下一个虚数，好作讨价还价的余地。你看我这样子做，是不是妥当？”

“洋人这方面的情形，我没有你熟。”胡雪岩说，“不过我们自己这方面的同行，我觉得亦用得着‘开诚布公’这四个字。”

“你是说，洋人开价多少，我们就实说多少？”

“对，我就是这个意思。”胡雪岩说，“这趟生意，我们赚多赚少在其次，一定要让同行晓得，我们的做法是为大家好，绝不是我们想利用小同行发财。”

“小爷叔是眼光看得远的做法，我也同意。不过，”古应春说，“当初为了笼络散户，垫出去的款子，成数很高，如今卖掉了丝，全数扣回，所剩无几，只怕他们有得啰唆。”

“不要紧！”胡雪岩说，“我在路上已经算过了，有庞家的款子，还有苏州潘家他们的款子，再把这票丝卖掉，手上的头寸极宽裕，他们要借，就让他们借。”

“慢慢！”古应春挥着手说，“是借，是押，还是放定金？”

这句话提醒得恰是时候，借是信用借款，押是货色抵押，放定金就得“买青”——买那些散户本年的新丝。同样一笔钱，放出去的性质不一样。胡雪岩想了想说：“要看你跟洋人谈下来的情形再说，如果洋人觉得我们的做法还不错，愿意合作，那就订个合约，我们今年再卖一批给他们。那一来，就要向散户放定金买丝了，否则，我们改做别项生意。我的意思，阜康的分号，一定要在上海开起来。”

“那是并行不悖的事，自己有了钱庄，对做丝只有方便。”

“这样子说，就没有什么好商量的了。你拿出本事去做，你觉得可以作主的，尽由自己作主。”

将胡雪岩的话从头细想了一遍，古应春发觉自己所顾虑的难题，突然之间，完全消失了。明天找洋人开诚布公去谈，商量好了一个彼此不吃亏的价钱，然后把一条线上的同行、散户都请了来，问大家愿不愿意卖。愿意卖的最好，不愿意卖的，各自处置，反正放款都用栈单抵押，不至于吃倒账。生意并不难做。

这样想了下来，神色就显得轻松了。“小爷叔，”他笑道，“跟你做事，真正爽快不过。”

“你也是爽快人，不必我细说。总而言之，我看人总是往好处去看，我不大相信世界上有坏人。没有本事才做坏事，有本事一定会做好事。既然做坏事的人没有本事，也就不必去怕他们了。”

古应春对他的这套话，在理路上一时还辨不清是对还是错。好在这是闲话，也就不必去理他。他起身告辞，要一个人去好好筹划，明天如何跟洋人开谈判。

* * *

等古应春一走，胡雪岩才能把全副心思摆到芙蓉身上。小别重逢，自然有一番体己的话，问她在湖州的日常生活，也问起她的兄弟。芙蓉告诉他，决计叫她兄弟读书上进，附在一家姓朱的书香人家读书，每个月连束修和饭食是三两银子，讲好平日不准回家。

胡雪岩听见这话，大为惊异，想不到芙蓉那样柔弱的性情，教养她的兄弟，倒有这样刚强的处置。

“那么小兔儿呢？”他问，“一个人住在朱家，倒不想家？”

“怎么不想？到了朱家第三天就逃了回来，让我一顿手心又打回去了。”

“你倒真狠得下这个心？”

“你晓得我的心，就晓得我狠得下来了！”

“我只晓得你的心好，不晓得你心狠。”胡雪岩已估量到她有个很严重的说法，为了不愿把气氛弄得枯燥严肃，所以语气中特地带着点玩笑的意味。芙蓉最温柔驯顺不过，也猜到胡雪岩在这时刻只愿享受温情笑谑，厌闻什么一本正经的话，所以笑笑不响，只把从湖州带来的小吃，烘青豆、酥糖之类摆出来供他消闲。

她倒是将他的心思猜着了，但也不完全对。胡雪岩的性情是什么时候都可以说笑话，也什么时候都可以谈正经，而且谈正经也可以谈出谐谑的趣味来，这时他便又笑道："你是啥个心，怎么不肯说？是不是要我来摸？"说着顺手捞住芙蓉的一条膀子，一摸摸到她胸前。芙蓉一闪，很轻巧地避了开去，接着便发现窗外有人疾趋而过，看背影是大兴客栈的伙计。显然的，刚才他的那个轻佻的动作，已经落入外人眼中，即令芙蓉温柔驯顺，也忍不住着恼，手一甩坐到一边，扭着头不理胡雪岩。

一时忘形，惹得她不快，他自然也感到歉疚，但也值不得过去赔笑说好话，等一会事情也就过去。所以胡雪岩只坐着吃烘青豆，心里在想着，湖州有哪些事要提出来问她的？

偶然一瞥之间，发觉芙蓉从腋下钮扣抽出一条手绢，正在擦眼泪。胡雪岩不由得大惊失色，奔过去，捧着她的脸一看，可不是泪痕宛然？

"这，这是为什么？"

"没有什么！"芙蓉擤擤鼻子，擦擦眼泪，站起来扯了扯衣襟，依旧坐了下来，要装得没事人似的。

"一定有缘故。"胡雪岩特为这样说，"你不讲，我要起疑心的。"

"我自己想想难过！不怨别人，只怨自己命苦。"她将脸偏到一边，平静地说，"如果是平起平坐的夫妇，上床夫妻，下床君子，你一定也要尊重人家，不会这样动手动脚，叫不相干的人看轻了我。"

越是这样怨而不怒的神态，越使得胡雪岩不安。解释很难，而且也多余，唯一的办法是认错。

"我不对！"他低着头说，"下次晓得了。"

忠厚的芙蓉反倒要解释了。"我也不是说你不尊重我，不过身份限在那里，也是没有办法的事。"她又说，"你现在应该想得到了，我为什么对小兔儿狠得下心来，我要他争气！要他忘记了有我这样一个姐姐！"

“这——”胡雪岩颇感不安，“你也把这一点看得太重了！男人家三妻四妾，也是常事，我又没有看轻过你。”

“话不是这么说。”芙蓉也觉得这身份上的事，再谈下去也无味，所以避而不谈，只谈她兄弟，“我一个人前前后后都想过了，小兔儿在我身边，一定不会有出息。为啥呢？第一，不愁吃，不愁穿，他要啥，我总依他，只养不教，一定不成材；第二，有三叔在那里，小兔儿学不到好样，将来嫖赌吃着，一应俱全，我们刘家就再没有翻身的日子了！”

这番话说得胡雪岩半晌作声不得。他口虽不言，心里却有许多话，最想说的一句是：“我把你看错了！”他一直看芙蓉是个“面人儿”，几块五颜六色的粉，一把象牙刻刀，要塑捏成怎样一个人，就是怎样一个人。此时方知不然！看似柔弱，其实刚强，而越是这样的人，用的心思越深，做出来的事，说出来的话，越是出人意外。从今以后，更不可以小觑任何人了！不然就可能会栽大跟斗。

由于这样的警惕，他更加不肯轻易答腔，站起来一面踱方步，一面回味她的话，越想越深，把她未曾说出来的意思都琢磨到了。

“难为你想得这么深！”他站定了脚说，“不过，我倒要劝你，你这样子不是福相！我实在替你担心。你什么事放不开，一个人在肚子里用功夫，耗心血的，怪不得人这么瘦！”

芙蓉颇有自知之明，知道自己怎么样在肚子里用功夫，也抵不上他脑筋略为一转，就凭这两句话，便可以想见他已了解自己所不曾说出来的一番意思——如果她是他明媒正娶的结发糟糠，小兔儿这个小舅子，他就会当自己同胞的小弟弟看待，自然而然地负起教养之责，唯其他念不及此，所以只有靠她做姐姐的，自己要有决断。

只要他知道了就好，他一定会有办法！芙蓉这样在想，先不必开口，且听他说些什么。

“这是我不对！我没有想到小兔儿。不过，话说回来，是我没有想到，不是不管他。我的事情实在太多，就算是我自己的兄弟，只怕也没有工夫来管。所以，你不要怨我，只要你跟我提到，我一定想办法，尽责任。”胡雪岩停了一下说，“你就只有这么一个亲骨肉，只要你舍得，事情就好办了，你倒说，你希望小兔儿将来做啥？做官？”

“也不一定是做官，总巴望他能够自立。”芙蓉想了想，低眉垂眼，是那种不愿说而又非说不可的神态，“无论如何，不要像三叔那种样子。”

胡雪岩明白，这是她感怀身世，痛心疾首的一种感慨。如果不是刘不才不成材，她即使相信算命看相的话，生来是偏房的命，但不能为人正室，不嫁也总可以。只为有了一个兄弟，又不能期望叔父能教养侄儿成人，终于不得不做人的偏房，而委屈的目的，无非是为了小兔儿。其情哀，其志苦，胡雪岩对她不但同情，而且钦佩，因而也愈感到对小兔儿有一份必须要尽的责任。

“你的意思我懂了。”他说，“你三叔虽不是败子回头金不换，但也有他的道理，将来会发达的。你不要太看轻了他。”

“我不是看轻他，他是我叔叔，一笔写不出两个刘字，我总尊敬他的。不过——”芙蓉忽然摇摇手，“这也不去说他了。我只望你拿小兔儿当自己人。”

“当然。不是自己人是啥？”胡雪岩说，“闲话少说，你倒说，你将来希望小兔儿做啥？”

“自然是巴望他荣宗耀祖。”

“荣宗耀祖，只有做官。像我这样捐来的官不稀奇，要考场里真刀真枪拼出来的才值钱。”胡雪岩平静地说，“只要小兔儿肯替你争气，事情也很好办，我替你请个最好的先生教他读书。”

为了表示不是信口敷衍，胡雪岩当时就要笔墨纸张，给王有龄写信，请他代为托“学老师”，觅一个饱学秀才“坐馆”。当然，他也还有许多事要跟王有龄谈，文墨上的事，胡雪岩不大在行，有些话，像跟何桂清见面的经过，又非亲笔不可，所以这封信写到钟敲十二下，还没有写完。

芙蓉倒觉得老大过意不去，先是当他有些负气，后来看看不像，长篇大套在写，当然是谈别的事。不过因头总是由小兔儿身上而起，这样慎重其事，未免令人难安。

“好歇歇了！”她温柔地说，“莲子羹都煮成泥了，吃了点心睡吧，明天再说。”

“马上就好，马上就好。”胡雪岩头也不抬地说。

说是这样说，仍旧又很费劲地写了一个钟头才罢手，他把头一张信纸，递了给芙蓉。

芙蓉是识得字的，接过来念道：“雪公太守尊兄大人阁下，敬禀者，”念到这里笑了，“好啰唆的称呼！”

“你看下去。”

于是芙蓉又念：“套言不叙。今有内弟刘小兔，”到这里，芙蓉又笑了，“你怎么把小兔儿的小名也写了上去？”

“那要什么紧，又不是官场里报履历，我跟王大老爷通家至好，就写小名也不要紧。”

想想也不错，她便笑道：“说来说去，总说不过你。”

“不用你说，我自己晓得，你看，”他指着“内弟”二字，“这你总没话说了吧？”

这是不拿芙蓉视作妾媵。她自然感激，却不便有何表示，只静心看下去。胡雪岩对聘师的要求是学问好、性情好，年纪不宜过大，如愿就聘，束修从优。这见得他是真为自己跟小兔儿打算，她心头由热而酸，不知不觉地滚下两滴眼泪。

“我想想又不对了！”她揩一揩眼睛说，“怕小兔儿福薄，当不起！再说，这样费事，我心也不安。”

这话让胡雪岩没奈何了。“算命看相，可以相信，不过一个人也不要太迷这些花样。”他搔搔头说，“你样样都好，就是这上头看不开。”

“我看，还是先附在人家馆里的好。”

“为啥呢？”

为来为去，还是为了芙蓉怕小兔儿没有那种专请一位先生来教导的福分。她最相信八字，连自己的终身，都相信是注定了偏房的命。胡雪岩意会到此，便有了办法。

“我看这样，你先去替小兔儿排个八字看，到底福命如何？若是注定要做官的，就照我的话做，不然就随便你。”

“这话说得对！你倒提醒我了。明天就替他去排个八字看。”芙蓉去找了一张红纸，“劳动你把小兔儿的生辰八字写下来。”

写完小兔儿的生辰八字，也吃了消夜，上床在枕头上，芙蓉还有一桩“官司”要审。就是那方白缎绣花小包袱中，包着的一绺黑发，两片指甲。

“这是哪里来的？”她说，“你用不着赖，也用不着说假话。”

“听你的口气，当我一定要赖，一定要说假话。那，我就最好不说话，说了真话，你也一定不相信。”

“我说不过你！”芙蓉有些着恼，“你不说，那包东西我不还你。”

“你尽管拿去好了，不管拿它烧掉、摔掉，我绝不过问。”

“你不觉得心疼？”

“心疼点啥？”胡雪岩泰然自若地道，“你要不相信，我当面烧给你看！”

“唉！”芙蓉叹口气说，“痴心女子负心汉，我真替那个送你这些东西的人难过。”

这句话却发生了意想不到的效用，胡雪岩大为不安。“你说我别样，我都不在乎，就是这一样不能承认。”他加重语气分辩，“我绝不是没有良心的人，对朋友如此，对喜欢过的女人，也是如此。”

“这样说起来，你对这个女人是喜欢过的？”

“不错。”胡雪岩已经从芙蓉的语气，料准了她不会吃醋，觉得直言不妨，所以又说，“就是前不久，我喜欢过，现在已经一刀两断。她不知道怎么，忽然‘冷镬里爆出热栗子’，在我绝不能捡‘船并旧码头’的便宜。所以对这两样东西，我只当作不曾看见。”

"你的话我弄不明白。"芙蓉问，"她叫啥名字，啥出身？"

"叫阿巧姐。是堂子里的，七姑奶奶也见过。"

芙蓉深为诧异："七姑奶奶这样直爽的人，跟我无话不谈，怎么这件事不曾提起？"

"你说话叫人好笑，直爽的人，就该不管说得说不得，都要乱说？"胡雪岩提醒她，"七姑奶奶真正叫女中豪杰，不要看她疯疯癫癫，胸中着实有点丘壑，你不要看错了她！"

"好了，好了！你不要把话扯开去。你倒讲讲看，你们怎么样好法？"

"就是这样子！"胡雪岩翻个身，一把抱住芙蓉。

"哼！"芙蓉冷笑，"看你这样子，心里还是忘不掉她，拿我来做替身！"说着，便要从他怀抱中挣扎出来。

无奈他的力气大，反而拿她抱得更紧了。"我不是拿你做她的替身，我是拿你来跟她比一比。"他说，"她的腰没有你细，皮肤没有你滑。说真的，我还是喜欢你。"

这两句话等于在醋罐里加了一大勺清水，酸味冲淡了。"少来灌米汤！"她停了一下又说，"你把跟她的事，从头到尾，好好讲给我听。"

"讲起来话长！"胡雪岩从枕头下掏出表来看了一下说，"两点钟了！再讲就要讲到天亮，明天再说。"

"你不讲就害我了！"

"这叫什么话？"

"你不讲，害我一夜睡不着。"

"好，我讲。"等把阿巧姐的故事粗枝大叶讲完，胡雪岩又说，"这一来，你可以睡得着了，不许再啰唆！"

"问一句话可以不可以？"

"可以。不过只许一句。"

"照你看，"芙蓉问，"事情会不会起变化？"

"什么变化？"

“阿巧姐只怕不肯嫁何学台了。”芙蓉从容分析，“照你的说法，她先对你也不怎么样，等到见了年纪轻、人又漂亮、官又做得大的何学台，心里就有了意思。照规矩说，她自己也要有数，是人家何家的人了，在你面前要避嫌疑，怎么又在替你收拾行李的时候，私底下放了这两样‘私情表记’？而且送你上了船，推三阻四，不肯下船，恨不得跟你一起回来。这你难道看不出来，她的心又变过了。”

“我怎么看不出来？不理她就是了。”

“你倒说得容易！可见你不懂女人的心。”

这一下，胡雪岩便不能不打破自己的戒约，往下追问：“女人的心怎么样？”

“男人是没良心的多，见一个，爱一个，爱一个，丢一个。女人不同，一颗心飘来飘去，不容易有着落，等到一有着落，就像根绳子一样，捆得你紧紧的，再打上个死结，要解都解不开。现在你是让她捆住了，自己还不晓得，说什么‘不理她就是’，有那么容易？你倒试试看！”芙蓉讪笑地又说，“真正是‘吃的灯草灰，放的轻巧屁’！”

这一番话把胡雪岩的瞌睡虫赶得光光的，睁大了眼，望着帐顶，半晌作声不得。

“你说，我的话错不错？”

“岂但不错！还要谢谢你，亏得你提醒我。”胡雪岩不安地问，“你看，该怎么办？”

“自然是把她接了回来。”

这是句反话，如果在平时，胡雪岩一定又会逗她拈酸吃醋，开开玩笑，此时却无这种闲逸的心情，一本正经地说：“这是绝不会有的事。我现在就怕对何学台没有交代，好好一件事，反弄得人家心里不痛快，对我生了意见，说都说不明白了。”

芙蓉是有心试探，看他这样表示，心头一块石头落地，便全心全意替他策划：“你现在要抢在前面，不要等她走在你前面叫明了，事情就会弄僵。

人人要脸，树树要皮，话说出口，她怎么收得回去？”

“这话对！”胡雪岩说，“我现在脑筋很乱，不晓得怎么快法？”

“无非早早跟何学台说明，把阿巧接了回去，生米煮成熟饭，还有啥话好说。”

“话是有道理。不过官场里有样规矩你不懂，做哪个地方的官，不准娶哪个地方的女子做妾，麻烦就在这里。”

谈到官场的规矩，芙蓉就无法置喙了。但即使如此，她的见解对胡雪岩仍旧是个很大的帮助。第二天一早醒来，他首先想到的也就是这件事。大清早的脑筋比较清醒，他很冷静地考虑下来，认为“生米”虽不能一下子就成“熟饭”，但米只要下了锅，就不会再有变化。于今为计，不妨托出潘叔雅做自己的代表，先向何桂清说明白。事成定局，阿巧姐自会死心，这就是将“生米”下锅的办法。

不过，这件事还要个居间奔走的人。现成有个周一鸣在那里，不然还有刘不才，也是干这路差使的好材料。好在事情一时还不会生变，不妨等周一鸣回来了再说。

等把这个难题想通了，胡雪岩觉得心情相当轻松。他盘算了一下，古应春这天一定在忙着跟洋人接头，不必去打扰，只有找刘不才一起盘桓。不妨一面出去游逛，一面看看可有合适的地皮，为潘叔雅买下来建新居。

想停当了才起身下床，芙蓉晨妆已毕，侍候他漱洗早餐，同时问起这天要办些什么事。

“等你三叔来了再谈。”胡雪岩说，“我想带你去逛逛。”

“我不去。抛头露面像啥样子？”

“那么你做点啥呢？”

“我还是到七姑奶奶那里去。”芙蓉答道，“跟她在一起，永远是热闹的。”

“就你们两个人，怎么热闹得起来？我看不如约了七姑奶奶一起去玩。”

"她不肯的。"芙蓉忽然问道，"你说了她什么？她好像有点赌气的样子，古老爷常常劝她出去走走，不要在家闷出病来，她说什么也不肯。"这话胡雪岩在前一天也听见过，当时不以为意，现在听芙蓉提到，才知道七姑奶奶真的发奋了。倒是一件令人感动的事。

"我不过劝她，要像个大家闺秀的样子，哪知道她这样认真。"胡雪岩说，"赌气是绝不会有的事，她最佩服我，还有大事要我帮忙，赌什么气？"

"这倒是真的，"芙蓉点点头，"提起你来总是小爷叔长，小爷叔短。我看，"芙蓉笑道，"只有一个人不佩服你。"

"哪个？"

"梅玉的娘。"

昨天是为了阿巧姐生醋意，这时候又提到他妻子，胡雪岩心里不免有些厌烦，所以默不作声。

芙蓉也是很知趣的人，见他是这样的态度，便不再往下说，聊些别的闲天，等着刘不才。

* * *

结果刘不才不曾来，来了个古应春，带了由丝栈里转来的两封信。一封是尤五的，由陈世龙代笔，说杭州漕帮闹事，经过调处，已经平息，只是新交了好些朋友，饮宴酬酢无虚日，所以还得几天才能回上海。再有一封是王有龄的，这封信就长了。

王有龄接到胡雪岩初到上海的信，又接到何桂清从苏州写给他的信，加上陈世龙带去的口信，都要在这封信中答复，所以足足写了七张纸。认得出是他的亲笔。这样一个浙江官场中的红人及能员，每天忙得不可开交，居然能抽出工夫来写这么一封洋洋洒洒的信，就显得交情确是与众不同了。

信上自然先提到尤五，王有龄说是"既感且愧"。因为尤五会同郁四，将浙江漕帮的纠纷顺顺利利地处置停当，感情已是可感，而且还承他送了许多礼物，实在受之有愧。至于认七姑奶奶作义妹一节，君子成人之美，而况又是旧雨新知双重的交情，王有龄自然乐从，问七姑奶奶什么时候到浙江，他好派专差来迎接。

"你看！"胡雪岩将前面两张信递了给古应春，接着又往下看。下面提到何桂清，说是接到他从苏州寄去的信，王有龄才知道胡雪岩的行踪。何桂清认为能结识胡雪岩，是"平生一大快事"，也提到了那一万银子。这下是王有龄来赞扬胡雪岩了，说他的处置"高明之至"，这一万两银子，请胡雪岩替他记入账下，将来一起结算。

此外还有许多琐碎的事，其中比较重要的是，催促裘丰言早日回杭州，因为现在有个"优差"的机会，他可以设法谋取，"迟则为他人捷足先登，未免可惜。"

"对了！"胡雪岩放下信问道，"'酒糊涂'住在哪里？他的事办得怎么样了？昨天我倒忘了问你。"

"都弄好了，就因为五哥不在这里，路上没有交代好，不敢启运。"古应春又说，"刘三爷知道你要跟他碰头，去约他了。等一下就到。"

"那这样吧，我们先去吃饭，然后到七姐那里去，留下口信请他们来。"

"那又何必在外头吃？还是到我们那里去。"

于是古应春和胡雪岩坐马车，芙蓉不肯跟胡雪岩同车招摇过市，另雇一顶小轿走。轿慢车快，等她到时，只见七姑奶奶正笑容满面地在跟胡雪岩商量到湖州的行程。

"怎么？"芙蓉惊喜地问道，"你也要到湖州去？"

"是啊！"七姑奶奶洋洋得意地说，"我哥哥在做知府，我为啥不去。"

这一节，也就像阿巧姐那件事一样，是无话不谈的七姑奶奶所不曾跟她谈到的少数"秘密"之一。不谈阿巧姐，是为了怕替胡雪岩惹麻烦；不谈胡雪岩居间拉拢，让自己认王有龄作义兄，是七姑奶奶自觉身份悬殊，不相信现任知府的王大老爷肯降尊纡贵，认此义妹。事情不成，徒落话柄，所以她不愿告诉芙蓉。

谁知王大老爷居然答应了，而且仿佛觉得认此义妹，是件极可高兴的事。七姑奶奶当然喜出望外，加以她与芙蓉一见投缘，不算外人，所以有那得意忘形的神态。

听她自己约略说明缘由，芙蓉也替她高兴。“恭喜，恭喜！”她笑着说，“从今以后，不叫你七姑奶奶，要叫你王大小姐了。”

“好了，好了！自己人，不作兴笑我的。我是沾了小爷叔的光。来！”七姑奶奶一把拉着她走，“到厨房里帮帮我的忙。”

古应春是广东人，讲究饮馔，七姑奶奶闲着无事，也就在烹调上消磨辰光，所以家里没有客来，饭菜也很丰腆。厨房里早已预备得差不多了，还有一个娘姨，一个小大姐，四个人一起动手，很快地把饭开了出来。

主客四人一面吃饭，一面还是谈湖州之行。刚刚只谈了一半，胡雪岩决定亲自送七姑奶奶去，现在要谈的是动身的日期。

这是个难题，胡雪岩的事情太多，不容易抽出工夫来。“五月初七以后就不行了，苏州的人要来。再等下去，天气太热，又不相宜。”他踌躇着说，“而且一去一来至少要半个月的工夫。”

“小爷叔抽不出工夫，只好等秋凉以后再说。”七姑奶奶不愿强人所难，这样很爽快地表示了态度。

“那不行。耽误了你们的好事。”胡雪岩又说，“再者，陈世龙也要做亲了。这杯喜酒一定也要去吃的，事情总有办法，等我慢慢来想。”

话题中断，接下来是古应春谈他上午跟洋人见面的情形，谈到一半又被打断了，刘不才和裘丰言连翩而至。两个人脸上红着，是喝了酒来的，但也不妨再来几杯。

“事情都弄好了。”裘丰言说，“只等尤五哥来就动身。”

“他还有些日子才能回来。”胡雪岩说，“或者你先回去一趟。”

“不必，不必！”裘丰言指着刘不才说，“我跟刘三哥在一起，写意得很，每天吃吃酒，到处逛逛，这种逍遥自在的日子，难得遇到，尤五哥尽管慢点回来好了。”

胡雪岩又好气，又好笑。“你真正‘酒糊涂’！一则要早早交差，人家等着洋枪在用，采运军火的事，哪容得你逍遥自在？真是‘急惊风遇着慢郎中’！再则，”他把王有龄的信拿给他看，“雪公一番热心，你不要错过机会。”

等把信看完，裘丰言点点头说：“雪公的盛意，着实可感。不过，尤五哥不来，我也没办法走。空手回去，算啥名堂？只好让人家捷足先登了！”

这话也不错，于是胡雪岩又遇到一个难题。七姑奶奶看他们愁颜相向，忍不住要问：“小爷叔！到底为了啥？”

“老裘要运洋枪回去，路上怕不安靖，要五哥先替他沿路安排好。只要一进浙江地界就不要紧了。”胡雪岩说，“上次也是这样。一定要等五哥来，说妥当了才敢走。”

“是这样一桩事情！为啥早不跟我说？”

一听这话，胡雪岩和裘丰言精神一振，齐声说道：“七姐！你有办法？”

“这不是什么大不了的事。”七姑奶奶又怪古应春，“你知道这件事，也放在肚里不说，真正气数。”

“一时疏忽，也是有的。”古应春笑道，“闲话少说，你有办法就拿出来！”

七姑奶奶的办法很简单。尤五手下几个得力的人，她无不相熟，只要找到其中之一，一切迎刃而解。但十分不凑巧的是，古应春亲自去跑了一遍，竟一个也不曾找到。

“不要紧！”七姑奶奶真有男子汉的气概，毫不迟疑地说，“这段路上有头有脸的人物，也都晓得我。我送了裘老爷去。”

这真是语惊四座了！首先古应春就担心。“一船军火，不是好玩的事！”他说，“千斤重担你挑不挑得下来，自己要想一想。”

“我想过了。不要紧的。”

语气虽平静，而胡雪岩却听得出，愈平静愈显得倔强，他是深知她的脾气的。发现芙蓉也想说话，他急忙抛过去一个阻止的眼色，然后装出欢然的神情说：“好极，好极！有七姐出马，一定一路顺风。老裘，就让七姐送你去好了。”

裘丰言知道胡雪岩这样说法，必有道理，自然桴鼓相应地也装出兴奋和感激的神态，拱拱手说：“多谢七姑奶奶，只是劳动玉步，于心不安。”

“没有多少路，只当到嘉兴去玩一趟。”

“慢点！”胡雪岩灵机一动，“我倒有个办法。七姐，你索性到杭州，把那件大事办了它。”

“那——”事出突兀，七姑奶奶一时还想不通，“那么，小爷叔你呢？”

“我是对不起，这趟不能陪你了……”

胡雪岩的打算是，七姑奶奶认义兄，尤五一定要到场，来了又去，徒劳跋涉，而自己算来抽不出工夫，那就不如趁此机会，早早办了这件大事，以便向古家老族长去说媒。至于尤家兄妹与王有龄之间，要有个人从中传话照料，他也想好了，可以拜托裘丰言。

裘丰言当然乐意效劳。七姑奶奶和古应春也觉得这样安排十分妥帖。只是一船军火，真个托付七姑奶奶保险，这件事除了她自己有信心以外，谁也觉得太不妥当。

找个机会，古应春将胡雪岩和裘丰言拉到一边说道：“小爷叔，你真的信任我们那口子？她是‘女张飞’，你是诸葛亮，莫非有啥妙算？”

“妙算不敢说，打算是有的。要我亲自跑一趟松江，我到老太爷那里去搬救兵。”

“妙，妙！”古应春大喜，“真正是妙算！”

“轻点！轻点！”胡雪岩急忙阻止，“七姐的脾气你晓得的，这件事不能让她知道。我悄悄去，悄悄来，有一昼夜的工夫就够了。”

“那么，你预备啥时候走？”

“今天就走。”

“我陪你去。”裘丰言说，“我也久慕‘老太爷’的名，想见见他。”

“也好！不过水路不平靖，我想走陆路，为了赶辰光我骑马去，你行不行？”

裘丰言不会骑马，无法同行，只得怏怏而罢。及至回到屋里，只见刘不才正为七姑奶奶在开备办礼物的单子，芙蓉则是七姑奶奶的参赞，两人商量着说一样，刘不才便提笔写一样。

开完长长的一张单子，七姑奶奶接到手里看了一遍，自言自语地说：“备齐总得六七百两银子。”接着便叫一声，“小爷叔！”

“怎么样？”

“你有没有空？”她问，“我是说能不能抽出两天的工夫来？”

胡雪岩面有难色，便先问一句：“你要我替你办什么事，说来商量。”

“我想请你陪我回一趟松江。”

这一说，古应春不由得就要问：“回松江干什么？”

“要去拿东西，天气热了，我的单衣夹服还在家里，还有些首饰，到杭州去也要用的。”

“那也用不着小爷叔陪你去啊？”

“这件大事，我总要跟老太爷说一声。还有，你的那件事。”

“我的？”古应春诧异地，“我自己倒不晓得！”

“你真是木头人！”七姑奶奶恨恨地说，“小爷叔是不是你的大媒老爷？”

“原来是这件事！”古应春笑着答道，“你不说是我们两个人的事，我怎么知道？”

谈到这里，裘丰言大为高兴地说了句：“这一下，我也去得成了。”

七姑奶奶自然不懂他的话，胡雪岩便一半解释，一半掩饰地说：“老裘跟我提过好几次，想去见见老太爷，一直没有机会。现在可以一起去了。”

“喔，那太好了！”七姑奶奶也问道，“小爷叔，那么你呢？”

胡雪岩还不曾开口，古应春和裘丰言相视而笑，神态诡秘，使得七姑奶奶大感困惑，睁圆了一双眼，直瞟着古应春。

“说实话吧！”胡雪岩深怕引起误会，揭破了真相，“我原来就想去见老太爷，跟他要两个人，送老裘到杭州。七姐，不是我不相信你有办法，是因为我觉得这千斤重担，何必放在你肩膀上？万一出了事，五哥一定要怪我，说：‘老七是心热，做事为了朋友，不计后果。你们怎么也不仔细想一想。’这话我就没法交代了。七姐，你是明白人，一定体谅我跟老裘的处境！”

“那没有什么！只要把事情办通就是。小爷叔用不着这样子来解释的。”

听她如此谅解，胡雪岩深感欣慰。“说你是明白人，真是明白人！”他转脸去问芙蓉，“你呢？”

“我们说好了。”七姑奶奶抢着答道，“一起到松江去玩一趟。现在就挑日子好走！”

芙蓉取了皇历来看，第二天就是宜于长行的好日子。时间是太局促了些，但以芙蓉在这些上头很迷信，明天不走，就得再等五天。为了迁就她，只好大家赶一赶。

“你没事，替我们去雇船，要大，要好！”七姑奶奶这样吩咐古应春。听得七姑奶奶这一声，古应春赛如奉了将军令，答应着转身就走。

“等等，等等！”刘不才慌不迭地站起来，“我跟你一起走。”

这下芙蓉开了口。“三叔！”她也是极匆遽的语气，“你不要走！这里有好多事，要请你办。”

刘不才无可奈何地站定脚，转身答道：“你快说！我有要紧事。”

“咦！”芙蓉倒奇怪了，“忽然有要紧事，三叔，你倒说！”

“哎呀！”他着急地，“姑奶奶，你就少问了，只说要我办什么事就是。”

“我也要买点零碎东西带走，不是三言两语说得完的。”

“那就这样。你请雪岩开单子，我一下就回来，替你去买。夷场上市面迟，都买得到。买不齐的，明天上午再补。”

芙蓉见他行踪诡秘，还要留住他说个究竟。倒是胡雪岩看不过，阻住了芙蓉，于是刘不才如逢皇恩大赦似的，跟着古应春匆匆走了。

“奇怪！”芙蓉咕哝着说，“我这三叔，尽做些别人不懂的事。我看不是好花样。”

“算了，算了！”胡雪岩说，“我要去看两个钱庄朋友，你要买点啥，我替你带来。其实你不说我也晓得，无非胭脂花粉、衣料吃食，新奇实用的洋货。”

“对！我要送人的。不过，千万不要太贵，贵的你买来我也不要。”

“你看你，”胡雪岩笑道，“七姐是自己人，客气一点的，听了你的话会怎么想？送人的礼，不要贵的，原来是弄些不值钱的东西送人！”

“话不是这么说，”七姑奶奶向着芙蓉，“东西贵不一定好，贱的也不一定不好。送礼全在合用，要看人会不会买。”

胡雪岩笑了。“七姐，你现在真的很会说话了。”他说，“老古是好口才，总算在这上头你拜着个好师傅。”

“哪个要拜他师傅？除非你小爷叔，还差不多。”

“好了，好了，不要恭维我了。”胡雪岩一笑出门。

等他走了不久，刘不才笑嘻嘻地走了进来，是极得意的神情，自道是赌“花会”去了，赢了二百多两银子。

什么叫“花会”？芙蓉还是第一次听见这两个字，七姑奶奶却是懂的。她不但懂，而且迷过，因而便为芙蓉解释。“花会”跟广东的“白鸽票”相仿，上海设局赌花会的，亦以广东省城和潮州两地的人居多。赌法是三十六门开一门，其中两门永远不开，所以实际上是三十四门猜一门，猜中的一赔二十八。

“这种赌不公平，要公平就要一赔三十三，一赔二十八，等于多占五门。”七姑奶奶说，“后来我是想穿了，所以不赌。这种赌不知道害了多少人！尤其是没有知识的女人！”

“本来嘛！”芙蓉这样说，“好好的良家妇女到花会里去赌钱，像什么样子？输了钱，自然吵得家宅不安。”

“还不光是输钱，为了‘祈梦’，败坏名节的都不知道多少。”

“什么？”芙蓉大为不解，“与‘祈梦’啥相干？”

芙蓉也是迷信这些花样的，七姑奶奶觉得正好借此讽劝，便从头讲起。花会的总机关叫“总筒”，各地方设“筒”，也有上门来兜揽的，叫作“航船”。赌法是每天早晚各开一次，称为“早筒”“晚筒”。向例前面两筒开过的围不开，所以三十六门实际上只开三十四门。

“三十六门是三十六个人，据说最初就是梁山泊的三十六响马巨头，但久而久之，宋江、吴用等等名字，完全改过了。三十六个人的身份，各各不同，另外每个人有座‘本命星’，天上飞的、陆上爬的、水中游的都有，像第二十五，名叫林太平，身份是皇帝，本命星就是一条龙。”

“三十四门只能挑一门，怎么挑法？这样也好，那样也好，心里七上八下拿不定主意，那就只好祈梦了。梦见龙，当然押林太平，梦见黑狗，就要押第二十八罗必得。”七姑奶奶停了一下问，“你晓得祈梦到哪里去祈？”

“自然是庙里。”芙蓉答说。

“不是！荒山野地的坟头上。”

芙蓉大骇。“是晚上？”她问。

“当然是晚上，哪有白天祈梦的？”

“晚上睡在坟头上？”芙蓉不断摇头，“不吓死人！”

“为了钱，胆就大了，不但是坟头上，而且越是新坟越好——”

这是由于“新鬼大，故鬼小”的说法，新坟则墓中人新死不久，魂灵易聚，招魂的方法是用一口空铁锅，拿锅铲空铲一阵，据说鬼魂就会闻声而至。然后根据梦兆去押，百不失一。

“那么，灵不灵呢？”

“怎么会灵？”七姑奶奶说，“譬如你梦见黄狗，我梦见黑狗，各押各的，总有一个不灵。各人有各人的心境，各人做各人的梦，个个要灵，除非三十四门全开。哪有这个道理？”

“讲得透彻！”对赌之一道三折肱的刘不才，击案称赏，“赌钱全靠算！‘触机’不足为据。”

芙蓉也深有所思地点点头，接着又问：“那么，怎么说是败坏名节呢？”

“你想想，一个女人独自睡在荒郊野外，还有个不被人糟蹋的？”

“啊！”芙蓉悚然，“这花会说起来真是害人无穷！三叔，你也少去！”

“你放心，这种赌是不会赌的人玩的。迷不到我！我不过喜欢赌，要去见识见识而已。”刘不才又说，“今天赢了二百多两银子，不足为奇。遇见一桩妙事，说起来，倒着实叫我佩服。”

听这一说，七姑奶奶首先就高兴了。“快说，快说！”她捧杯茶给刘不才，“你说的妙事一定妙！”

刘不才所讲的，是他在一处“分筒”中亲眼得见的一位人物。这处分筒，规模极大，赌客中颇多殷实富户，下的赌码极重，其中有个富孀，夫家姓梁，行四，所以都叫她“梁四太太”。

梁四太太打花会与众不同，专打一门。这一门在三十六门中，名列十六，叫作李汉云。奇的是她专打这一门，总筒中偏偏不开这一门，这样一年多下来，已经输了上万的银子。

这天下午，她照例坐轿到了那里，因为是大户，自然殷勤接待，一盏茶罢，分筒执事便赔笑相问：“四太太，把条子交下来吧！”

花会打哪一门的那张“条子”，照例是封缄的，要等总筒开出来才能揭晓。不如此则总筒可以统计每一门下注的数目，避重就轻拣注码最少的一门开。话虽如此，弊端还是有的。梁四太太这时听执事问到，便愤愤地说：

“钱输了，还是小事，我就不相信一次都不会中。我总要着一次才服气。”

“我劝四太太换一门的好！”分筒执事说，“赌上面真是有鬼的，不开起来一定不开。”

“今天开出来，我一定会中。你看，”梁四太太便从手巾包里取出一把纸条来，“今天我打三十四门，莫非还不中？”

“哪有这种赌法的？”分筒执事笑道，“四太太你不想想，三十四门，只中一门，赔了你二十八，还要输四门。这叫什么算盘？”

“当然下注有多少。开出来是我的重门，我就赢了。”梁四太太说，“总要中一回，我才能死心歇手。”

分筒执事，听她的口风，这是最后一回来赌花会，平白失去这么一个大户，未免可惜。但此时亦不便相劝，只拿笔来记每一门所下的注码。

一注注写完，却只有三十三门，梁四太太奇怪，凝神细想一想说道：“下轿的时候我还数过的，是三十四张条子，大概是数弄掉了一张，你们替我去找一找看。”

那分筒执事，工于心计，而且日夕从事，对于这上面的舞弊，精到极点，当时心里就打算好，这张条子就寻着了，也不能够给她。

果然在门槛下面找到了，但分筒执事回复梁四太太却是如此：“到处找过，没有！”

“没有，就算了！莫非偏偏就开那一门？我想，世界上没有那么巧的事！”

分筒一则要“统吃”梁四太太，再则怕她今日一中，明日不来，于是便单开那一门。分筒执事打开捡到的那张条子，看是第三十五门张九官，当即通知总筒，开出张九官来。

“我跟这位梁四太太前后脚到。”刘不才说，“眼看她的三十三张条子拆封，第一封拆开来就是张九官——”

七姑奶奶心急，打断他问：“这是啥道理？好奇怪！”

“怪事还多呢！你不要心急，听我说！”刘不才又说，“拆开第二封，还是张九官。”

“第三封呢？”七姑奶奶问，“莫非也是张九官？”

“这还用说！一直拆到第三十三封，都是张九官，梁四太太一共赢了一万两千多银子，一年多输下去的，一下子扳本反赢钱！”

这个故事的谜底揭开来，将芙蓉听得目瞪口呆，不信地说：“真想得出这种恶毒的法子？”

“这梁四太太的脑筋，可以跟小爷叔比了！”七姑奶奶不胜向往地说，“我们真想结识结识她！”

“那也容易，”刘不才说，“只要到那处分筒去几回，一定遇得见她。”

“省省吧！”芙蓉赶紧劝阻，“这种花会，害人不浅，这样子猜心思，寿命都要短几年，你既然已经戒掉了，千万别去。”

“这话也是！”刘不才大有忏悔之意，“赌这样东西，不赌心思没有趣味，要赌心思，真叫‘强中自有强中手’，永远不会有啥把握。想想真没意思！”

“照这样子说，刘三爷，你也要洗手戒赌了？”

“你听他的！”芙蓉撇撇嘴，对七姑奶奶说，“我们三叔说要戒赌，总有十七八回了。”

刘不才不好意思地笑了一下，七姑奶奶便为他解嘲：“虽然没有戒掉，总常常想着在戒，这就蛮难得的了！”

“怎么难得？”门外有人在搭腔，大家转脸看时，是不知道什么时候溜了出去，如今又溜了回来的裘丰言。

于是七姑奶奶将刚刚听来的故事，又讲了一遍。裘丰言也对梁四太太赞叹不止，这样谈到十点多钟，古应春和胡雪岩陆续归来，船已雇好，胡雪岩所买的东西已直接送回客栈。他们约定第二天中午仍在七姑奶奶那里会齐，一起下船。

第六章

到了松江，船泊秀野桥下，一行人都上了岸，先到尤家休息。尤五奶奶大出意外，少不得有一番寒暄张罗。尤家常年备着好些客房，除了芙蓉是七姑奶奶早就约好要跟她一起住的以外，尤五奶奶又坚邀胡、裘二人在她家下榻。几人略略安顿，随即去见老太爷。

因为裘丰言是生客，又是一位官儿，老太爷十分客气，叫人取来长袍马褂，衣冠整齐，肃然陪坐。这一下不但裘丰言大为不安，连胡雪岩亦颇为局促。幸好，七姑奶奶接踵而至，有她在座，能说会道，亲切随和，才把僵硬的气氛改变过来。

说过一阵闲话，七姑奶奶谈到正事。“老太爷，”她说，“今天我有桩大事来禀告你老人家。不过，有点说不出口。”

老太爷已经看出来，裘丰言跟她也相熟，这样，自己说话，就无须有所避忌。“真正新鲜话把戏！”他似笑非笑地说，“你还有啥说不出口的话！”

“老太爷也是，就看得我那样子的老脸厚皮。”七姑奶奶笑着站了起来，“我先进去跟老姑太太谈谈，请小爷叔代我说吧！”

老姑太太是老太爷的妹妹，也七十多了，耳聋口拙，没有什么可谈的，七姑奶奶无非是托词避开，好让胡雪岩谈她的亲事。

七姑奶奶没有一个归宿，原是老太爷的一桩心事，所以老太爷听得胡雪岩细谈了经过，十分高兴。尤其是听说王有龄以知府的身份，降尊纡贵，认出身江湖的七姑奶奶作义妹，更觉得是件有光彩的事。这一切都由胡雪岩而来，饮水思源，老太爷说了许多感谢的话，同时因为裘丰言作胡雪岩的代表，在尤家与王家之间，要由他来从中联合安排，所以老太爷又向裘丰言拜托道谢。言出至诚，着实令人感动。

"老太爷，"胡雪岩最后谈到他自己的请求，"有件事，尤五哥不在这里，要劳动你老人家替我调兵遣将了！"

"噢！"老太爷一迭连声地说，"你吩咐，你吩咐！"

等胡雪岩说明，要派两个人护送，料想是件轻而易举的事，却不道老太爷竟沉吟不语。

这就奇怪了，他忍不住要问："老太爷，莫非有什么难处？"

"是的。"老太爷答道，"你老弟是自己人，裘爷也是一见如故的好友，这件事说不巧真不巧，说巧真巧。不巧的不去说它了，只说巧的是，亏得你跟我说，不然，真要做出对不起朋友的事来了。"

听得这话，以胡雪岩的精明老到、裘丰言的饱经世故，都察出话中大有蹊跷。两人面面相觑，交换了一个眼色，自然还是胡雪岩开口。

"老太爷既当我们是自己人，那么，是怎么的'不巧'？何妨也说一说！"

"不必说了！不巧的是老五不在这里，在这里就不会有这件事。"老太爷平静地问道，"裘老爷预备什么时候走？"

"我的货色还在上海，雇船装货，总得有三五天的工夫。我听老太爷的吩咐！"

"吩咐不敢当。"老太爷说，"你明天就请回上海去预备。今天四月十四，准备四月二十开船，我们四月十九，在上海会齐。"

“怎么？”胡雪岩不解“我们”两字，“莫非——”

“是的。”老太爷说，“我送了裘老爷去！”

“那怎么敢当？”裘丰言跟胡雪岩异口同声地说。

“不！”老太爷做了个很有力的手势，“非我亲自送不可。”说着，嘴唇动了两下，看看裘丰言，到底不曾说出口来。

“对不起，老裘！”胡雪岩看事态严重，也就顾不得了，径自直言，“你请外面坐一坐，我跟老太爷说句话。”

“是，是！”裘丰言也会意了，赶紧起身回避。

“不必！裘老爷请这里坐！”老太爷起身又道歉，“实在对不起！我跟我们胡老弟说句‘门槛里’的话。不是拿你当外人，因为有些话，说实在的，裘老爷还是不晓得的好。”

交代了这番话，老太爷陪着胡雪岩到佛堂里去坐。这是他家最庄严也最清静的一处地方，胡雪岩很懂这些过节，一进去立刻摆出极严肃的脸色，双手合十，先垂头低眼，默默地礼了佛，才悄悄在经桌的下方落座。

老太爷在他侧面坐了下来，慢慢吞吞地说道：“老弟台，我不晓得这件事有你‘轧脚’在内，早晓得了，事情就比较好做。现在，好比生了疮，快要破头了，只好把脓硬挤出来！”

胡雪岩很用心地听着，始终猜不透裘丰言押运的这一批军火跟自己有何关系，但有一层是很清楚的：老太爷的处境相当为难。只是难在何处，他却怎么样也想不出。江湖上做事，讲究彼此为人着想，所以胡雪岩在这时候，觉得别样心思可以暂时不想，自己的态度一定得先表明。

“老太爷，”他说，“我晓得你拿我这面的事，当自己的事一样。既然这样子，我们就当这件事你我都有份，好好商量着办。如果难处光是由你老一肩挑了过去，即使能够办通，我也不愿意。”

“老弟台！”老太爷伸出一只全是骨节老茧的手，捏着胡雪岩的手腕说，“我真没有白交你这个朋友。我把事情说给你听。”

真如他自己所说的，事情说巧真巧，说不巧真不巧！这一批军火跟他的一个“同参弟兄”有关，这个人名叫俞武成，地盘是在扬州、镇江一带。

这时太平军虽已退出扬州，但仍留“丞相”赖汉英扼守辰州，与官军刑部左侍郎雷正诚的水师相持不下。太平军全力谋求打开局面，所以跟上海的洋商在暗中有交易，希望买到一批军火。

“这件事要派洋商的不是！”老太爷说，“浙江买的那批洋枪，原来洋商是答应卖给‘长毛’的，已经收了人家的定洋，约期起运，由英国兵舰运了去。哪知道事情变了卦，听说替浙江方面出头交涉的人，手腕很灵活……”

“老太爷，”胡雪岩很高兴地抢着说，“这个人不是别人，就是未来的‘七姑爷’古应春。”

“噢！我不晓得。老五这两个月一直在上海，消息隔绝了。这且不去说他，先说我那个同参弟兄俞武成。”

俞武成跟赖汉英相熟，因而一半交情，一半重礼，赖汉英托出俞武成来，预备等这批军火从上海起运，一入内河，就要动手截留。由于是松江漕帮的地盘，所以俞武成专程到松江来拜访他这位老师兄，很客气地打了招呼。

“这怪我一时疏忽。”老太爷失悔地说，“我是久已不管闲事，一切都交给老五，偏偏老五又到杭州去了。俞武成又是当年一炷香一起磕头的弟兄！五十年下来，同参的只剩了三个人，这个交情，我不能不卖。哪晓得大水冲了龙王庙！如今说不得了，只好我说了话不算！”

“那怎么可以？”胡雪岩接口答道，“俞老虽是你老的同参，但是答应过他的，也不能脸一抹，说是自己人的东西，不准动！光棍不断财路，我来想办法。”

“老弟台！没有叫你伤脑筋的道理。我是因为当你自己人，所以拿门槛里的话告诉了你，照规矩是不能说的。”老太爷又说，“我只请你做个参赞，事情是我的，我无论如何要掮它下去，你请裘老爷放心好了。”

“怎么放得下心！”胡雪岩说，“如今只有‘按兵不动’，那批洋枪先放在那里，等跟俞老谈好了再说。”

老太爷不答，身往后一靠，双眼望空，紧闭着嘴唇，是那全心全意在思索如何解开这难题的神气。

胡雪岩见此光景，颇为不安，心里也在打算：如果俞武成不是他的“同参弟兄”，事情就好办；若是这批军火，不是落到太平军手里，事情也好办。此刻既是投鼠忌器，又不能轻易松手，搞成了软硬都难着力的局面，连他都觉得一时真难善策。

“难！”老太爷说，“想来想去，只有我来硬挺。”

“硬挺不是办法。”胡雪岩问道，“照你老看，俞老跟那面的交情如何？”

“这就不清楚了。不过江湖上走走，一句话就是一句话，他答应了人家，我又答应了他，反正不管怎么样，这票东西，我不让他动手，我们弟兄的交情就算断了。”

“话不能这么说！”胡雪岩脑际灵光一闪，欣然说道，“我倒有个无办法中的办法，我想请你老派个专人，将俞老请来，有话摆在台面上说。两面都是自己人，不能帮一面损一面，事情该怎么办，请俞老自己说一句。”

“这叫什么办法？”老太爷笑道，“那不就表示，这闲事我管不下来，只好不管吗？”

“正就是这话！”胡雪岩点点头，“你老不肯管这闲事，俞老怨不着你。而在我们这面，就承情不尽了。”

老太爷略想一下问道：“莫非你另有法子，譬如请官兵保护，跟武成硬碰硬较量个明白？”

“我哪能这么做？”胡雪岩笑道，“我这样一做，将来还想不想在江湖上跑跑？”

“那么，你是怎么办呢？”

“我想跟俞老谈了再说。”胡雪岩答道，“我要跟他老实说明白，这票货色，如果不是太平军那面要，我可以放手，由他那面的户头承买，我另找洋商打交道。现在可不行，这是请俞老不要管闲事。至于那面送了怎样一笔重礼，我照送就是。”

“听说是一万银子。”

“一万银子小事，我贴也贴得起，我看俞老也不见得看得如何之重。我要劝他的是，一定不可以帮长毛。为人忠逆之辨，总不可以不分明。”

听到最后一句，老太爷很注意地望着他，好久，才点点头说：“老弟台，你虽是空子，但漕帮的来龙去脉，你清清楚楚。说句实话，二百年下来，现在的时世，不是翁、钱、潘三祖当年立家门的时世了。长毛初起，我们漕帮看得两‘秀’很重。哪晓得越来越不像话，天下还没有到手，伦常名教倒已经扫地了。什么拜天地不敬父母，什么‘男行’‘女行’，乌七八糟一大堆。现在小刀会刘丽川也在拜天地了，这些情形我也看不惯。所以，你如果能劝得武成回心转意，不帮长毛，这就不算在江湖道上的义气有亏缺。不过，我不晓得你要怎么劝他？”

“那自然见机行事。此刻连我自己都还不晓得该怎么说。”

谈到这里，就该马上做一件事：派人去把俞武成找来。老太爷虽不知道他此刻在何处，但漕帮的声气甚广，只要交代一句下去，大小码头，旦夕皆知，自会找出人来，而况俞武成亦非无名小卒，找起来更容易。只是要看他是近是远，在近处来得快，在远处来得慢，日子无法预定。

“我晓得你心里急，不过急也无用，事情是总可以摆平的。”老太爷说，“难得相聚，且住两日再说。”

“当然，当然。”胡雪岩说，“多的日子也耽搁下来了，不争在这两天。”他是如此，裘丰言更不在乎，这一夜照样开怀畅饮，听老太爷谈他当年走南闯北、涉历江湖所遭遇到的奇闻异事，直到深宵不倦。

谈来谈去谈到俞武成。“松江是‘疲帮’，他们那一帮是‘旺帮’，所以武成在我们这伙人当中，是花花公子，嫖赌吃着，样样来，样样精。”老太爷不胜感慨地说，“哪晓得快活了一辈子，老来苦！”

“这都是叫长毛害的。”胡雪岩说，“不闹长毛，他好好在扬州、镇江，何至于此？所以俞老跟他们搞在一起，我真弄不懂！”

“老弟台，你见了武成，这些话要当心。他有样坏毛病，不肯认错！不说还好，一说偏偏往错里走。除非他老娘说他，他不敢不听，不然，天王老子说他一句错，他都不服。”

“这样看起来，倒是位孝子！”裘丰言说，“可敬之至。”

“大家敬重他，也就是为此。”老太爷说，“他今年六十七，到了九十岁的老娘面前，还会撒娇。想想也真有趣。”

“喔！”胡雪岩问，“她娘还在？”

“还在！”

“在镇江？还是扬州？”

“不！那两个地方怎么还能住？”老太爷说，“搬在苏州。去年到杭州烧香，路过松江，在我这里住了几日。”

“九十岁的老太太，还能出远门烧香。倒健旺？”

“健旺得很呢！”老太爷说，“这位老太太，当年也是好角色。俞三叔，武成的老爹，是叫仇家害死的，她带了一把水果刀找上仇家的门去，见面就是一刀！出来就到衙门，县官倒是好官，说她替夫报仇，当堂开释。那时她还有四月的身孕在身，生下来就是武成。”

“原来俞老是遗腹子！怪不得孝顺。”

“他也不敢不孝顺。”老太爷又说，“武成后来管帮，也亏得我这位俞三婶。当时俞三叔一死，还没有儿子，帮中公议，由他家老五代管。遗腹子生下来，如果是女的，不必说，是男的，到二十岁，俞老五‘推位让国’。哪晓得俞老五黑心，到时候不肯让出来。又是俞三婶出面，告到漕运总督那里，官司打赢，武成才能够‘子承父业’。”

“照此说来，这位老太太对外头的事情，也很明白？”

“当然！是极明白的人。”

“也管他们帮里的事吗？”

“早先管，这几年不大管了。”老太爷又说，“早先不但管他们帮里的事，还管江湖上的闲事，提起俞三寡妇，真个是响当当的字号。”

就在这一番闲谈之中，胡雪岩已筹划好一条极妥当的计策，不过欲行此计，少不得一个人，先要跟这个人商量好了，才好跟老太爷去谈。

这个人就是七姑奶奶。回到尤家已经深夜，胡雪岩不便惊动，第二天一早起身，匆匆漱洗，便唤过来伺候他的小厮，进去通知，立请七姑奶奶有要紧事商量。

七姑奶奶大方得很，说是请胡雪岩、裘丰言到她屋里去谈。“小姐”的闺房，又有芙蓉在，裘丰言自然不便入内。

“不要紧！我们真正是通家之好，你一起去听听，省得回头我再说一遍。”

听得这话，裘丰言只好相陪。他们到七姑奶奶住的那间屋子，堂屋里已经摆好了一桌早饭。松江人早餐吃硬饭，裘丰言颇感新奇，不但有饭还有酒，这在他倒是得其所哉，欣然落座，举杯便喝了一大口。

“老裘，你少喝点，今天还有事！”

“什么事？”七姑奶奶接口说道，“裘老爷来，没有啥款待，只有酒。小爷叔，你不要拦他的高兴。”

“老裘不会不高兴，我一说出来就晓得了。七姐，我问你个人，你晓不晓得？”胡雪岩说，“俞三寡妇！”

“是不是俞师叔的老娘？”

“对。”

“现在不叫俞三寡妇了，大家都叫她三婆婆。我见过的，去年到松江来，说要收我做干女儿，后来算算辈分不对，才不提起的。”

“好极了！照此说，她很喜欢你的。七姐，你要陪我到苏州去一趟。”

说到这一句，裘丰言恍然大悟，高兴地端起一大杯烧酒：“这下我非浮一大白不可了！”

七姑奶奶和芙蓉，却是莫名其妙，于是胡雪岩约略将俞武成打那票枪械的主意，以及老太爷如何为难的情形，略略谈了些。这些七姑奶奶不等他再讲下去，也就明了他们的用意了。

“小爷叔，你是想搬出三婆婆来，硬压俞师叔？”

“是的，意思是这个道理。不过有一套做法。”胡雪岩说，“我动到这个脑筋，主要的是不让老太爷为难。我想这样做，你看行不行？”

胡雪岩的做法是，备一笔重礼，跟裘丰言俩肃具衣冠，去拜访俞三婆婆。见面道明来意，要说老太爷因为已经答应了俞武成，不便出尔反尔，万般无奈，只有来求教俞三婆婆。应该怎么办，请她说一句。

“人心都是肉做的，小爷叔这样子尊敬她，我再旁边敲敲边鼓，三婆婆一定肯出面干预。只要她肯说一句，俞师叔不敢不依。好的，我准定奉陪，什么时候走？”

“我先要跟老太爷谈一谈。请你先预备，我们说走就走。”

“我没有啥好预备的。”七姑奶奶说，“倒是送三婆婆的礼，小爷叔你是怎么个打算？”

这一层，胡雪岩自然已有打算，分派裘丰言去办，请他当天赶到上海，转告刘不才，采办两枝吉林老山人参，另外再配三样宜乎老年人服食使用的礼物，由裘丰言带到苏州，仍旧以阊门外的金阊客栈为联络聚集的地点。

于是，裘丰言跟着胡雪岩到了老太爷那里，开口说到“辞行”，老太爷不解所谓，深为诧异。

“我想到了一个办法，可以免得你老人家在俞老面前为难。”胡雪岩说，“我跟老裘，好比焦赞、孟良，预备把佘太君去搬请出来。不过你老要跟我们唱出双簧。”

这出双簧，在老太爷这面轻而易举。只要找了俞武成来，当面跟他说明，胡、裘二人上门重托，老太爷因为答应俞武成在先，已经拒绝，同时告诉他说俞三婆婆派人来寻过，留下了话，叫他立即赶回苏州，有紧急大事要谈。

听胡雪岩讲完，老太爷兜头一揖：“老弟台，你这条计策，帮了我的大忙，保全了我们白头老弟兄的交情，感激之至。不过虽拿佘太君把他压了下去，他的难处也要替他想想。这归我来办，你们不必管了。”

“这也没有叫老太爷劳神的道理。”胡雪岩说，“老实奉告，洋枪上是有一笔回扣的，我们就拿这笔钱交俞老一个朋友，在苏州见着了他，我当面跟他谈，一定可以摆平。反正你老只要假装糊涂好了。”

“装糊涂我会。”老太爷问道，“你们啥时候动身？”

“装就要装得像。我们明天就走，回头也不再到你老这里来了。怕一见俞老，反而不好。”

“既然这样说，我就不留你们了。不过，在苏州把事情说妥当了，无论如何再要到松江来住两天。”

“一定，一定！”

两人辞了出来，裘丰言当即动身到上海。胡雪岩心里在想：意料不到的，又有苏州之行。既然有此机会，阿巧姐的纠葛应该理个清楚。巧的是有芙蓉，大可以拿她作个挡箭牌。

因此，回到尤家，他问芙蓉：“你要不要到苏州去玩一趟？”

“我懒得动，而况你们两三天就回来了，尤五嫂跟我也很谈得来，我就一动不如一静了。”

做女主人的，也在殷勤留客，胡雪岩当着尤五嫂的面不便多说什么，只好向七姑奶奶使个眼色。

这个眼色用意，不易了解，七姑奶奶心直，当时就说：“小爷叔，你有话尽管说，怕啥？”

“七姐！”胡雪岩无可奈何，只好这样说，“你请过来，我有句话说。”

一说自然明白。七姑奶奶也认为芙蓉跟着到了苏州，阿巧姐一见，当然什么话都说不出口。这是个极好的挡箭牌，于是她悄悄劝尤五嫂，不必强留。至于芙蓉，听说有此关系，随即也改了主意，愿意跟七姑奶奶作伴到苏州。于是连夜收拾行李，第二天一早下船，一行四众，胡雪岩和两位堂客之外，另外带了个后生，名叫阿土。他曾奉过尤五的命令，到苏州去送过俞三婆婆的寿礼，所以胡雪岩带着他做“向导”。

* * *

到了苏州可热闹了，在金阊栈的，有原来住在那里的周一鸣，随后来的裘丰言，还有跟了来“轧闹猛”的刘不才。他们分住了两座院落，却都集中在胡雪岩那里，听他发号施令。

“七姐！你带着阿土是第一拨，见着三婆婆，先替我们问好，再说要去拜访她。如果她问，为什么不跟着你去，你就说怕她嫌我们冒昧不见。然后问她，明天一早去见她，行不行。她若是允了，你就派阿土回来通知。”

“我晓得了。小爷叔，”七姑奶奶问道，“三婆婆一定会问，为啥要去看她，我怎么说？”

“你只说我们寻俞老寻不着，只好来见三婆婆。她若问起寻俞老又是何事，你只说不晓得，不过决无恶意。”

“好的，我懂了。”七姑奶奶说完，立刻带着阿土离去。

“老周！你即刻上观前去一趟，替我办一身七品服色！从上到下，全套都要。”

“啊呀！”裘丰言说，“我也没有带袍褂来。”

“那容易，一共办两身。”等周一鸣一走，胡雪岩对刘不才说，“三爷，如今是你的差使了！你身上多带些钱，进城到花家柳巷去走走，挑个最好的地方‘开盘子’，要做阔客！”

“你倒好！”芙蓉先就埋怨了，“一到就不叫三叔干好事。”

“好事坏事，不去说它！”刘不才问道，“这是为了啥？你说了，我心里好有个数。”

“是为了过几天好请客。”胡雪岩说，“听说俞武成是个‘老白相’，嫖赌吃着，式式精通。等他一来，我就把他交给你了！”

“这一说，倒是我来对了！你放心，你放心，等他一来，归我招呼，包管他服服帖帖！”说完，刘不才高高兴兴地走了。

调兵遣将已毕，胡雪岩笑着对芙蓉和裘丰言说：“今天没有事了，我们到哪里去逛逛？”

“算了，算了！”裘丰言说，“等事情办妥了，再去逛也不迟。”

“咦？”胡雪岩问道，“你一向是天塌下来都不担心的人，这回怎么放不下心来？”

“彼一时也，此一时也！”裘丰言说，“这件事，我通前彻后想过了，不全是江湖道上的事，有长毛夹在里头，只怕俞老身不由己！”

这一说，胡雪岩矍然而起。“你的话对，不可不防！”他想了想又说，“事不宜迟，赶快给松江写封信回去。老裘，你来动笔！”

这是裘丰言责无旁贷的事。他一面亲自搬出文房四宝来，一面问胡雪岩，这封信如何写法。

信中拜托老太爷，等俞武成到了松江，务必设法探明跟赖汉英那方面订下了怎样的约定，原来的计划是如何动手。还有最要紧的一层：俞武成是不是在赖汉英的挟制胁迫之下，有身不由主的模样？

刚把信写完，阿土已经回到客栈，跑得气喘吁吁地说：“七姑奶奶叫我赶紧回来通知，三婆婆的孙子，马上要来拜会，他是个‘总爷’。”

绿营武官中有‘千总”“把总”的名目，是低级武官，所以老百姓见了绿营兵丁，都尊称一声“总爷”。胡雪岩觉得这不值得重视，倒是三婆婆有此礼遇的表示，自然是肯接见了，值得高兴。

“好的，我知道了。”他想了一想，认为阿土在苏州已无用处，正好派他回去送信，“阿土，我烦你立刻回松江，拿这封信送给老太爷。你跟老太爷说，信中所谈的事，一有结果，立刻给我回信。就劳驾你再辛苦一趟。”说着，又喊芙蓉，取出十两银子送他做盘缠。

就这时，只见金阊栈的伙计引进一名武官来，后面还跟着四名马弁。一看这气派，不像“总爷”。胡雪岩眼尖，赶紧向裘丰言说道：“是个水晶顶子。”

顶戴用水晶，是五品官员，裘丰言失声说道："啊！是守备。糟了，便衣接见，似乎失礼。"

失礼也无可补救了，只见伙计已经高举名帖，拉长了声音唱道："俞老爷拜！"

裘丰言比较熟于官场仪注，拉一拉胡雪岩，掀开门帘，踱着方步，迎到外屋。他见"俞老爷"带着马弁站在门外，便闪开了视线，从伙计手里接过名帖来看。上面写的是：侍晚俞少武顿首拜。不用说，是俞武成的儿子。

"不敢当，不敢当！请你替我们挡俞老爷的驾，身在客边，未带公服，不敢亵慢！"

伙计还未接话，俞少武已经跨了进来，两手一挥，将马蹄袖放了下来，接着便请了个安。虽说武职官儿品级不值钱，但到底受之有愧，所以胡雪岩和裘丰言都觉得相当尴尬。

幸好，俞少武不叙官阶叙世谊，站起来口称："两位老世叔！"他说，"家祖母特意命少武来请安。家祖母的意思，不敢劳动两位老世叔光降，有什么吩咐，告诉少武就是了。"

"是，是！"裘丰言拱手答道，"世兄，请先坐了叙说。敝姓裘，这位是雪岩兄！"

彼此重新又见了礼，坐定攀谈，裘丰言一番官场中请教"功名"的话头过后，这才知道，俞少武是一名武进士，授职守备，派在两江"督标"当差。督标中军知道他是漕帮子弟，又见他仪容出众，言语灵便，特为报请总督，行文兵部，将他补了一名"提塘官"，专驻京城，接理两江总督衙门的奏折呈递事宜。他最近是请假回籍省亲，还有个把月的勾留。

"原来世兄是科甲出身！真正失敬之至。"裘丰言翘一翘大拇指，"英雄出少年。如今亦正是英雄的时势，前程如锦，可喜可贺。"

等到寒暄告一段落，俞少武重申来意，请示有何吩咐。这是谈到了正经上头，裘丰言使个眼色，让胡雪岩回答。

"有件事，要请教令尊。只为令尊行踪不定，特意来求三婆婆。"胡雪岩说，“未尽道理，不便启齿，我想烦世兄回去禀告令祖母，我跟裘兄准定明天一早，登堂拜谒，务必请三婆婆容我们晚辈，有个申诉的机会。”

“实在不敢当。”俞少武站起身来答道，“家祖母说，现在住在苏州，亦是寄人篱下，只怕接待简慢，不敢劳驾，有话还是请这时候吩咐。”

“这是三婆婆体恤我们晚辈，做晚辈的自己要知道敬老尊贤。”胡雪岩又说，“我跟松江尤五哥如同亲弟兄一样，他不当我‘门槛’外头的人看待，说起来等于一家人，我们岂有不去给三婆婆请安的道理？准定这样，明天一早到府上。虽有话要申诉，但绝不会让老人家操心为难，请放心！”

俞少武听得这样说，只好答道：“那就明天上午，恭候两位老世叔的大驾！”

说完，他请安告辞。胡雪岩和裘丰言送出客栈大门，又开发了四名马弁的赏钱。眼看客人骑马走了，两个人在门口就谈了起来。

“想不到俞武成有这样一个好儿子！”胡雪岩赞叹着说，“上头又有那么一位老娘替他遮风雨，我倒着实羡慕他的福气。”

“闲话少说。”裘丰言熟于官场的种种，提醒胡雪岩说，“明天去见三婆婆，着实该有一番重的礼节。照我看，三婆婆必是一位封的命妇。”

“喔！”胡雪岩倒想起来了，从他捐了官以后，一直就想替父母请个封典，也算是荣宗耀祖的一番孝心，所以听裘丰言提到此事，特感兴趣。

“老裘，我正要请教你，这封典是怎么请法？”

“到里头去谈。”

回到里面，丢下俞家的事，裘丰言细讲封典。照《会典》规定，文武官员三品以上封三代，妻子、父母、祖父母；七品到四品封两代，妻子、父母；八、九品只封妻子，未入流就谈不到封典了。

人子为尽孝心，将妻子的封典让出来，让求改封上人，叫作“封”，所以三品以上的官员，可以请求封曾祖父母，七品到四品，可以请求封祖父母。以俞家的情形来说，俞少武一定替三婆婆请了封典。

“封典亦是朝廷的名器，从前很慎重的，但军兴以来也滥了。跟捐官一样，封典亦可以捐的。”

“喔，”胡雪岩更感兴趣，“怎么捐法？”

“白丁是不可以捐的，有了官职，可以加捐品级。”

“那好！捐个‘一品夫人’什么价钱？”

裘丰言笑了。“一品夫人是捐不来的，捐加品级，也有个限制。像俞少武是五品，可以替他祖母捐个‘三品淑人’。”他略停一下又说，“明天我们去见她，势必至于要穿公服，也势必至于要磕头。这虽是礼书所不载，但比照下属见上官的礼节，应该如此。”

“不但要行大礼，”胡雪岩说，“江湖上的人，最讲究面子，我还想捧一捧这位老太太。譬如说我们借一副‘导子’摆了去，让她家热闹，你看行不行？”

“这也没有什么不行，不过嫌俗气而已。只要你不在乎人家背后笑你，我就可以借得到。”

“借哪个的？”

“当然是借县官的。吴县孙大令，跟我相熟，要借他的导子一定借得到。不过敲锣喝道而去，如果她家地方太小，或者巷子太狭，塞得实实足足，害做主人的不自在，那反倒不好了。”

“这话也是，等老周回来了再说。”

周一鸣还没有来，七姑奶奶却从俞家折回。她是奉了俞三婆婆之命，特意来接芙蓉去相会的。她告诉胡雪岩，说俞三婆婆起先有所疑忌，当是她儿子跟浙江官面上有什么纠葛，特意派两名“差官”来“办案”。后来俞少武回去一说，提到胡雪岩的声明，绝不让她“操心为难”，才知他们此来，并无恶意。

“三婆婆听我提到芙蓉阿姨，她说：‘照规矩，他们两位既然特为武成而来，就是我家的贵客，该尽地主的道理。不过我是女流，不便出面，少武又是晚辈。只好这样了，把胡家姨太太先请了来，也算是个做东道的意思。’小爷叔，我看三婆婆的意思很诚恳，就让芙蓉阿姨去走一趟好了。”

胡雪岩欣然许诺："三婆婆的盛意，不可不领。这样，"他转脸对芙蓉说，"你就跟七姐去玩一趟，顺便先把我们的礼带了去。"

芙蓉有些踌躇，她拙于交际应酬，又听说俞三婆婆早年是那样一个"狠角色"，心里有种异样的畏惮。七姑奶奶看出她的心思，便即鼓励她说："不要紧！一切有我。"

"对了！"胡雪岩也明白她的心境，"有七姐保你的驾，你怕什么？"

"也好！"芙蓉终于点点头，"我总归寸步不离七姑奶奶就是了。"

"你看！"七姑奶奶笑道，"我们这位芙蓉阿姨，真正忠厚得可怜。闲话少说，你快换衣裳，我们就走。"

趁芙蓉更衣的片刻，胡雪岩把他们第二天的部署告诉了七姑奶奶。凡是这种摆虚场面的事，从中必要有个"赞礼"的人来穿针引线，素昧平生的双方，礼尚往来，才会若合符节。七姑奶奶是玲珑七窍心，当然心领神会，一口应承，包管主客双方，不但不至于会在礼节上出现僵窘，而且皆大欢喜。

等芙蓉一走，俞少武又派马弁送了一桌燕菜席来。吃到一半，又有人来通知，说七姑奶奶和芙蓉这天都让俞三婆婆留着，住在俞家了。这种种情谊相孚的迹象，都显示着明天见了俞三婆婆，一切难题都可迎刃而解。现在只望阿土能赶快送个信来，说俞武成不会受到赖汉英那方面的挟制，大功便近乎告成了！

第二天一早起身，漱洗装扮，胡雪岩和裘丰言一个人一身簇新的袍褂，由周一鸣当跟班，捧着拜匣，另外裘丰言的一名听差挟着衣包和红毡条，跟在轿子后头，一直进城，直奔铁瓶巷俞家。

俞家从七姑奶奶那里得知梗概，也早有准备，大门洞开。俞少武候在门口，等轿子一到，命轿夫抬了进去，到大厅滴水檐前下轿。

彼此作揖招呼过后，胡雪岩便说："把老人家请出来吧！我们好行礼。"

"实在不敢当！"俞少武垂手弯腰答道，"家祖母有话，请两位老世叔换了便衣，到后厅待茶。"

"礼不可失！"裘丰言说道，"初次拜谒，一定要'堂参'的！"

谦辞再三，俞少武说了句："恭敬不如从命！"便转到大理石屏风后面去了。

于是周一鸣和裘丰言的听差一起动手，移一张太师椅正中摆好，椅前铺下红毡条，静等俞三婆婆出临。

不久，听得脚步隐隐，望见去裙衫绰约，是七姑奶奶亲自搀着俞三婆婆，颤巍巍地走了出来。胡、裘二人，一齐站起，在下首并立。胡雪岩定睛凝视，一见了俞三婆婆的面，不免诧异。在他的想象中，俞三婆婆早年既有'英雄'的名声，想来必是像山东妇女的那种刚健高大的体魄，谁知她生得又矮又小，而且百褶红裙下，浑如无物，料想必是一双三寸金莲。这样纤弱的一个妇人，怎能叫无数江湖好汉畏服？真正是人不可貌相了。

然而看到脸上，才知道她果有不凡之处。那张脸皱得像橘皮一样，口中牙齿大概掉完了，瘪得很厉害，但是一双眼睛，依然十分灵活，顾盼有神。视线转到客人身上，她侧脸问七姑奶奶："哪位是你的小爷叔？"

"个子高的那位。"

胡雪岩便踏上一步。"我是胡雪岩！"他说，"特地来给三婆婆请安。"

"哎呀！这话折煞我了。胡老爷你千万不要这样说。"

"三婆婆！"七姑奶奶说，"小爷叔跟师叔一辈，你请坐下来，好让小爷叔跟裘老爷行礼。"

"喔，还有裘老爷，更不敢当了！"

谦之又谦，让之又让，俞三婆婆只肯站在椅子旁边，受了两位"大老爷"的头，由她的孙子磕头还礼。

"两位老世叔，请换了便衣，后面坐吧！"

于是俞三婆婆仍旧由七姑奶奶搀着，先回了进去。胡雪岩和裘丰言换去袍褂，在俞少武陪同之下，被接到二厅款待。八个干湿果盘，银托子的盖碗茶，排场相当讲究。

“真正不敢当！胡老爷、裘老爷这么隆重的礼数，又赏了那么贵重的东西，叫我老婆子真不知道怎么说才好。”俞三婆婆说到这里，又转脸对七姑奶奶说，“我的耳朵不好，回头两位有什么吩咐，你替我仔细听着！”

这就显得俞三婆婆是个角色了！她明明耳聪目明，却偏这样子交代，为的是留下一个退步，等胡雪岩有所干求而无法办到时，便好装聋作哑，得有闪转腾挪的余地。

因为如此，胡雪岩越发不敢大意，要言不烦地叙明来意。他一方面表示不愿使松江漕帮为难，开脱了老太爷的窘境；一方面又表示不愿请兵护运，怕跟俞武成发生冲突，伤了江湖的义气。

这番话真如俗语所说“绵里针”，表面极软，骨子里大有讲究。俞三婆婆到底老于江湖，熟悉世面，听胡雪岩说到“不愿请兵护运”这句话，暗地里着实吃惊。这话等于指责俞武成抢劫军械，这是比强盗还重的罪名，认起真来，灭门有余。

“胡老爷，裘老爷！”俞三婆婆装出气得不得了的样子，“我这个儿子，真正无法无天！活到六十多，实在还不及我这个孙子懂事。两位看我老婆子的面上，千万不必生气，等我找了他来问。”她回头拄一拄拐杖，厉声吩咐俞少武，“赶快多派人，把你那个糊涂老子找回来！”

不管她是真的动气，还是有意做作，来客都大感不安。“三婆婆！”胡雪岩急忙相劝，“这件事怪不得俞大哥！我们也是道听途说，事情还不知道真假，我想俞大哥亦不至于敌友不分。我们的来意，是想请三婆婆作主，就算没有这回事，少不得也要仰仗俞大哥的威名，保一保我们。”

听得这一说，俞三婆婆的脸色和缓了，转眼对七姑奶奶说：“这倒还罢了！我想你师叔也不至于这么糊涂！”略停一下，她又对客人说道：“既承两位看得起我，武成理当效劳。他心直口快，外面得罪的人多，每每有人造他的谣言，亏得两位贤明，绝不会误听人言。事情好办，请两位在苏州玩个两三日，我一定叫两位高高兴兴回杭州。”

胡雪岩将她的话，一字一句，听得明明白白，心里着实佩服俞三婆婆，她就这么轻描淡写地，将俞武成意图劫械的一行罪嫌，洗刷掉了。话是从自己口里说出去的，“道听途说”“不知真假”，即使将来翻脸，要想改口，已是不能。真正姜是老的辣！自己竟糊里糊涂被她骗了一句话去，可以说是这一年多一帆风顺的境遇中，唯一的一次栽跟斗。然而，这个跟斗栽得不能不服输。

“多谢三婆婆，我们不敢打搅了。静听好音！”胡雪岩站起身说，“不过，我们还有句话：实在想交一交俞大哥，等他来了，务必请三婆婆派人给我们个信，我们好当面跟俞大哥解释。”

“都是好朋友，一切心照，何用解释？”俞三婆婆说，“两位抬举武成，我们母子祖孙三代都是感激的。等武成一回来，我马上叫他给两位去请安。”这几句交代，漂亮之至。胡雪岩和裘丰言心满意足，但要告辞，却被留住了。

“无论如何，要让我们祖孙，尽一点意思，吃了便饭再请回去！”俞三婆婆又说，“看见两位，我倒想起有件心事，还要重托。”

俞三婆婆的话，其实是留客的托词。筵席是早就预备好的，俞家还请了陪客，有些是俞少武的同僚，有些是俞武成的师兄弟。不管是何身份，他们对胡、裘二人的礼数都极恭敬。好在胡雪岩长于词令，裘丰言为人风趣，所以很快地都消除了拘束的感觉，快谈豪饮，颇为酣畅。

酒到一半，俞少武告个罪，回到二厅。那里也有一桌丰盛筵席，是俞三婆婆亲自做主人，款待芙蓉和七姑奶奶。这一桌就不如外面那样轻松自如了，主要的原因是，芙蓉被奉为首席，深感不安，过于矜持。

俞少武一进来，先敬堂客的酒。照官称叫芙蓉是“胡姨太太”，但他也学了京里的规矩，将“姨”字念成“亦”字，表示“亦是一位太太”。

敬了“胡亦太太”，再敬七姑奶奶。七姑奶奶跟俞少武是青梅竹马之交，一个叫“七姐”，一个叫“大弟弟”。这一番周旋过后，俞少武才搀着祖母到大厅向官客来敬酒。

在座的陪客都是她的晚辈，胡、裘二人亦以晚辈自居，所以一齐起身离座，再三谦辞。结果由俞三婆婆总敬一杯，然后向她孙子说道："少武，你要向胡老爷、裘老爷磕头道谢。这两位真正够义气！"

俞少武也已知道他父亲的所作所为，倘或认真，是件不得了的事，所以连声答应着，要来行礼。胡雪岩和裘丰言，自然不肯受这个头，逊席相避，于是俞三婆婆又说话了。

"两位请听我说。我就是这个孙子，如今大小也是朝廷的命官，在我们这种人家，也算荣宗耀祖了。不过，江湖上的家世，跟官场难免合不拢，这是我一直不放心的一件事，总想托个人照应，说实话，官场中也认识几位，不是人家看不起我们，就是自己觉得高攀不上。难得两位赏面子，再说句放肆的话，我也看得两位跟官场中人不同，真正是重情分，讲义气。所以，今天当着大家的面，我把我这个孙子，托付给两位，要让少武磕了头，我才放心。"

这一套长篇大论，旁人只觉得俞三婆婆是特别看重两位贵客，在胡雪岩却听出弦外之音：拜托照应俞少武，实在是拜托回护俞武成。照此看来，俞三婆婆用的心思极深，处处在防备自己这方面会动用官面上的力量来对付她的儿子。有此疑忌存在，总不是件妙事。

为了消释可能会有的误会，胡雪岩不肯说谦辞的话。"既然三婆婆如此吩咐。我们倒不能不老着脸受少武一个头。"他说，"三婆婆，从今天起，少武的事，就等于我自己兄弟的事一样。"

"胡老爷，你的话错了！"俞三婆婆平静地说，"是你侄儿的事。"

"侄儿也罢，兄弟也罢，只当我自己的事！"

"少武！"俞三婆婆极欣慰地说，"你听见没有？还不快磕头！你说想调回来，跟在我身边，胡老爷一定会替你想法子。"

这一说，俞少武更是心甘情愿地跪了下来，胡雪岩也就坦然受了他的大礼。

江湖上重然诺，经此当筵一拜，俞少武的穷通富贵，便与胡雪岩息息相关了。而父子的安危祸福是不可分的，所以俞武成如果遇到了什么难题，胡雪岩由于对俞少武有责任，自然也不能袖手。俞三婆婆这着棋，实在高明，然而也只有胡雪岩喻得其中的深意。

因此，他对松江的消息，特感关心。为了不愿让裘丰言担心，他只好独任其忧，在肚子里默默做功夫，将俞武成的情况，重新作一番深入的估计。想得越多，疑虑越深，到了第二天早晨，尚无消息，他觉得不能再因循株守，坐失时机了。

于是约了俞少武在吴苑茶馆见面，找个僻静之处，悄悄问道："你晓不晓得令尊此刻在哪里？"

"大概是在青浦叉袋角。"俞少武说，"不瞒老世叔说，家父在那里有一房家眷，叉袋角又有几家大赌场，是家父喜欢去的地方。我昨天就请人分头去找了，到今天晚上一定会有消息的。"

"我倒要问问你，令尊跟赖某人到底是啥交情？他想动那票'货色'，你知道不知道？"

这一问，俞少武的脸色显得异常认真，用一种近乎要赌咒的语气答道："在老世叔面前，我不敢说一个字的假话，我一点都不晓得。家父不会跟我说，我也不便去问。而且我一直在京城里，回来还不到半个月，一共见过家父两面，谈不了几句话。如果我晓得有这件事，无论如何要想法子，劝家父打消了它！"

话说得很诚恳，也相当坦率，胡雪岩觉得跟他谈论，不必像对他祖母那样要加几分小心，便直抒所感："这件事，照我看有麻烦。令尊客居异地，手下的弟兄都不在这里，虽然出头来主持，无非因人成事。上山容易下山难，不是凭一句话就可以罢手的。如果脱不得身，怎么办？"

俞少武是现任的武官，当然能够领会胡雪岩所说的话。他想一想果然，截掠军械，是件非同小可的事，调兵遣将，如何下手，得手以后，如何将这批枪械运交赖汉英？官军派出大队拦截剿办，又如何应付？自然得有一番布置，而人不是自己的人，中途变卦，想凭一句话就撤消原有的布置，哪有这么容易的事？

他这样一层一层想下来，脸上顿现愁云。“事不宜迟！”他说，“及早劝阻，还容易着手。我马上就到青浦去一趟。”

见他如此果断，胡雪岩深感安慰，不过他的计算到底比俞少武深得多，按着他的手说：“你不宜去！因为虽是父子，到底是朝廷的五品武官，去了容易让人起疑。而且，只要令尊是在青浦，这时候就一定到了松江，你去了也是扑空。”

“那么，老世叔说怎么办，我听命。”

“我想我马上赶回松江去看看。你派个得力的人跟了我去。”胡雪岩紧接着说，“令祖母有什么话交代，最好也由这个人带了去，那就更省事了。”

“是！”俞少武说，“我马上回去告诉我奶奶。老世叔是不是一起到舍下坐坐？”

“不必！”胡雪岩答道，“我先回金阊栈料理，在那里等你的信息。再托你转告七姑奶奶，小妾烦她照应。”

“是，是！我奶奶跟姨太太极谈得来，就请她在舍下玩两天，一切我们都会伺候，老世叔请放心！”

“打搅不安。只有等我回来，再给三婆婆道谢了。”

于是就在吴苑分手，各奔东西。胡雪岩轿去如飞，到了金阊栈，只见裘丰言一个人在那里独酌。裘丰言见他进来，便站起身来说：“你到哪里去了？刘三爷和老周又不在，我一个人又不敢走开，无聊之极，只有借酒遣闷。”

胡雪岩虽有事在心，但天生是什么忧烦都不肯现于词色的人，便笑笑调侃他说：“没有哪个不准你吃早酒，何必还要想套话来说？”

刚说到这里，只见刘不才脚步轻飘飘地走了进来，裘丰言一见，便趁着酒兴向他这位谐谑惯了的好朋友取笑。“三爷，春风得意？”他说，“我真羡慕，老胡委派了你那么好一个差使。说说看，温柔乡中是何风光？”

胡雪岩昨天派他的差使，是去寻芳问艳。刘不才不辱所命，连走数家，到底访着了一处极出色的妆阁，主政是金阊的一朵名葩。

“你先说，芳名叫啥？”

“你看！”

刘不才从口袋里掏出一张“局票”，黄笺纸印着一个银元宝，只字皆无。连胡雪岩那样的人，都猜不透他是什么用意。

“我是问那个姑娘的花名，你弄这张纸头给我们看干什么？”裘丰言把局票翻过来、翻过去看了两遍，交还刘不才。

刘不才不接。“你再仔细看看，”他说，“这张局票上就隐着她的名字。”

这一指点，胡雪岩马上就猜到了一半：“姓黄？”

“对！叫作黄银宝。”

“妙！说穿了一点不错。”裘丰言仔细欣赏那张局票，角上有“北京琉璃厂荣宝斋精制”的字样，不由得又夸一声，“似俗而雅，倒也难得。”

“一点不错！似俗而雅。”刘不才抚掌说道，“名字俗气，人倒雅得很，像朵菊花似的。”

“那么你就是陶渊明了！‘采菊东篱下，悠然见南山’。”裘丰言笑道，“昨天晚上采了花没有？”

“哪有这么容易的事，你看得她们太不值钱了！”

“那么昨天一夜不回是借的干铺？”胡雪岩说，“刚刚头一天肯借干铺，也就不错的了。”

“照这样说，你今天就该‘报效’了！”裘丰言兴致勃勃地说，“今天晚上吃你的‘镶边酒’！我替你算算客人看，老胡一个，俞少武一个……”

“慢点，慢点！”胡雪岩打断他的话，“不要算上我，我马上要到松江……”

这下是裘丰言打断了他的话：“何出此言？”

“是真的。吃花酒的事，摆在一边再说。”胡雪岩略顿一下，毅然说道，“我们先商量正经。”

* * *

先是不愿他人分忧，到此地步，已非胡雪岩一个人的力量所能消弭可能有的祸患，因此，他唯有直言心中的顾虑。裘丰言已有先见，经验也多，倒还不怎么样；刘不才从前是纨绔，此刻成了清客的材料，酒阵拳仗，一往无前，但听得这种隐伏杀机的勾当，顿时脸色大变，连黄银宝都置诸脑后了。

胡雪岩一见他这样子，赶紧加以安慰，拍拍他的背说："没有你的事，你跟老裘坐守苏州。"

"就没有我的事，我也不放心你去啊！"

"这话不错。"裘丰言接口，"是我的事，我没有袖手闲坐的道理。"

"算了，算了！"胡雪岩急忙拦在前头，"我没工夫跟你们争论，现在办事要紧，你们要听我的，不要乱了阵脚。"

这是所谓徒乱人意，裘丰言和刘不才不敢再开口。于是胡雪岩又估计情势，分析出三种情况，三种难处。

三种情形是：第一，俞武成跟洪、杨合作，调兵遣将，已经布置就绪，而且身不由己，无形中受了挟制；其次，虽已布置就绪，但收发由心，仍可化干戈为玉帛，只是一笔遣散的费用，相当可观；最后一种情况，也正就是大家所希望的，俞武成可以说不干就不干，至多将已收的酬金退还给对方而已。

"凡事总要作最坏的打算。算它是第一种情形，我倒也有个算盘。"

裘丰言略一踌躇："老胡，你先说，是哪三种难处？"

"第一是俞家的交情。俞三婆婆实在厉害，如今这件'湿布衫'好像糊里糊涂套到我身上了，投鼠忌器，处处要顾着俞武成，这是最大的难处。"

"是的。"裘丰言深深点头，"又不光是俞家的交情，牵涉到松江漕帮，无论如何这份交情要保全。"

"我也是这么想。所以我初步有这么个打算，倘或是第一种情形，至少要想法让俞武成退出局外，哪面也不管。"

"你的意思是，如果赖汉英一定要蛮干，就是我们自己来对付？"

"对！我们要替俞武成找个理由，让那方面非许他抽身不可。"

"这容易想。难的是我们自己如何对付？"裘丰言说，"照我看到那时候，非请兵护运不可。"

"难就难在这里，目前请兵不容易，就请到了，绿营的那班大爷，也难伺候，开拔要钱，安营要钱，出队要钱，阵亡抚恤，得胜犒赏更要钱……"

"算了，算了！"裘丰言连连摇手，"此路不通！不必谈了。"

"那么谈第三种难处。譬如能够和平了结，他们的人或者撤回，或者遣散，我们当然要筹笔钱送过去。钱在其次，万一有人告我们一状，说我们'通匪'，这个罪名，不是好开玩笑的！"

裘丰言瞿然而惊。"我倒没有想到这一层。"他是那种做了噩梦而惊醒的欣慰，"亏得你想得深！"

在旁边半天不曾开口的刘不才，听得满腹忧烦，忍不住插了句口："只听你们说难！莫非真的一筹莫展？"

"你倒说，有什么好办法？事情是真难！"裘丰言看着胡雪岩，"老胡，我看只有照我的办法，一了百了。"

他故意不说，留下时间好让人去猜。可是连胡雪岩那样的脑筋，亦不得不知难而退："老裘，你说吧！看看你在死棋肚里出了什么仙着？"

"依我说，这票货色，拿它退掉！"他撇着京腔说，"大爷不玩儿了！看他们还有辙没有？"

"这，这叫什么话。"刘不才是跟他开惯玩笑的，便尖刻地讥嘲，"天气还没有热，你的主意倒有点馊了！"

"三爷，话不是这么说！出的主意能够出其不意，就是高着。真的如此，叫他们自费心思一场空，倒也不错。不过，为了明哲保身，不求有功，但求无过，不妨这么办。现在，我们是在打天下，就绝不能这么退缩。面子要紧！”

这个面子关乎胡雪岩的信誉，裘丰言的前程，还有王有龄的声望，非绷了起来不可。说来说去还是得照胡雪岩的办法，初步找个理由让俞武成脱身事外，第二步看情形再作道理。

“这个理由太容易找了！”裘丰言说，“俞武成是孝子，江湖上尽人皆知。如今老太太说不行，就叫不行！俞武成母命难违，不是很好的理由吗？”

胡雪岩还未及答言，只见又是四名马弁出现，随后便见俞少武陪着一个人进来。这个人的形象生得极其奇特，一张圆脸上眉眼鼻子凑得极近，年纪有六十了，一张瘪嘴缩了上去，越显得五官不分，令人忍不住好笑。

“老世叔，我替你引见一个人，是我大师兄杨凤毛。”

看杨凤毛年纪一大把，胡雪岩总当他是俞少武的父执辈，如今听说是“大师兄”，知是俞武成的“开山门”的徒弟，大概代师掌帮，是极有分量的人物，所以赶紧走上去拉着他的手说：“幸会，幸会！”

哪知杨凤毛年纪虽大，腰脚极其轻健，一面口中连称“不敢”，一面已跪了下去磕头。胡雪岩谦谢不遑，而杨凤毛“再接再厉”，对裘丰言和刘不才都行了大礼。

“这是怎么说？”胡雪岩很不安地，“这样子客气，叫我们倒难说话了。”

“是我们三婆婆交代的，见了胡老爷跟胡老爷的朋友，就跟见了师父一样。”杨凤毛垂手说道，“胡老爷，三婆婆派我跟了你老到松江去。”接着他张目四顾，显得很踟蹰似的。

胡雪岩懂得他的意思，江湖上最重秘密，有些话是连家人父子都不能相告的。虽然裘、刘在座共闻，绝不会泄漏，不过“麻布筋多，光棍心多”，杨凤毛既然有所顾忌，不如单独密谈的好。

于是他招招手说：“杨兄，我们借一步说话！”

“告罪，告罪！”杨凤毛又向裘丰言、刘不才作了两个大揖，才跟着胡雪岩走到套间。地方太小，两个人就坐在床沿上说话。

“胡老爷！三婆婆跟我说，胡老爷虽在‘门槛’外头，跟自己人一样，关照我说话不必叙客套，有什么说什么。所以，我有句老实话，不晓得该不该说？”

这样招呼打在前头，可知那句“老实话”，不会怎么动听。只是胡雪岩不是那么喜欢听甜言蜜语的人，便点点头说：“没有关系！你尽管说好了。”

“我也打听过，胡老爷是了不起的人物。不过隔道门槛就像隔重山，有些事情，胡老爷怕没有经过。”杨凤毛略停一下又说，“江湖上的事，最好不沾上手，一沾上就像唱戏那样，出了上场门就不容你再缩回去了。”

“我知道。这出戏不容我不唱，哪怕台下唱倒彩，我也要把它唱完。”

“现在这出戏不容易唱，‘九更天带滚钉板’！”杨凤毛满脸诚恳地说，“能不唱最好不唱。”

一听这话，胡雪岩起了戒心。俞武成想动那批洋枪，显然的，杨凤毛也是参预其事的一个，而且以他们的关系来说，杨凤毛必还是一个重要角色。虽然三婆婆极其漂亮，俞少武相当坦率，然而他们都算是局外人，只有眼前的这个杨凤毛，才是对自己此行成败大有关系的人物，而照彼此的立场来说，是敌是友，还不分明，倒要好好应付。

因此，他很谨慎地答道：“多谢老兄的好意。事出无奈，不要说是‘九更天’，就是‘游十殿’我也只好去。不过，‘花花轿儿人抬人’，承三婆婆看得起我，我唱这出戏，总要处处顾得到她老人家。”

这番表白，似软实硬，意思是不看三婆婆的面子，就要硬碰硬干个明白。至于“花花轿儿人抬人”这句俗话是反着说：“我是如此尊敬三婆婆，莫非你们就好意思让我下不去？”

杨凤毛是俞武成最得力的帮手，见多识广，而且颇读过几句书，此来原是先要试探试探胡雪岩，看他是不是够分量、能经得起大风大浪的人。如果胡雪岩窝窝囊囊不中用，或者虽中用是个半吊子，便另有打算；现在试探下来，相当佩服，杨凤毛这才倾心相待。

“胡大叔！”他将称呼都改过了，“既然你老能体谅我们这方面，愿意担当，那么我就掏心窝子说实话。事情相当麻烦。”

果然，是胡雪岩所估计的第一种情形。这当然也要怪俞武成沉不住气，自觉失去了镇江一带的地盘，寄人篱下，不是滋味；同时漕帮弟兄的生计甚艰，他也必须得想办法，为了急谋打开困难，以致误上贼船。

“胡大叔，”杨凤毛说，“我师父现在身不由己。人是他们的，一切布置也是他们的，不过抬出我师父这块招牌，挡住他们的真面目而已。”

“那我就不懂了，莫非他们从镇江、扬州那方面派人过来？不怕官军晓得了围剿？”

“这就要靠我师父帮他们遮盖了。”杨凤毛答道，“镇江、扬州派来的人倒还不多，一大半是小刀会方面的。周立春的人本来已经打散，现在又聚了拢来了。”

“如果你师父不替他们遮盖呢？”胡雪岩问，“那会变成啥样子？”

“变得在这一带存不住身。”

这就是对方非要绊住俞武成不可的道理。事情很明显了，俞武成是骑虎难下，纵能从背上跳下来，亦难免落个出卖自己人的名声。江湖上最看重这一点，所以俞三婆婆的话有没有效力，俞武成是不是始终能做个百依百顺的孝子，都大成疑问。

想是这样想，话不妨先说出来，胡雪岩说：“‘萝卜吃一截剥一截’，我想第一步只有让你师父跳出是非之地，哪一方面都不帮。这总可以办得到吧？”

“那也要做起来看。”

“怎么呢？”

“那方面如果不放，势必至于就要翻了脸。”杨凤毛说，“翻了脸能够一了百了，倒也罢了，是非还在！胡大叔，请问你怎么对付？除非搬动官军，那一来是非更大了。”

这就是说，跳下了虎背，老虎依然张牙舞爪，如何打虎，仍旧是个难题。就这处处荆棘之际，胡雪岩灵机一动，不自觉地说出来一句话。

“做个伏虎罗汉，收服了它！”

杨凤毛不懂他的话，愕然问道：“胡大叔！你说点啥？”

胡雪岩这才醒悟，自己忘形自语。“喔，”他笑道，“我想我心里的事。有条路或许走得通，我觉得这条路，恐怕是唯一的一条路。”

“只要走得通，我们一定拼命去走。胡大叔，你说！”

胡雪岩定定神答道：“我是‘空子’，说话作兴触犯忌讳，不过——”

“唉，胡大叔！”杨凤毛有些不耐，“我们没有拿你老当空子看。胡大叔，你何须表白。”

“好！那我就实说。”胡雪岩回忆着老太爷的话，从容发言，“你们漕帮的起源，我也有些晓得，洪、杨初起，你们都很看重的，哪晓得长毛做出来的事，不伦不类，跟圣经贤传上所说的大道理，全不对头，简直可以说是逆天行事，决计成不了气候。既然如此，无须跟他们客气。再说，你们镇江、扬州的地盘，就失在他们手里。有朝一日光复了，你们才有生路。你说我这话是不是？”

“是的！”杨凤毛深深点头，忧郁地说，“我师父这一次是做得莽撞了些。”

“歪打可以正着！老兄，”胡雪岩抚着他的背说，“我替你们师徒想条路子！小刀会这方面的情形，我也有点晓得，周立春他们那班人，亦不过一时鬼摸头，心里何尝不懊悔？只不过摸不到一条改邪归正的路子。如今要靠你们师弟两个。我的意思是，周立春下面那批打散了的人，既然已经聚拢，何不拿他们拉过来？”

一听这话，杨凤毛那张瘪嘴闭得越紧，以至于下巴都翘了起来，一双眼睛眨得很厉害，不过眼中发亮，是既困惑又欣喜的神情。

“胡大叔，你是说‘招安’这批人？”

“是啊！”胡雪岩说，“赖汉英那里来的长毛，如果肯一起过来最好，不然就滚他娘的蛋，也算对得起他们了！”

杨凤毛觉得胡雪岩的做法很平和，再往深处去想，就算俞武成能退出来成为局外人，也只是表面如此看法，实际上是绝不能置身事外的，倘或官军围剿，事情闹大了，江湖上还会批评他不够朋友。所以唯有这样子才是正办，退一步说，招安不成，他总算为朋友尽过心力，对江湖上也有了交代了。

想通了这些道理，杨凤毛顿时将胡雪岩敬如天神，站起来便磕了个头。胡雪岩大惊，急忙避开，拉着他的胳膊说：“怎么，怎么，无缘无故来这一套！”

“胡大叔，你算是救了我师父一家，你老怕还不晓得，三婆婆几十年没有为难过，这一趟她老人家急得睡不着觉。在苏州，我们是客地，这件事要闹开来，充军杀头都有份！再说，她老人家又疼孙子，少武是朝廷的武官，我师父做这件事，传出去不断送了少武的前程？如今好了！不过，”杨凤毛又赔笑说，“你老送佛到西天，我晓得你老跟何学台有交情，招安的事，还要仰仗鼎力。”说着，又作了个大揖。

胡雪岩倒不曾想到何桂清。如今听杨凤毛一提醒，立刻在心里喊一声：妙！何桂清纸上谈兵的套折，上了不少，现在能办成这事，是大功一件，对于他进京活动，大有帮助。这样看来，自己的这个主意，平心而论，着实不坏。

于是他很爽快地答道：“一句话！这样好的事情不做，还做啥！”

“多谢胡大叔！”杨凤毛的脸色转为严肃，“我听你老的差遣。”

胡雪岩最会听话，听出这是句表示谦虚的反话，实际上是杨凤毛有一套话要说，所以这样答道：“事情是你们师徒为头，我只要能尽力，绝不偷半分的懒。不必客气，该怎么办请你分派。”

“那我就放肆了！我想，第一，这话只有你老跟我两人晓得。”

“当然！”胡雪岩说，“你们杨家的堂名叫‘四知’，天知、地知、你知、我知。”

“是。第二，我想我先去一趟，请胡大叔听我的消息，再去见何学台。”

“那也是一定的。总要那方面点了头，才好进一步谈条件。”

“你老最明白不过，那我就不必多说了。”杨凤毛说，“我马上赶去见我师父，最多一昼夜的工夫，一定赶回来。”

“你师父怕是在松江，我们一起去也可以。”

“不！不在松江。”

不在松江在哪里呢？他不说，胡雪岩也不便问，不过心里已经雪亮：俞武成的行踪，杨凤毛一定清楚。说是最多一昼夜定能赶回来，则隐藏之地亦绝不会远。

“事不宜迟。我现在就走。”杨凤毛郑重叮嘱，“胡大叔！明天上午，请你无论如何不要走开，我人不到一定有信到。”

等杨凤毛告辞，裘丰言自然要问起谈话的情形。胡雪岩谨守约定，只字不吐，只笑着说：“你陪刘三爷去捧那个‘银元宝’好了。几台花酒吃下来，就有好消息了。”

裘丰言宽心大放，喜孜孜地跟着刘不才走了。胡雪岩一个人静了下来，将前后经过情形细想了一遍，觉得自己的路子走对了，走得通走不通，明日此时，可见分晓，且不去管它。眼前有一整天的工夫，光阴如金，不该虚耗，正好将潘家所托以及阿巧姐的终身，办出个头绪来。

这就得找周一鸣了。奇怪的是一早不见他的面，胡雪岩只好留下话说，如果他来了，让他在金阊栈等候。然后胡雪岩坐轿进城，先去拜访何桂清。

* * *

名帖一投进去，立刻延见，何桂清将他请到书斋，执手寒暄，极其殷勤，自然要问起：如何又到了苏州？

“有几件事，必得来一趟，才能料理清楚。其中有一件是云公吩咐的，办得差不多了。”

“喔！”何桂清很高兴地问，“是怎样一个人？”

“德是中上，貌是上中，才是上上，将来体贴殷勤，一定没话可说。”胡雪岩因为阿巧姐自己看中过何桂清，料想进了何家的门，必然驯顺非凡，所以此时夸下这样的海口。

何桂清当然相信他的话，喜心翻倒，忍不住搓着手说：“能不能见一面？”

“请云公少安毋躁。”胡雪岩笑道，“几时到了上海，立刻就能见面。”

到底身份是二品大员，不便做出猴急相，何桂清只得强自按捺着那颗痒痒的心，定一定神答道：“天气快热了。炎暑长行，一大苦事，我想早一点走。算日子，也就在这几天必有旨意。”

“这样说起来，总在五月中就可以动身了。”

“对了。”

“那我跟云公暂且作个约定，以五月十五为期，如何？”

“好的。我也照这个日子去作安排。”何桂清又说，“你托我的事，我替你办了。潘叔雅人倒不俗，我们现在常有往来。承他的情，常有馈遗，想辞谢吧，是你老兄面上的朋友，似乎不恭，只好愧受了。”

何桂清话中是很愿屈尊交潘叔雅这样一个朋友，而潘叔雅对他的尊敬，则从“常有往来，常有馈遗”这些话中，表现得明明白白。胡雪岩的原意，就是要替他们拉拢，所以听得何桂清的话，当然感到欣慰。

照规矩，胡雪岩亦还需有所表示。“云公爱屋及乌，真是感同身受。”他拱拱手说。

“哪里，哪里！”何桂清心里在想，真叫“三日不见，刮目相看”，相隔没有多少日子，不想他也会掉文了！虽是尺牍上的套话，总算难能可贵，这样想着，便又笑道：“雪岩兄，曾几何时，你的谈吐大不相同，可喜之至。”

胡雪岩略有窘色。“叫云公见笑！”他急转直下地说，“有件事，想跟云公请教。”说着，他看了看站在门口的听差。

这是有要紧话说，何桂清便吩咐听差回避，然后由对面换到胡雪岩下首，侧过头来，等他发话。

“我想请教云公一件事，”胡雪岩低声说道，“现在有一批人，一时糊涂，误犯官军，很想改过，不知道朝廷能不能给他们一条自新之路？”

“怎么不能？这是件绝好之事！”何桂清大为兴奋，“这批人是哪里的？”

问到这话，胡雪岩当然不肯泄底。“我亦是辗转受人之托，来手做事很慎重，详情还不肯说。不过，托我的那人，是我相信得过的。我也觉得这是件好事，心想云公是有魄力、肯做事的人，所以特地来请教。”他略停一下又说，“如今我要讨云公一句话，此事可行与否？朝廷可有什么安抚奖励的章程？”

“一般都是朝廷的子民，如能悔过自新，朝廷自然优容，所以安抚奖励，都责成疆吏，相机处理。”何桂清又说，“我为什么要问这批人在哪里，就是要看看归谁管，如果是苏州以西，常州、镇、扬一带，归江南、江北两大营，怡制台都难过问。倘或是苏州以东，许中丞是我同年，我可以跟他说，诸事都好办。”

听得这话，胡雪岩暗暗心喜。“那么，等我问清了再回报云公。不过，”胡雪岩试探着问，“我想，招抚总不外有官做、有饷领，云公，你说是不是呢？”

“给官做是一定的，看那方面人数多少，枪械如何，改编为官军，要下委札派相当的官职。饷呢，至多只能过来的时候，关一次恩饷，以后看是归谁节制，自有‘粮台’统筹发放。”

胡雪岩所想象的，亦是如此。只是授官给饷，都还在第二步争取，首先有句话，关系极重，不能不问清楚。

“云公，”他特意摆出担忧的沉重脸色，“我听说有些地方弃械就抚的，结果上了大当，悔之莫及。不知可有这话？”

“你是说‘杀降’？”何桂清大摇其头，“杀降不祥，古有明训。这件事你托到我，就是你不说，我也一定要当心。你想想，我无缘无故来造这个孽干什么？再说，我对你又怎么交代？”

“是！是！”胡雪岩急忙站起来作了个揖，“云公厚爱，我自然知道，只不过提醒云公而已。”

“是你的事，我无有不好说的。不过，这件事要快，迟了我就管不到了。”

“我明白，就在这两三天内，此事必有个起落。不过还有句话，我要先求云公体谅。”胡雪岩说，“人家来托我，只是说有这件事，详情如何，一概不知。也许别有变化，作为罢论，到那时候，我求云公不要追究。”

“当然。我不会多事的。”

“还要求云公不必跟人谈起。”

“我知道，我知道。如果此事作为罢论，我就当根本没有听你说过。总而言之，我绝不会给你惹麻烦。”

“云公如此体恤，以后我效劳的地方就多了！”

这句话中有深意，意思是说，只要何桂清肯言听计从，不是自作主张，他就会有许多办法拿出来，帮何桂清升官发财。

“正要倚重。”何桂清说，“老兄阛阓奇才，佩服之至。前几天又接得雪轩的长函，说老兄帮了他许多忙。我跟雪轩的交情，不同泛泛，以后要请老兄以待雪轩者待我！”

于是由此又开始叙旧，一谈就谈得无休无止。许多客来拜访，何桂清都吩咐听差，请在花厅里坐，却迟迟不肯出见，尽自应酬胡雪岩。

这让客人很不安，同时也因为还有许多事要料理，所以一再告辞，而主人一再挽留，最后还要留着吃晚饭，胡雪岩无论如何不肯。等到脱身辞了出来，太阳已快下山了。

轿夫请示去处，胡雪岩有些踌躇，照道理要去看一看三婆婆，却又怕天黑了不方便。如果回到金阊栈，则出了城就无须再进城，这一夜白耗费在客栈里未免可惜。左右为难之下，他想到了第三个去处，去拜访潘叔雅。

不过天黑拜客，似乎礼貌有亏，而且一见要谈到他所托的事，如何应付，预先得好好想一想，仓促之间，还是以不见面为宜。

于是胡雪岩又想到了第四个去处。“喂！”他问轿夫，“有个有名的姑娘，叫黄银宝，住在哪里，你晓不晓得？”

轿夫歉然赔笑：“这倒不晓得了。”

“苏州的堂子，多在哪一带？”

“多在山塘。上塘丁家巷最多。”轿夫建议，“我们抬了胡老爷到那里问一问就知道了。”

一家一家去访艳，胡雪岩觉得无此闲工夫，大可不必。而且就寻到了，无非陪着裘丰言吃一顿花酒，也干不了什么正经。这样一想，他便断然决定了主意，回客栈再说。

一到金阊栈，迎面就看到周一鸣，一见胡雪岩如获至宝。“胡先生，胡先生！”他说，“等了你老一下午。”

胡雪岩未及答言，只见又闪出来一个后生，长得高大白皙，极其体面，那张脸生得很清秀，而且带点脂粉气。胡雪岩觉得仿佛在哪里见过似的，一时愣在那里，忘了说话。

“他叫福山。”周一鸣说，“是阿巧姐的兄弟。”

“怪不得！”胡雪岩恍然大悟，“我说好面熟，像是以前见过！这就不错了，你跟你姐姐长得很相像。”

福山有些腼腆：“胡老爷！”这一口苏州话中的脂粉气更浓，然后，他跪了下去磕头。

“请起来，请起来！”

福山是他姐姐特地关照过的，非磕头不可，胡雪岩连拖带拉把他弄了起来，心里十分高兴，但他自己也不知道是因为福山长得体面，还是爱屋及乌的缘故。

“我一大早到木渎去了。特地把他带了出来见胡先生。”周一鸣说。

“怪道，早晨等你不来。”胡雪岩接着又转脸来问福山，“你今年几岁？”

“十九岁。”

“学的布店生意？”

“是的。”

“有几年了？”胡雪岩问，“满师了没有？”

“满师满了一年了。”

只问了两句话，倒有三处不符的地方。胡雪岩的记性极好，记得阿巧姐告诉过他的话，因而问道：“你的小名不是叫阿顺吗？”

“是的。”福山答道，“进布店学生意，老板叫我福山，就这样叫开了。”

“我记得你姐姐说你今年十八岁，还没有满师。”

“我是十九岁。我姐姐记错了。”

“那么，你满师不满师，你姐姐总不会记错的啰？”

“也可以说满师，也可以说不满师。”周一鸣代为解释，“他学生意是学满了，照例要‘帮师三年’，还没有帮满。”

“现在都弄妥当了？”胡雪岩看着周一鸣问。

“早已弄妥当。”周一鸣答道，“‘关书’已经拿了回来。”

“那好。”胡雪岩又问福山，“你姐姐拿你托付给我，我倒要问你，你想做点啥？”

“要请胡老爷……”

“不要叫老爷！”胡雪岩打断他的话说，“叫先生好了。”

“噢！”福山也觉得叫“老爷”碍口，所以欣然应声，“先生！”

“你是学布生意的，对绸缎总识货啰？”

“识是识。不过那爿布店不大，货色不多，有些贵重绸缎没有见过。”

“那倒不要紧，我带你到上海，自然见识得到。”胡雪岩又说，“做生意最要紧一把算盘。”

“他的算盘打得好。”周一鸣插嘴说道，“飞快！”

“噢，我倒考考你。你拿把算盘坐下来。”

等福山准备好了，胡雪岩随口出了一个题目。四匹布一共十两银子，每匹布的尺寸不同，四丈七、五丈六、三丈二、四丈九，问每尺布合到多少银子。他说得很快，用意是考福山的算盘之外，还要考他的智慧。如果这些啰里啰唆的数目，听一遍就能记得清楚，便是可造之材。

福山不负所望，五指翻飞，将算盘珠拨得清脆流利，只听那“大珠小珠落玉盘”似的声音，就知道是好手。等声音一停，他报告结果：“四匹布一共一百八十四尺，总价十两，每尺合到五厘四毫三丝四忽挂零。”

胡雪岩亲自拿算盘复了一遍，果然不错，深为满意，便点点头说：“你做生意是学得出来的。不过，光是记性好、算盘打得快，别样本事不行，只能做小生意。做大生意是另外一套本事，一时也说不尽。你跟着我，慢慢自会明白，今天我先告诉你一句话：要想吃得开，一定要说话算话。所以答应人家之前，先要自己想一想，做得到，做不到？做不到的事，不可答应人家，答应了人家一定要做到。”

他一路说，福山一路深深点头，等胡雪岩说完，他恭恭敬敬地答一声：“我记牢了！”

“你苏州城里熟不熟？”

“城里不熟。”

“那么，山塘呢？”

“山塘熟的。”福山问道，“先生要问山塘啥地方？”

“我自己不去，想请你去跑一趟。有个姑娘叫黄银宝，我有两个朋友在那里，一个姓裘，一个姓刘，你看看他们在那里做什么，回来告诉我。”胡雪岩紧接着又说，“你不要让他们知道，有人在打听他们。”

“噢！”福山很沉着地答应着，站起身来，似乎略有踌躇，但终于很快地走了。

等他背影消失，周一鸣微带不以为然的语气说：“胡先生，我知道你是考考他‘外场’的本事，不过，他这种小后生，到那种地方去，总不大相宜！”

“你怕他落入‘迷魂阵’是不是？”胡雪岩笑道，“不要紧的！我看他那个样子，早就在迷魂阵里闯过一阵子了。我倒不是考他，就是要看看他那路门径熟不熟。”停了一下他又说，“少年入花丛，总比临老入花丛好。我用人跟别人不同，别人要少年老成，我要年纪轻且有才干、有经验。什么事看过经过，到了要紧关头，才不会着迷上当。”

这番见解，在周一鸣不曾听说过，一时无话可答，仔细想想，似乎也有些道理。不过，他在想，年轻后生，一个个都见过世面，经过阵仗，学得调皮捣蛋，驾驭可就不容易了。

“也只有胡先生，有本事吃得住他们。”周一鸣毕竟想通了，“旁人不敢像胡先生这样子做法。”

“对！”胡雪岩表示欣慰，“你算是懂得我了。”

“不过，”周一鸣又替福山担心，“他身上没有什么钱，就找到了黄家，那种‘门口’怎么踏得进去？”

“这就要看他的本事了。不去管他。我倒问你，阿巧姐怎么样？”

“她仍旧住在潘家，人胖了，自然是日子过得舒服。”周一鸣又说，“福山的事，也就是胡先生你来之前两三天才办好。如果你老不来，我已经带着福山回上海。现在是怎么样一个情形，请胡先生吩咐。”

“唉！”胡雪岩摇摇头，“事情一桩接一桩，好像捏了一把乱头发。你问的话，我现在无法告诉你，你跟福山先住下来再说。”

于是周一鸣到楼房去作安排。胡雪岩一个人倚枕假寝，心里一桩一桩的事在想，发觉自己犯了个极大的错误，因而想到一句话：君子务本。自己的根本，第一是钱庄，第二是丝。钱庄现成有潘叔雅的一笔钱在那里，丝则湖州方面的新丝又将上市，今年是不是还做这生意？要做是怎么个做法？得要赶快拿定主意，通知陈世龙去办。这样子专管闲事，耽误了正经，将来是个不了之局。

于是，他当机立断，作了个决定，只等明天杨凤毛回来，看怎么说。事情如果麻烦，只好照裘丰言的办法，把那批洋枪丢在上海再说，自己赶紧陪着七姑奶奶回浙江去干正经，闲事能管则管，不能管的只好丢下再说。

想停当了，他便又另有一番筹划，将能管的闲事，派定了人去管。第一个是刘不才，可以管潘家的事；第二个是周一鸣，可以管何桂清跟阿巧姐的事。

多少天来积压在他心头的沉重之感，就由于这样一转念间，大见轻松。当然，刘不才和周一鸣去代他管那两件闲事，绝不会做得比自己好，似乎有些不能放心。但是他实在疲倦了，管不得那许多了。心一横，他想起不知哪里看来的两句诗，脱口念了出来："闭门推出窗前月，吩咐梅花自主张！"

然而三件闲事毕竟有一件不能不管，心思集中，顾虑便能周详。他心里在想，何必路远迢迢先回杭州，再转湖州？由苏州到湖州，现成的一条运河，算起位置来，苏州在太湖之东，湖州在太湖之南，应该是条捷径。

"老周，"胡雪岩向他请教，"苏州到湖州的水路怎么走法？"

"胡先生是问运河？"周一鸣答说，"这条路我走过，由苏州到吴江叫北塘河，吴江到平望这一段叫官塘河，到了平望分两支，一支往南到嘉兴叫南塘河，往西经南浔到湖州，就是西塘河，一共一百二十里路。"

于是胡雪岩打定了主意，剪烛磨墨，亲笔写好一封信，封缄完毕，福山也就回来了。

"黄银宝住在下塘水潭头。"福山回报，"刘老爷、裘老爷都在那里，刘先生在推牌九。"

"推牌九？"胡雪岩诧异，"跟哪些人在赌？"

"都是那里的人，娘姨、小大姐，拥了一屋子。"福山又说，"只有裘老爷一个人在吃酒。"

胡雪岩笑了："一个酒鬼，一个赌鬼，到哪里都一样。"

"福山，"周一鸣问，"你是不是亲眼看见的？怎么晓得是他们两位？"

福山脸一红。"那里有个'相帮'，我认识，"他说，"是我们木渎人，我托他领我进去看的。"

这就见得胡雪岩说他"在迷魂阵里闯过一阵"的话，有点道理了。周一鸣笑笑不响。胡雪岩却对福山夸奖了两句。

"你倒蛮能干，在外面自己会想办法，很好，很好！"接着他又问，"湖州，你去过没有？"

"没有去过。"福山刚受了鼓励，因而自告奋勇，"不过没有去过也不要紧，胡先生有啥事，我去好了。"

"你替我去送封信。地址在信面上，那个人你叫他郁四叔好了。讨了回信，立刻回来。"说着，胡雪岩将一封信，十两银子都交了给他，又加了一句话，"穷家富路，多带点，用多少算多少。"

这意思是，盘缠费用，实报实销。周一鸣想指点他一句，但转念一想，怕胡雪岩是有意试他，不宜说破，便闭口不语。

于是福山当夜便去打听到湖州的航船，第二天一早就走了。胡雪岩睡得很晚才起身，抖擞精神，等候杨凤毛的消息。趁这空档中，他将阿巧姐与何桂清的好事如何安排，细细作了交代。接着，刘不才与裘丰言在黄银宝家宿夜归来，少不得又有一番的说笑，这就到了放午炮的时候了。

杨凤毛言而有信，正在他们团团一桌吃午饭的当儿，匆匆赶了回来。

于是主客四人，一起离座，相邀共餐。杨凤毛说是吃了饭来的，胡雪岩便不勉强，依旧是将他延入套房去密谈。

"你啥辰光到的？"

"上半天就回来了。在三婆婆那里有几句话要说。"杨凤毛说到这里停了下来，双眼不住地眨，仿佛话很多，不知从哪里说起似的。

这神情让胡雪岩起了戒心，心里在想，他一回来不先到金阊栈，却回俞家去看三婆婆，自然是他们“自己人”有一番不足为外人道的密议。照此看来，彼此还谈不到休戚与共，亲疏远近之间，自己要掌握分寸才好。

“胡大叔，我先说一件事。三婆婆想高攀，请姨太太认在她老人家名下。不知胡大叔肯不肯委屈？”

这一问，大出胡雪岩的意外，不过他的思路快，几个念头电闪般在脑海中印了一下，大致明白了用意。还是因为彼此初交，而所言之事，安危祸福，出入甚大，要结成亲家，变做“自己人”方能放心。

为了公事，胡雪岩自然乐从，为了彼此结交，这也是好事，但他另有一层顾虑。他怕芙蓉有了这样一个来头甚大的“干娘”，搞成尾大不掉之局，将来处妻妾之间会有麻烦，因而迟疑着答应不下来。

江湖上讲究见风使舵得快，杨凤毛一看这样子，赶紧说道：“原是妄意高攀，做不到的事……”

“不！”胡雪岩深恐引起误会，急忙打断，同时也想到唯有说实话，才能消释猜疑，所以接着说道，“承三婆婆抬爱，我是求之不得。为的是内人是只雌老虎，我亦不敢将小妾带回家去。将来内人有什么悍泼的行为，小妾受了委屈，变得对不起她老人家，所以我不敢答应。”

话说得很老实，也很委婉，杨凤毛当然懂得其中的深意。“胡大叔，说到这一点，你请放心。三婆婆的人情世故熟透熟透！将来只有帮你调停家务，”他使劲摇着手说，“绝不会替干女儿撑腰，让胡大叔为难的。”

“既然如此，那我还有什么话说？”胡雪岩放出心满意足的神态，“拣日不如撞日，今天下午，就叫小妾替三婆婆磕头。”

“好的！归我来安排。胡大叔，我跟你老实说吧！这样一办，是让我师父好向对方说话。原来一切都安排好了，实在说不出不算数的话来，如今才有话说，是我干妹妹家的事，真正没有法子，只好对不起了！”

胡雪岩这才明白，杨凤毛所以要先回俞家，原是与三婆婆有关，要跟她先说通。这样安排，用心甚苦，也见得俞家的诚意，胡雪岩觉得很安慰。

“那么，”他问，“还有件事，怎么说？”

还有件就是“招安”大事，杨凤毛沉着地说：“我师父自然赞成，不过做起来不容易，好比一条船已经顺流东下，再要掉过头来逆风上行，自然吃力。我师父的意思，是想请胡大叔去见一面，当面详谈。”

“好！”胡雪岩毫不迟疑地答应，“你师父此刻在哪里？”

“在同里。”杨凤毛问道，“这地方，胡大叔总知道吧？”

胡雪岩自然听说过。吴江县城极小，有人说笑话，东门喊一声“喂”，西门会有人答应，但吴江县属，位处县城东北的同里，却是出名的一个大镇，其地与青浦接壤，是东南鱼米之乡中的菁华，富庶异常。

“原来你师父在同里，怪不得来去不过一天的工夫。”胡雪岩问道，“我们什么时候走？”

“明天一早。胡大叔你看如何？”

“可以。怎么去法？”

“自然是坐船去，归我预备。”杨凤毛又说，“骑马也很方便，沿着一条塘路，一直就到了。”

“还是坐船去吧！”

“是。”杨凤毛略停了一下又说，“不过有句话，我先要关照你老。对方有几个管事的人，亦都在同里，这批人，胡大叔想不想跟他们见面？”

胡雪岩考虑了一会，毅然答道：“不入虎穴，焉得虎子，我跟他们见见面也可以。”

“既然这样，要请胡大叔随缘些，”杨凤毛说，“这批人狂嫖滥赌，不成个玩意，如果肯跟他们混在一起，那就说什么都好办了。”

胡雪岩灵机一动，立即问了出来：“杨老兄，我带个人去行不行？”

“那自然可以。”杨凤毛的语气有些勉强，“不知是哪一个？”

“自然是极靠得住的自己人，就是外面的那位刘三爷。”胡雪岩说，“我们是亲戚。此公吃着嫖赌，件件精通，赌上面更是个大行家。”

“是胡大叔的亲戚，自然不要紧。”杨凤毛站起身来说，“我先去回报三婆婆。”

“好的！我等下就去。托你先跟小妾说一声，拜在三婆婆膝下，我很高兴。应该有的规矩，我会预备……”

“不！”杨凤毛打断他的话，“三婆婆交代过了，那份重礼已经受之有愧，绝不让胡大叔再破费！”

胡雪岩心想，此刻不必多争，自己这面照规矩办好了。因而含含糊糊地敷衍着，等把杨凤毛送走了，立刻便找裘、刘、周三人商量，好分头办事。

事情很复杂，“招安”一节，还有忌讳，一时说不清楚，他只能要言不烦地交代。首先是让周一鸣进城，备办匹头等物，作为芙蓉孝敬“干娘”的仪礼；其次是关照刘不才收拾行李，预备第二天到同里；最后托裘丰言到俞家，跟七姑奶奶商议芙蓉拜义母的礼节。

“那么你呢？”裘丰言问，“一起到俞家不好吗？”

“我另有个要紧地方，非走一趟不可。一会儿找到俞家去好了。”

胡雪岩要去的那个要紧地方，是潘叔雅家。由于杨凤毛的话，触发了他的灵机，预备做一篇“偏锋文章”，在赌上找机会去收服那批草莽豪客。这就得带足了本钱，自己身上只有一万多银票，打算跟潘叔雅去借两万现银。

名帖一投进去，潘叔雅立刻迎了出来，一见面就说：“雪岩，要罚你！到了苏州，为什么不来看我？”

“你怎么知道我来了？”

“今天上午见着何学使，他告诉我的。”

“这就是了！我自然该罚。不过，你老兄也要想想，如果不是为了有迫不得已的事，我去看他干什么？”胡雪岩又说，“本来还不想来打搅你，晓得你们这班阔大爷讨厌无谓的应酬，既然抽不出工夫来陪你们玩，而且各位所委的事，也还没有办妥，何必上门？”

潘叔雅笑了。“话总说不过你。”他又问，“照这样说，今天来是有事？”

“是啊！无事不登三宝殿，今天有两桩事奉托，第一，想请你们到同里去捧我一个场……”

“你的手真长，”潘叔雅打断他的话说，“伸到同里去做生意捞钱了！”

“恰恰相反，不是去捞几文，而是想去送几个，不然，还不至于来麻烦你。我想到同里去大赌一场。”

这一下潘叔雅才懂了捧场的意味，但不懂他为何路远迢迢跑到同里去大赌一场。毕竟胡雪岩不是赌客。“其中总有个道理吧？”他问。

“不错，我要结交几个人，到了同里你就知道了，”胡雪岩紧接着提出第二个要求，“为此想跟你借两万银子，三天以后，等我上海钱到，马上奉还。”

“说什么马上马下？”潘叔雅想了想说，“我给你金叶子如何？”

“都可以，借金叶子我仍旧还金叶子好了。”

于是潘叔雅借了五百两金叶子给胡雪岩，但到同里捧场，他却不甚有兴趣。“同里的赌风极盛，平常人家，什么儿子周岁，孙子满月，请客一请请三天，也就赌三天。”潘叔雅摇摇头，“龙蛇混杂，我不想去。”

“既然如此，我不勉强。”胡雪岩说，“等我这趟回来，如果事情顺利，陪你们好好赌一场。此外还有个人要替你们引见，此人极有趣，跟你们几位一定玩得来。你们几位托办的事，我也交给他了。一切都等我从同里回来再谈。”

“好！专候大驾。”潘叔雅又问，“要不要跟那位见见面？”

这是指阿巧姐，胡雪岩早就打好了主意的，立即答道：“不必，不必！我晓得她住在府上，人都胖了。心广体胖，日子过得很舒服，我放心得很。”

说完胡雪岩随即告辞，先回金阊栈，将金叶子锁了在箱子里。接着，周一鸣也回来了，办来极丰盛的仪礼，胡雪岩一一检视，认为满意。于是由周一鸣押着礼物，跟在他的轿子后面，一起进城。

一到俞家，俞少武开大门迎接。胡雪岩抬头望到里面，大厅上已高烧一对红烛，燃着寿字香，桌椅都换上红缎平金的围椅披，檐前还挂着四盏簇新的宫灯，一派喜气洋洋，布置得像个寿堂。

芙蓉还不曾替三婆婆行礼，俞少武倒已经改了口。“姑夫！”他这样喊着，“一切都布置好了，只等你老来了，行个仪式。”

到得里面一看，大厅两厢，高朋满座，裘丰言被奉为上客，好些人陪着谈话，一看胡雪岩自然转移了目标。看这样子，三婆婆将收这干女儿视作一件大事。胡雪岩一面敷衍应酬，一面心里在琢磨：到底是她跟芙蓉投缘，还是另有用意？

这个疑问一时无从解答，只好先随缘应酬着，找个空隙跟俞少武说：“我先到后面跟老人家去请个安。”

“奶奶也在等姑夫。”俞少武说，“我陪了你老进去。”

道声“得罪”，胡雪岩跟着俞少武进了中门，里面也是布置得一片喜气。七姑奶奶笑嘻嘻地迎了出来，绿袄黑裙，鬓边簪一朵极大的深红色茶花，衬着她那皓皓白雪的肌肤，浓艳异常。她见了胡雪岩先福一福道贺：“小爷叔，恭喜，恭喜！”

“不敢当！”胡雪岩拱手答礼，“这两天多亏你照应。”

“小爷叔！”七姑奶奶心急，不及等待三婆婆，就有话要说，“你请过来！”

胡雪岩立即就想到，她要说的话，必是在见三婆婆以前就该知道的，所以遥遥以目致了歉意，然后跟着七姑奶奶到了一边。

“小爷叔！”她轻声说道，“事情要当作芙蓉阿姨从小就认了三婆婆做干娘。”

“光棍一点就透。”这是为了便于俞武成好说话，若非如此，则认亲一举，显然就是有意装扮出来的一出戏。所以胡雪岩连声答道：“我懂，我懂！”

“三婆婆今天把压箱底的私房钱，掏出来请客，晚上场面热闹得很……”

“啊！”这一下提醒了胡雪岩，抢着问道，“七姐，我正要问你，今天场面好像很隆重。到底是三婆婆喜欢芙蓉，还是另有用意？”

“两样都有。一则替阿姨热闹热闹，再则要叫江湖上传出一句话去，三婆婆收了干女儿。”

“啊！啊！”胡雪岩说道，“真正是姜是老的辣。”

说完，他随着七姑奶奶一起进了堂屋。三婆婆跟芙蓉是一样的打扮，大红宁绸夹袄，月白裙子，簇簇生新，看上去像是连夜赶制而成的。

胡雪岩为了捧三婆婆，也抬举芙蓉的身份，直截了当便叫：“干娘！”这一叫三婆婆高兴，芙蓉更高兴。有这样一个江湖上赫赫有名的俞三婆婆做干娘，在芙蓉是个极大的安慰，但她心里不舒服的是，自己不是正室，像今天这种日子，竟不能穿红裙。三婆婆体贴干女儿，却又不能乱了世俗规矩，特意跟七姑奶奶商量，找了四个女裁缝来，搭起案被，连夜做了这么一式两套衣服，叫人一望而知是母女。这已使得芙蓉感激不已，如今再听得胡雪岩跟着自己一样称呼，泯灭了偏房的痕迹，自然越发高兴。

“胡老爷！”三婆婆笑得眼睛眯成一条缝，“我就高攀托大了，以后称你‘姑爷’。”她紧握着芙蓉的手说，“姑爷，从今更是一家人了。武成的事，你总要放在心上。”

“当然，不但大哥的事，少武的事，我也不能不管。”

这些都不是寻常的应酬。胡雪岩意会到这是一出做给江湖朋友看的戏，跟俞三婆婆桴鼓相应，每句话都应付得严丝合缝，滴水不漏，一切仪节，也是庄肃隆重。顺顺利利地行过了礼，随即开筵，一共有十二桌人。胡雪岩在裘丰言“保驾”之下，依次敬酒，应酬得十分周到。

盛筵结束，继之以赌，摇摊，牌九，一应俱全。这时候胡雪岩可不上场了，由杨凤毛陪着，进中门去跟俞三婆婆辞行。

“干娘！”他这样开口问道，“明天我到同里去看大哥。干娘有什么话，要我跟大哥说？”

“我对他没有什么话。倒是，姑爷，我跟你有几句话说。”

“是！请干娘吩咐。”

“我今天很高兴。说实在的，我大半截身子在土里的人，还有这样一桩意外的喜事，想想老天爷真不亏待我！”

“干娘说得好。”胡雪岩笑道，“只怕我跟芙蓉没有啥孝敬干娘，等我这趟跟大哥将事情办妥当了，我接干娘到杭州去，在西湖上住一个夏天。”

“好啊！去年到杭州烧过一次香，今年还要去。这是以后的事，暂且不去说它。”俞三婆婆略停一下又说，“姑爷，我现在要重重托你。”

“干娘怎么说这话？”胡雪岩微感不安，“我早说过，只要我能尽心，一定尽心，大哥、少武的事，就是我的事。”

“我晓得，我晓得。不过，你大哥虽说年纪也一大把，说实在的，有时候做出来的事、说出来的话嫩得很，远不如凤毛来得老到。比姑爷你，那就差得更远了。”

“干娘！”胡雪岩笑道，“你把大哥说成这个样子，连我都有点替他不服。”

“是我自己的儿子，而且就是他一个，哪有故意贬他的道理？实在情形是如此！在外人面前，我做娘的，要替他遮羞，在你面前我不必。你以后就知道了。现在我要重托你，其实是跟你打个招呼，如果武成说话、行事有什么不上路的地方，你看我的面子！”

这番话说得胡雪岩莫名其妙，但此时亦无暇去细作推敲，只满口应承下来。

“干娘，你请放心。我这趟去，见了大哥，自然当自己长兄一样敬他。”胡雪岩又说，“大哥是‘大树下面好乘凉’，我也听说了，他从小就是公子哥儿的脾气，倘或有什么话，我自不敢跟他计较！”

“姑爷！”俞三婆婆激动地说，“有你这两句话，就是我们俞家之福。我什么话也不用说了，等你回来，我好好替你接风。”

“不光是接风，”胡雪岩凑她的兴说，“还要庆功！”

“愿如你金口。”三婆婆转脸喊道，“姑奶奶，你请出来吧！”

她口中的姑奶奶便是芙蓉，因为有杨凤毛在，先不便露面，此时听得呼唤，才踏着极稳重的步子走了出来。

“这两天你算是‘回门’，今天姑爷来接，你们一起回去吧！”

今天去了，明天胡雪岩到同里，还得回来，何必多此一举？一动不如一静，反可以显出自己的“孝心”。芙蓉对人情世故也很留意的，这样打定了主意，便笑着答道：“还是在干娘这里舒服，我不回去！”

胡雪岩也不愿她回去。因为这一夜要跟刘不才、裘丰言有所商议，也许谈得很晚，也许到黄银宝那里作长夜之饮，有芙蓉在，言语行动都不免顾忌，所以听得她的答语，正中下怀，随即便帮了两句腔。

“让芙蓉在这里陪你老人家，等我同里回来，再来接她。”

“随你们的便。好在我这里也是你们的家。”三婆婆又说，“或者你就住在这里也好。”

“那不必了，我跟凤毛兄，还有点事要商量。”胡雪岩趁机告辞，“明天一早就走，我此刻就跟干娘辞行。”于是作了个揖，彼此叮咛了一番。胡雪岩跟裘丰言在赌桌上找到刘不才，由杨凤毛陪着一起回金阊栈。约定了第二天上船的时刻，杨凤毛随即辞去。

“我看俞武成不大好对付。”胡雪岩面有忧色，“我要另外安一支伏兵。”他问周一鸣，“同里地方你熟不熟？”

“这一带的水路码头，我都熟的。”

“那好！明天等我们一走，”胡雪岩对裘丰言说，“你跟老周随后赶了来，找一家客栈住下，听我的招呼，你们要委屈一两天，一步不可走开。”

“好！”裘丰言笑道，“我买了两部诗集子，还没有打开过，正好在客栈里吃酒读诗。”

“对！就这样好了。”胡雪岩又问周一鸣，“在哪家客栈？你先说定了它！”

周一鸣想了想答道：“同里的客栈倒想不起了。每趟经过同里，不是住在船上，就是住在我一个朋友家，从没有住过客栈。”

“那就在你朋友家通消息好了。”刘不才说。

“好的。我那个朋友跟刘三爷你是同行，到同里东大街，问养和堂药店老板，就找到我了。”

胡雪岩点点头说：“就这样！你们到了同里，找地方住定以后，老裘不要露面，老周不妨到水路上去打听打听，俞武成在同里干些啥。不过，老周，事情要做得隐秘。”

“我晓得。”

第七章

安下了这支伏兵，胡雪岩才算放下心来。第二天一早他起身，漱洗穿戴刚刚停当，杨凤毛就到了，二人一起吃了早饭上船。船就停在阊门码头，双桨如飞，穿过吴江有名的垂虹桥，中午时分就到了同里。

船是停在一人家后门口，踏上埠头，就算到了目的地。在船上，胡雪岩就听杨凤毛谈过，这家人家做米行生意，姓朱。朱家老大是俞武成的徒弟，也就是杨凤毛的后弟。俞武成只要一到同里，就住他家，朱老大待师父极其恭敬，所以胡雪岩、刘不才不妨亦以朱家为居停。

胡雪岩此来一切听从杨凤毛的安排，虽觉得住在素昧平生的朱家，可能会十分不便，但亦不便表示异议，幸好朱老大殷勤随和，一见之下，颇觉投缘，把那嫌拘束的感觉，消除了许多。

引见寒暄以后，朱老大随即向杨凤毛说道："大哥，师父到青浦去了，今天晚上如果不回来，明天早晨一定到。临走留下话，请大哥代为向贵客道歉，失迎不安。又说，请贵客一定住在这里。"说到这里，面向胡雪岩和刘不才，"舍间太小，只怕款待不周，让两位委屈。"

于是胡雪岩少不得也有几句谦谢的门面话，一面应酬，一面在心里转念头，觉得这半天的工夫，白耗费了可惜，应该如何想法子好好利用。念头还没有转定，朱家的佣工来请吃饭。鱼米之乡，饮食丰美，虽是便饭，亦如盛筵。朱老大还说："简慢不恭，到晚上替贵客接风。"

同席的除了宾主四人，另外还有三个人作陪，朱家的老三、账房和教书先生。席间几人谈谈吴江的风物，轻松得很。饭罢，杨凤毛征询胡雪岩的意见，是在朱家客房中睡个午觉起来，再作道理，还是出去走走。

"久闻同里是个福地，去瞻仰瞻仰吧！"

于是胡雪岩由杨凤毛、朱老大陪着，出去走走。后门进来，前门出去，一条长街，铺得极平整的青石板，放眼望去，鳞次栉比的楼房，相当整齐。街上行人，十九穿的绸衫，哪怕是穿草鞋的乡下人，都是干干净净的一身细蓝布短衫裤，手中多半持一支湘妃竹的旱烟袋，有的套一个白玉扳指，有的腰上拴一挂玉石佩件。吴中人物的俊雅，光看这些乡下人，就不难想见了。

走到一家挂灯结彩的人家，朱老大站住脚说："两位要不要进去玩玩？"

从大门中望进去，里面有好几桌赌，胡雪岩便问："不认识的也可以进去吗？"

"可以，可以，敝处的风俗是如此。"

于是进去看了看，有牌九，有摇摊。胡雪岩入境问俗，志在观光，不肯出手，刘不才则守着"冷、等、狠"三字诀，不愿出手。这样连闯了几家，都是转个圈子就走，由南到北，一条长街快到尽头了。

因为胡雪岩和刘不才都有些鼓不起兴致来的样子，朱老大颇感不安，悄悄向杨凤毛问道："到小金秀那里去坐坐，怎么样？"

杨凤毛略有些踌躇，胡雪岩耳朵尖，心思快，听出来小金秀必是当地的一朵"名花"，勾栏人家要熟朋友同去，才有点意思，否则就会索然寡味，所以赶紧接口："不必费心，就这样走走很好。"

说着话，又到了一处热闹的人家。这家的情形与众不同，石库门开得笔直，许多卖熟食的小贩，由门外延入门内，似乎二门院子里都有。进出的人物，也不像别家衣冠楚楚地相当整齐，三教九流，龙蛇混杂，胡雪岩摸不清它是什么路道。

刘不才却一望而知，别家是“书房赌”，这一家是真正的赌场。

“如果要玩，就要在这种地方，”他说，“‘开了饭店不怕大肚汉’，赌起来爽气。”

“刘三爷眼力真好！”朱老大听懂了他的话，由衷地佩服，“真正的赌场，在同里就这一家。要不要进去看看？只有这一家赌‘白星宝’。”

听说是“白星宝”，刘不才技痒了。“这是赌心思！”他问，“这种赌在浙东很流行，怎么也传到了贵处？”

“原是从浙东传过来的——”

有个绍兴人姓章的，到同里来开酒作坊，生性好赌，先是聚集友好，关起门来玩，不久有人闻风而至，场面便大了。正好驻同里的巡检换人，新任的吴巡检是章老板的同乡，因势利用，包庇他正式开赌场，而巡检老爷则坐抽头钱，日进斗金，两年下来，已经腰缠十万了。

听朱老大说明了来历，刘不才认为一定赌得很硬，不妨进去看看。

到了大厅上一看，有牌九，有摇摊，赌客却并不多。从夹弄穿到二厅，情况就大不相同了。一张大方桌，三面是人，人有三排，第一排坐，第二排立，第三排则站在条凳上，肩叠着肩，头并着头，挤得水泄不通。好在朱老大也是当地有面子的人物，找着熟人情商，才腾出空位，让他们挤了进去。

不管是江南用骰子摇的摇摊，还是广东抓棋子数的番摊，都在未知之数，只有白星宝是庄家可以操纵的“做宝”。所以刘不才说“这是赌心思”，赌客跟一个不在场的人赌心思。

这个人名为“做手”，住在楼上。为了防止弊端，也为了不以场上的胜负得失影响他的冷静思考，所以楼梯是封闭的，只在板壁上开一个小孔，用一只吊篮传递宝盒。楼下有个小童专司奔走之役，铃声一响，将篮子吊了上去，拿着那个铜制的宝盒，送给在烟榻上吞云吐雾的做手，做好了宝，再用铃声通知，将篮子吊了下来。等宝盒上桌，赌客方才下注。

赌注跟摇摊完全一样，只是前朱雀、后玄武、左青龙、右白虎是用天、地、人和四张牌九来表示。而且，虽是“做宝”，但一样也有“路”。刘不才借了旁人所画的“路”来一看，认为这个做手是高手，做的宝变幻莫测，哪一条路都是，其实哪一条都不是，因而决定等着看一看再说。

这时候已经连开了三记“老宝”，都是地牌，第四宝开出来还是老宝。到了第五宝，楼上的铃声还不响，宝官沉得住气，赌客却不耐烦了，连声催促。于是宝官叫人去拉铃，催上面快将宝盒送下来。

催管催，上面只是毫无动静，催到第三遍，才听见铃响。但是赌客望着宝盒，却都踌躇着不知如何下注，因为连开了四记老宝，第五宝又拖延了这么多时候，料想楼上的做手，殚精竭虑算无遗策，这一宝十分难猜。

“我照路打，应该这一门！”有人把赌注放在天牌那一门上。

“不能照路了！一定是老宝。”另一个人说，随即在“老宝”上下注。

“有理，有理！”又一个赌客连连点头，“拖延了这许多工夫，就为的要狠得下心来做老宝。”

由于这两个人一搭一档，认定是老宝，别的赌客在不知不觉中受了影响，纷纷跟着下注，开出宝来，哗然欢呼，果然又是一张地牌，庄家赔了个大重门。

到第六宝越发慢了，等把宝盒子催了下来，打老宝的人就少了，但是开出来的，居然又是老宝。这一次是惊异多于一切，而越到后来越惊异，连开六记地牌。

“出赌鬼了！”有人向宝官说，“弄串长锭去烧烧！”

“笑话！哪里有这种事？”宝官因为打地宝的越来越少，吃重赔轻，得其所哉，所以拒绝了那人的提议。

到第九记再开出老宝来，赌客相顾歇手，没有一个人相信还会出老宝。

于是道有赌鬼的那人便谈掌故，说乾隆年间有家赌场摇摊，曾经一晚上一连出过十九记的“四”，后来被人识破玄机，在场赌客都押“四孤丁”，逼得赌场只好封宝关门。

“什么玄机？”

“那晚上，乾隆皇帝南巡的龙船在同里过夜。真龙出现，还会不出四？”

“对，对！”四是青龙，问的那人领悟了，但对眼前却又不免迷惑，“那么此刻又是什么花样？皇帝在京城，同里不会出现真龙，而且地牌是‘进门’！”

“所以我说有赌鬼。”

“照你这样说，还要出老宝？”

“不晓得！”那人摇摇头，“就明晓得是老宝，也打不下手，照我看，这一记绝不会‘两眼笔直’了！”

“两眼笔直”是形容地牌。别的赌客都以其人之言为是，一直冷静在听、在看的刘不才，却独具机杼。他认为如果是讲“路”，则怪路怪打，还该追老宝，若是讲赌心思，则此人做老宝做得别人不敢下注，这才是一等一的好心思！照此推论，着实还有几记老宝好开。

“冷、等”两字做到了，现在所要的是个“狠”字。正当宝官要揭宝盒子时，刘不才轻喝一声：“请等一等！”

“可以。”宝官缩住手说，“等足输赢。”

“请问，多少‘封门’？”

“一千两。”

“一千两！”刘不才从身上掏出一卷银票来，取一张，摆在地牌那一门上。

这一下便令全场侧目。由于刘不才是生客，而且看他气度安闲，将千把两银子，看得如一吊铜钱似的不在乎，越发觉得此人神秘莫测，因而也越增好奇的兴趣。

百多只眼睛注视之下，开来居然又是“两眼笔直”！于是场中像沸了似的，诧异的、羡慕的、气愤的、懊恼的，众声并作，诸态毕陈。刘不才却是声色不动，只回头向朱老大轻声说了句：“侥幸！”

这一下大家才知道这个生面孔的大赌客是朱老大的朋友，纷纷投以仰慕的眼光。江湖中人最爱的是面子，朱老大自然以有这样一个“一赌惊人”的朋友为得意，脸上像飞了金，心上像拿熨斗烫过，舒坦异常。

宝官笼络赌客，也凑兴表示佩服，而且关照站在“青龙角”上的“开赔”，免抽头钱——行话叫作“水子”，三厘、五厘不等。当然，刘不才也是很漂亮的，等开赔将三千两的筹码赔到，他取了根一百两的牙筹，往青龙角上抛了过去。

等宝盒子再放到赌台上时，大家都要看刘不才如何下手，再定主意。这也有句红话，叫作“灯笼”。灯笼照“路”，有红有黑，赌场里讲究避黑趋红，如果刚才一直有人在追老宝，而有人错过了好几宝不出手，到“年三十看皇历，好日子过完了”再来下注，则其人之黑可知！善于趋避的人，就会抽回注码，改押别处。但刘不才这盏灯笼是红灯笼，别人对老宝不敢再押，就他敢，而且居然追到了，这是多旺的手气！所以都要跟着他下注。

于是等刘不才将一千两银子一押在地牌上，赌注如雨，纷纷跟进。开出盒子来，宝官与开赔，相顾失色，而赌客则皆大欢喜，庄家在这一记老宝赔了两万多银子。

这一下，全场鼎沸，连大厅上的赌客都赶了进来。刘不才则被奉若神明，他左右的两个赌客，都尽量将身子往外缩，怕挤得他不舒服。而就在这时候，他发觉有人拍一拍他的肩，回头看时，是胡雪岩在向他使眼色，接着努一努嘴，示意他离去。

刘不才实在舍不得起身，但又不敢不听胡雪岩的指挥，终于装模作样地掏出金表来看了看，点点头，表示约会的时间到了，然后一把抓起银票，站起身来。

赌场里专有班在混的人，一看刘不才赢了六千银子，便包围上来献殷勤，刘不才自然懂“规矩”，到账房里去兑现时，顺便买了一百两的小筹码，一人一根，来者不拒。

刘不才一面“分红”，一面便有怨言。“你不该催我，”他向胡雪岩说，“做手的路子，让我摸到了，起码还有三记老宝。”

“就因为你摸到了，我才催你走。大家都跟着你打，再有两下，就可以把赌场打坍。何苦一到同里，就害得人家栽跟斗？”

“胡大叔！”朱老大跟着杨凤毛这样称呼，“你老人家真正是老江湖，够义气。”

刘不才心里不服。“赌场无父子”，讲情面义气，自己倒霉，但当着主人，又见朱老大是那样尊重胡雪岩，只好隐忍不言。他再退一步想想，片刻工夫，赢进六千银子，真正“赌能不输，天下营生第一”！不由得便有了笑意。

“刘三爷赌得好，胡大叔不赌则更好！”杨凤毛对朱老大说，“怪不得胡大叔有那么好的人缘，你我都要学他老人家。”

“言重，言重！”胡雪岩摸着脸笑道，“你们两位说得我脸红了。”

“闲话收起。”杨凤毛问道，“再到哪里去坐坐？”

“恐怕胡大叔、刘三爷也倦了，回到舍间息一息，吃酒吧！”

于是安步当车，仍旧回到朱家。他家最好的一处房子，是座水阁，在嘉宾莅止时，正好有朱家亲戚女客住在那里，这时已腾了出来，朱老大便将胡雪岩等人延入水阁休息。

刚刚坐定，朱家老仆在门外轻叫一声：“大少爷！”使个眼色把他请了出去。老仆悄悄说道：“赌场里的章老板来了，说要看我们家一位客人，还带了四样礼，请大少爷先出去看看。”

这真是不速之客了！朱老大不知他要看哪个，想想哪个也跟他没有渊源，这件事倒着实猜它不透。于是他匆匆出厅接见，彼此熟人，见面不用寒暄，直问来意。

一问才知道他要看的是胡雪岩。章老板是从那些向刘不才讨彩的闲汉口中，得知胡雪岩用心仁厚，特意将刘不才那盏“灯笼”拿走，解了赌场的一个大厄，因而专诚拜访，一则道谢，二则想交个朋友。

“这位胡大叔是我师父的朋友，还有点干亲，为人四海得很，道谢不必，交朋友一定可以。不过，”朱老大说，“你这四样礼，大可省省。”

“我也晓得，几样吃食东西，不成敬意，不过空手上门，不好意思。”章老板也觉得这四样水礼送得不妥，如果说是谢礼，反倒像轻看胡雪岩的一番意思，所以踌躇了一下说，“这样吧，你不必跟胡先生说起。不过，东西带都带来了，再拿回去也麻烦，你就丢在厨房里好了。”

“这倒也是句话。来，来，我带你进去。”

一直带到水阁，引见以后，朱老大代为道明来意，胡雪岩对此不虞之誉，谦谢不受。章老板却是一脸诚意，一揖到地，差点就要跪下来。

“胡先生，你帮我这个忙帮大了。说实话，”他指着刘不才说，“这位刘三爷也是我在赌上混了二三十年，头一遭遇见的人物。如果刘三爷再玩一会，大家跟着他‘一条边’打‘进门’，我今天非倾家荡产不可！”

“怎么呢？”胡雪岩问道，“下面还是出老宝？”

“一共出了十六记。说起来，也是一桩新闻。幸好，”章老板仿佛提起来仍有余悸的神情，“只有刘三爷一个人看得透。刘三爷一走，大家都不敢押老宝，通扯起来，庄家还是赢面。”

刘不才听见这话，自然面有得色，于是特地笑道：“我也不过怪路怪打，瞎碰瞎撞而已。”

“赌就是赌个机会，千载一时的机会，只有刘三爷一个人抓得住。说起来叫人不相信，做手只做了四记老宝，但开出来的是十六记，毛病出在第五记上……”

“啊，我想起来了。”刘不才插嘴说，“第五记上，宝盒子老不下来，拉铃拉了三遍才催到。出了什么毛病？”

是做手得了暴疾，昏迷在烟榻上。传递宝盒子的小童不知就里，拼命推他推不醒，下面铃声催得心慌，便不问青红皂白，将原盒子送了下来。做到十六记上，下面隐隐听得楼上有哭声，拿钥匙开了楼门，上去一看，那小童因为上下隔绝，呼援无门，越想越害怕，已是面无人色。再看那做手，连身子都凉了。

这是闻所未闻的怪事，连在赌场里混过半辈子的刘不才，都觉得不可思议。

在那烽火不惊、平静富足的同里，连张家的母狗哺育了李家的小猫都会成为谈来津津有味的新闻，这样一件“死人做宝”的怪事，自然会轰动。所以，就在章老板访胡雪岩的那时刻，茶坊酒肆便到处在谈论。于是“朱老大家的两个客人”，立即成了同里的风头人物。

这件新闻，下午刚到，在酒店里小酌自劳的裘丰言和周一鸣也听到了，两人相视而笑，十分兴奋。裘丰言倒还持重，周一鸣却忍不住了，同时他跟胡雪岩这许多日子，也懂了很多扬名创招牌的花样，于是将胡雪岩和刘不才的身份揭露了出来，道是并非朱老大的朋友，是朱老大的师父俞武成的朋友。这一下，在大家的心目中，俞武成这个名字，似乎也很响亮了。

* * *

消息传播得真快，第二天一早，俞武成从青浦回同里，中途在一处村镇歇脚吃茶，便有人向他打听胡雪岩和刘不才。因此，在朱老大家的水阁初见面，他向胡雪岩说的第一句话就是：“老兄一到，名气就响。我们在江湖上混了几十年的，真要甘拜下风了！”

这话不是句好话，胡雪岩自然听得出来，只好这样答道：“我们是仰仗大哥的声光。这种毫无道理的风头，不出为妙，所以今天步门不敢出，专诚等候大哥，一切听大哥的吩咐。”

宾主之间，一见面便有些格格不入的模样，杨凤毛大为不安，赶紧将俞武成的袖子一拉。“师父！”他轻声说道，“你老请到这面来！”

将俞武成拉到一边，杨凤毛将三婆婆如何看重这门干亲，一一细陈，最后极郑重地说：“临走之前，三婆婆特为拿我喊到一边，叫我告诉师父：这位胡大叔是极能干、极讲义气的人。她老人家说：几十年工夫当中，看过的也不少，狠的有，忠厚的也有，像胡大叔这样又狠又忠厚的人，还是第一趟见。”

“什么？”俞武成说，“我倒不懂她老人家的话，怎么叫又狠又忠厚？”

“忠厚是说他的本性，狠是说他办事的手段。”杨凤毛又说，“我倒觉得三婆婆的眼光到底厉害，这‘又狠又忠厚’五个字，别人说不出。”

“那么，你说对不对呢？”

“自然说得对！”杨凤毛接下来又转述“慈训”，“三婆婆说，我们在这里，寄人篱下，受人的气，也不是办法。想要打开局面，都在胡大叔身上。师父要格外尊敬他！”

“昨天章老板赌场里又是怎么回事？”

“这件事，”杨凤毛的神色显得很兴奋，“师父也有面子！”接着，他将当时的情形，细说了一遍。

“这倒难得！说他忠厚不错。”俞武成又说，“那姓刘的，看起来也是‘老白相’，居然对他服服帖帖，这就看得出来，有点本事的。”

“本事不止一点点。师父，你老跟他一谈就知道了。”

于是俞武成再跟胡雪岩交谈时，态度就大不相同了，他很客气，一定要让胡雪岩和刘不才“升炕”。而叙起礼节来，刘不才是芙蓉的叔叔，长了一辈，所以称谓亦自各别。俞武成叫胡雪岩“老胡”，叫刘不才则是官称“刘三爷”，刘三爷却又尊称他“俞老”，跟胡雪岩所叫的“大哥”一比，仿佛又矮了一辈。反正江湖上各叙各的，称呼虽乱，其实都是一律平等的朋友。

俞武成的门规甚严，杨凤毛、朱老大都是站着服劳，他自己则坐在水阁临窗的一张太师椅上相陪，跟胡雪岩大谈松江漕帮。他称“老太爷”为“松江老大”，说起许多他们年轻时一起闯荡江湖的故事，感叹着日子不如从前好过。

刘不才在这场合，只有静听的份儿。他一面听，一面打量俞武成：年纪六十开外，打扮得却如纨绔子弟，缎鞋、缎袍，雪白的袖头，不时卷上翻下，等袖子翻下来时，已经盖过手面，所以必得翘起一只大拇指来，将袖口挡住，才便于行动。这原是江湖上人特有的一种姿态，只是俞武成身材魁梧，服装华丽，大拇指一翘起来，那只通体碧绿的“玻璃翠”扳指异常耀眼，所以格外显得有派头。

然而刘不才感觉有兴趣，也感到困惑的是，俞武成那件在斜阳里闪闪发光的缎袍，无风自动，不时东面凸起一块，西面蠕动片刻，不知是何缘故？他目不转睛地看了半天，总想不透，心便痒得厉害，正忍不住要动问时，谜底揭晓了。

朱老大捧了一大冰盘出于太湖中洞庭东山的樱桃来款客，但见俞武成抓了一串在手里，平伸手掌。很快地，袖子里钻出一只毛茸茸的小松鼠来，一对极大、极明亮的眼睛，灵活地转了转，然后拱起两只前爪，就俞武成掌中捧着樱桃咬。

刘不才嘻开了嘴笑。“俞老，你真会玩！”他问，“怎么养只松鼠在身上？不觉得累赘？”

“养熟了就好了。”

“整天在身上？”

“嗯！”俞武成点点头，“几乎片刻不离。”

“一天到晚，在你身上爬来爬去，不嫌烦吗？”

“自然也有睡觉的时候，只要拿它一放到口袋里，它就不闹了。”俞武成又说，“刘三爷喜欢，拿了去玩！”

“不，不！”刘不才摇着手说，“君子不夺人所好。而且，说实话，在我身上爬来爬去，也嫌肉麻！”

俞武成笑笑不响，回头问朱老大：“快开饭了吧？”

“听胡大叔跟师父的意思。”朱老大答道，“如果不怎么饿，不妨稍等一等，火腿煨鱼翅，火功还不大够。”

“那就等一下。先弄些点心来给胡大叔点饥，等我们谈好了正事，痛痛快快吃酒。”

这段话中要紧的是“谈正事”这一句，胡雪岩怕他不愿刘不才与闻机密，便不经意地使个眼色。刘不才会意，站起身来说：“你们谈吧！我趁这会儿工夫，上街去看个朋友。”

“那么，”朱老大自告奋勇，“我陪着刘三爷一起去。”

刘不才是想去看周一鸣，这是暗中埋伏的援兵，不便让俞武成这方面的人知道，所以拱拱手说：“不敢，不敢！你做主人，要留在府上，而且，同里我也熟，绝不致迷路。”

这是假话，他也是第一次到同里，只是不如此说，朱老大还会派人引路。果然，做主人的不再客气，放他一个人走了。

于是，俞武成跟胡雪岩，还有杨凤毛在一起密谈。俞武成表示愿意听从胡雪岩的安排，老实相告，原来准备动那船洋枪的人马，都由周立春手下一个得力的头目“跷脚长根”安排。所要借重俞武成的，是因为这条水路，是松江漕帮的势力范围，必须请他出面，来打通松江老大的路子。现在松江方面，由于守着“两方面都是朋友，只好袖手中立”的立场，所以“跷脚长根”也踌躇着不敢下手。如今得有这样一条出路，深符所愿，但条件如何，必得跟胡雪岩谈一谈。

“那当然。”胡雪岩问道，“怎么样跟这位朋友碰头？”

“那还得再联络。老胡，我是直心直肚肠，”俞武成很郑重地说，“有句话我想先请教你，你是一家人了，而且我老娘的眼光是不会错的，我当然相信。不过，那批做官的，我吃过他们的苦头，实在不大相信。当初我儿子要去考武举，我就跟他说：‘做官也没啥意思，不要去考。’也是我老娘望孙成龙，亲自料理，亲自送考。至于招抚这一节，我是无所谓的，办成功了，帮里弟兄，可以去吃一份粮，也算是糊口，再说，拿他们拉过来，也总算是替朝廷出了力。就怕那批做官的老爷，口是心非，等出了毛病，我怪你也无用。那时候，我就不是在江湖上好混不好混的事了！”

听他这夹枪带棒的一大顿，胡雪岩相当困惑，不知他说的什么，只是抓住“出了毛病”这四个字极力思考，慢慢悟出道理来了。

“你是说，人过去以后，当官儿的，翻脸不认人，是不是？”

“对了！”俞武成说，“光是翻脸不认人，还好办，就怕——”他摇摇头，“真的有那么一下子，那就惨了。”

“你是说——”胡雪岩很吃力地问，“会‘杀降’？”

“保不定的。”

“不会！”这时候胡雪岩才用斩钉截铁的声音说，“我包你不会，大哥，我跟你实说吧，我接头的是何学使的路子，他马上要放好缺了。京里大军机是他们同年，各省巡抚也有许多是他同年。这一榜红得很，说出话来有分量的。”

“那么，何学使跟你的交情呢？”

“何学使托我替他置妾。交情如此而已！”

“那就没话说了。”俞武成欣然问道，“何学使可曾谈起，给点啥好处？”他赶紧又补了一句，“不是说我。是说对跷脚长根他们。”

“提到这一层，就我不说，大哥也想象得到，弃暗投明，朝廷自然有一番奖励，官是一定有得做的。”接下来，胡雪岩便根据何桂清的指示说道，“弟兄们总可以关一个月恩饷，作为犒赏。以后看拨到哪里，归哪里的粮台发饷。本来，一个月的恩饷好像少了点，不过也实在叫没法子，地方失得太多，钱粮少收不少，这些情形，大哥你当然清楚。”

俞武成当然清楚，他自己和这一帮无事可做，便是朝廷岁入减少的明证，所以点点头表示领会，“恩饷不恩饷，倒不在话下，照跷脚长根的意思，将来投过去，变成官兵，驻扎的地方要随他挑，说老实话，也就是仍旧想驻扎在这一带。这一点，”俞武成很难出口似的，“总要把它做到！”

胡雪岩对这方面虽不在行，但照情理而论，觉得不容易做到，他略想一想问道：“那么我倒请问大哥，如果叫他去打小刀会，他肯不肯？”

“这不肯的。原来是一条跳板上的人，怎么好意思？”

“这样子就难了！”胡雪岩说，“这一带驻了兵，都是要打小刀会的。军情紧急，一道命令下来，就要开拔，如果不肯出队，就是不服调度。大哥，你想想看，你做了长官，会怎么样处置？”

“我倒没有想到这一层……”俞武成搔搔头皮，显得很为难似的。

胡雪岩看得出来，俞武成大概已拍了胸脯，满口应承，必可做到，所以才有此着急的神情。正在替他伤脑筋时，杨凤毛已先开了口。

“师父只有这样回复他，还是调得远些的好，本乡本土，如果小刀会不体谅他的处境，或者事急相投，拒而不纳，就伤了感情，要帮忙呢，窝藏叛逆的罪名，非同小可。何不远离了左右为难的窘境？”

“这话说得透彻。”胡雪岩趁机劝道，“大哥，你就照此回复，跷脚长根如果明道理、讲道理，一定不会再提什么人家做不到的要求。”

这两个人一说，俞武成释然了。“今天就谈到这里。”他站起身来，“我想，大致可以谈得拢了。我们吃饭吧！”

开席要等刘不才，而刘不才迟迟不回，于是一面先用些点心，一面闲谈坐等。等到天黑净了，才见刘不才赶回来，他进门向主人道歉，却偷空向胡雪岩使了个眼色，暗示着周一鸣那里有了什么花样。

胡雪岩声色不动，席间谈笑风生，跟俞武成无所不谈。散了席又喝茶，他有意无意打个呵欠，朱老大便提议让客人休息，送入客房，各道安置。胡雪岩和刘不才各住一间屋，但有门相通。为了慎重，他先看清了没有朱家的人住在临近，才招招手将刘不才邀了过来，细问究竟。

“老周在这一带很熟，水路上到处有朋友，据他听到的消息，俞老头的处境相当窘迫。不知道他自己跟你谈了没有？”

“略为谈了些。却不是什么‘窘迫’。”胡雪岩问，“老周怎么说？”

“老周是这么说，他听人谈起，这一带是松江漕帮的势力，也很有人知道你跟尤五的交情，所以松江老大一说退出，名为中立，在旁人看，就是不管俞老头的事了。江湖上虽重义气，但也要是熟人才行，俞老头的地盘都丢掉了，在这里是靠松江老大的牌头，松江老大一不管，就没有人买他的账了。”

胡雪岩拿这些话跟俞武成自己的情形，合作一起来想，觉得周一鸣所得到的消息相当可靠。照目前的情形看，俞武成确在窘境之中，成事不能，败事不足，变成无足轻重的人物，如果说他还有什么作用，无非是他身上，还维系着跷脚长根这条线索而已！

“我看，你也犯不着这么敷衍俞老头。”刘不才说，“我看他跟药渣子一样，过气无用了。”

“话不是这么说。既然交了朋友，也不便太过于势利。”

“朋友是朋友，办正事是办正事。他已经没得用了，你还跟他搅在一起做什么？”

“不！”胡雪岩还不想跟他说跷脚长根的事，只这样答道，“我要从他身上牵出一个要紧人来！所以还要跟他合作。”

“你跟他合作是你的事，不过，你要想想人家会不会跟他合作呢？”

这句话提醒了胡雪岩，心里在想：是啊，跷脚长根当然也已晓得，俞武成的行情大跌，然则是不是会像自己一样，跟他推心置腹，就大成疑问。说不定周一鸣所说的“没有人买他的账”，正就是跷脚长根那面的人。

念头转到这里，他觉得自己布下周一鸣这支伏兵的做法，还真是一步少不得的棋。于是他将俞武成跟他密谈商定，要与跷脚长根见一次面的话，都悄悄说了给刘不才听，然后嘱咐他第二天一早，再去看周一鸣，托他找水路上的朋友，好好去摸一摸跷脚长根的底，看看俞武成跟他的关系如何。

到了第二天早晨，刘不才依旧托词看朋友，一个人溜了出去，胡雪岩则由杨凤毛和朱老大相陪吃早茶，说俞武成一清早有事出去了，到午后才能回来。胡雪岩心里有数，是安排他跟跷脚长根的约会去了。

到得吃过午饭，胡雪岩深感无聊，正想利用这段闲工夫，去打听打听丝市，刘不才匆匆赶了回来。他一见胡雪岩便悄悄招手，拉到僻处，压低声音问道：“俞老头回来了没有？”

“你怎么知道俞老头出去了？”

“你先不必问。”

“还没有回来！”

“还好，还好，真是命中该救。”

“咦！”胡雪岩大吃一惊，“你怎么说？”

“周一鸣真得力。打听来的消息，说出来要吓你一跳。跷脚长根摆下了‘鸿门宴’，不但你，连俞老头都要陷在里面。”

“这——”胡雪岩定定神先想一想，然后沉着地问，“你慢慢儿说，是怎么回事？”

据周一鸣打听来的消息是如此：跷脚长根听说松江老大变了卦，俞武成又谈什么招安，疑心他要出卖朋友，因而一不做，二不休，决定连俞武成一起下手，预备绑架勒索，条件就是那一船洋枪。

跷脚长根的打算是：请俞武成跟胡雪岩到他家会面，一入牢笼，移换密处，等所欲既偿，便带着那船洋枪，投奔洪、杨。他还怕胡雪岩不敢深入虎穴，预备了第二处地方，是同里闹市中的一家“私门头”。内中有一双坠溷的姐妹花，妹妹叫妙珠，姐姐叫妙珍，是跷脚长根的禁脔。她家跟朱老大家一样，开出后门，就是河埠，半夜里绑架落船，人不知，鬼不觉。

这消息太可惊了，但也太可疑了，胡雪岩实在不能相信。因为这样做法，在江湖上来说，是异常“伤道”的，跷脚长根既有此心，部署一定异常机密，如何轻易能让周一鸣打听得到？

“我也是这么想。”听胡雪岩提出疑问以后，刘不才这样答道，“但老周说得斩钉截铁，消息万分可靠。他又说，这也是无意中遇到一个知道内幕的人，他承认事情太巧，说是你鸿运当头，才有这种逢凶化吉的机遇。”

“那好！这一试就试出来了。你说，那私门头姐妹叫什么名字？”

“妙珍，妙珠。”

胡雪岩点点头，四面一望，窗前就是书桌，有副笔砚。砚台尘封，墨剩了半段，拔出笔架上的笔来看，笔锋已秃，这都只得将就了。他亲自倒了点茶汁在砚台中，一面磨墨，一面招手将刘不才唤到跟前，低声说过：“你随便找张纸，替我写下来，写一句话好了：不在长根家，就在妙珍家。”说着，他走到门外去替刘不才“望风”。

急切间就是找不到纸，情急智生，刘不才将一方雪白的杭纺手绢，铺在桌上，提笔写了那十个字，然后折了起来，交到胡雪岩手里，他很慎重地藏在贴肉小褂子的口袋里。

这一来，胡雪岩就改了主意，托词想睡午觉，把自己关在屋子里，筹划应付可能会有的这一番意外变化。刘不才则在主人的安排下，上了牌桌。

到了四点多钟吃点心的时候，俞武成回来了，一来便问胡雪岩。胡雪岩倒是真的睡着了，为朱老大唤醒，请到水阁跟俞武成见面。

“我去看了跷脚长根，他听说你来了，很高兴，明天晚上替你接风，详谈一切。”俞武成说，“我把你的话都告诉了他，他也很体谅，藩库已不比从前，一个月的恩饷，对弟兄也总算有了交代。”

俞武成说得很起劲，胡雪岩却显得相当冷淡，平静地问道：“他预备请我在哪里吃饭？”

“主随客便！”俞武成说，“如果你不嫌路远，就到他那里，他住在平望，说远也不远。不然，就在同里，他有个老相好是这里出名的私门头，名叫——”他敲敲自己的额角，“这两年的记性坏了，怎么一下子就想不起？”

“是不是叫妙珍？”

“妙珍，妙珍！”俞武成一迭连声地，“老胡，你怎么知道？”

“大哥！”胡雪岩用极冷静的声音答道，“我给你看样东西。”

不用说，就是刘不才的那块杭纺手绢，展开来铺在桌上，潦潦草草十个大字：不在长根家，就在妙珍家。

“老胡，”俞武成疑云满面，“这，这是啥讲究？”

胡雪岩不答他的话，只顾自己说：“大哥，今天我们同船合命，有啥话你无论如何不能瞒我！”

看他面色凝重，俞武成便知内中大有文章，而且事机可能非常急迫，于是拉着他的膀子说：“来，来！到我房间里去谈。”

朱老大为他师父预备的住处，不但讲究，而且严密，是个花木扶疏的小院落，北面三间平房，俞武成住在最里面那一间。引客入内，俞武成在一张临窗的红木小圆桌旁边坐下，脸朝着外，窗外若是有人经过，绝逃不脱他的视线。其实这是顾虑，从开始筹划要动那票洋枪开始，这三间平房，便成了禁地，除却朱老大和杨凤毛以外，什么人都不敢擅自入内的。

“老胡，我想你一定另外有路子！”俞武成说，“既然你说同船合命，你那边如果另有打算，也不要瞒我。”

真是“光棍眼，赛夹剪”，一下就看出端倪来了，胡雪岩自然不肯再隐瞒。“另外打算是没有，另外有路子，倒是真的。不过这条路，来得也意外，回头我当然一五一十都要告诉大哥你听。”他停了一下说，“我先请问大哥一句话，跷脚长根为人怎么样？跟大哥的交情够不够？”

“要说他为人，向来是有心计的，外号‘赛吴用’，至于跟我的交情，那就难说了。”

“怎么呢？”

“我跟他本人交情不算深，不过，他的‘前人’跟我一辈，叫作‘金毛狗炳奎’。我救过金毛狗的性命，这话一时也说不清楚。”俞武成紧接着说，“长根是金毛狗最喜欢的一个徒弟，金毛狗临死的时候，关照徒弟：‘俞某人的恩，我今生是无法报答了！将来你们见了他，就当见了我一样。’等他的徒弟点头答应了，金毛狗才咽的气。所以他的徒弟都叫我俞师父，长根也就是为此，才来找我帮忙。”

“这样说，此人就是‘欺师灭祖’了！”

听这一说，俞武成骇然。这四个字是他们帮中极严重的恶行，犯者“三刀六洞”，绝不容情，所以俞武成神情紧张，一时竟无法开口了。

“大哥，你大概不大相信？”

“是的。”俞武成慢慢点着头，“跷脚长根脚一跷就是一个主意，我也不相信他是什么好人。不过，老胡，江湖上不讲义气，也要讲利害，他做了‘初一’，不怕我做‘初二’？”

“你做初一，我做初二”，这是与“君子报仇，三年不晚”大同小异的说法。大同者有仇必报，小异者时间不同，一个是“三年不晚”，一个是初一吃了亏，初二就要找场。

俞武成的话问得自然有道理，不过胡雪岩也可以解释，诚如他自己所说的，“不讲义气，讲利害”，跷脚长根认为俞武成已经失势，“虎落平阳被犬欺”，无足为奇，只是这话不便直说，怕俞武成听了伤心。

“大哥的话是不错。”他这样答道，“跷脚长根已经预备逃到那方面去了，当然不怕大哥做初二。”

“逃得了和尚，逃不了庙……”

“跟他算账是以后的事。”胡雪岩有些着急，抢着开口，将话题拉了回来，“我们先谈眼前，这消息宁可信其有，不可信其无。”

俞武成摇摇头，“不是什么信不信！要弄清楚，这个消息真不真？”他抬头逼视着胡雪岩问，“你这个消息哪里来的？”

“有个姓周的湖南人，从前在水师衙门做过事，水路上的情形很熟悉。是他得来的消息。”

“能不能请来见个面？”

“当然可以。我托刘三爷去找他。”

于是将刘不才从牌桌子上拉了下来，胡雪岩当着俞武成的面，把任务告诉了他，特意说明是俞武成要跟周一鸣见面。这是个暗示，周一鸣一定会想得到是怎么回事，该当如何答复，便好早作准备。

在等待的工夫中，俞武成将杨凤毛、朱老大都找了来，关门密议，宣布了周一鸣所得来的消息。杨凤毛跟朱老大的看法不同，一个信以为真，一个说靠不住。

说靠不住的是朱老大。他的理由是，妙珍、妙珠这双姐妹的香巢每日户限为穿，人来人往不知有多少，众目昭彰之下，根本不能干那种绑架的事。而且，她家后门那段河面，离码头不远，整夜有船只来往，要想悄悄将俞武成、胡雪岩弄上船，运出水关，也不是轻而易举的。

“你是小开出身，没有经过这种花样。”杨凤毛平静地驳他，“只要他起了这种心思，办法多得很。说实话，跷脚长根这个人，照我看就是魏延，脑有反骨。事情有七八分是真的，幸亏周朋友的消息得来得早，我们还好想法子防备，不过，也难！”

“怎么呢？”俞武成说，“你说出来，向胡大叔讨教。”

“胡大叔！”杨凤毛问道，“你老看，是软做，还是硬做？”

“怎么叫软做？”

“软做是当场戳穿他的把戏，劝他不要这样子做！”

“不好，不好！”俞武成大摇其头，“这样子软法，越让他看得我们不值钱。而且他真的敢这样做，就是生了一副狼心狗肺，你跟他说人话，他哪里会听？”

“这话说得是。软做怕没有用。”胡雪岩又说，“不过硬做要做得漂亮。最要紧的是，先把证据抓在手里。”

“着啊！”杨凤毛拍着大腿说，“胡大叔的话，一滴水落在油瓶里，再准不过。硬做的办法很多，就是要看证据说话。”

“怎么样抓证据，我们回头再说。”俞武成问，“你先说，硬做有几个做法？”

杨凤毛很奇怪地，却又踌躇不语，他师父连连催问，才将他的话逼出来：“我的办法不妥当！”

为来为去是为了证据，照杨凤毛的设计，俞武成和胡雪岩要先入牢笼再设法跳出来，才可以抓得住跷脚长根犯罪的真凭实据。万一配合得不凑手，跳不出来，反激起长根的杀机，那就神仙都难救了。

相谈尚无结论，刘不才却陪着周一鸣到了，他在胡雪岩面前，身份低一等，但对俞武成师弟而言，却同样是朋友，而且有了那个消息，等于已嘉惠俞武成，所以他们师弟对他很客气，着实敷衍了一阵，才谈到正题。

话当然要由胡雪岩来问：“老周，你那个消息，很有点道理。不过其中也不能说没有疑问。这件事关系太大，非要弄清楚不可。这消息是怎么来的，你能不能讲出来听听？”

如果光是胡雪岩一个人私下问他，他自然据实而言，但有初会面的俞武成师徒在，不免有所顾忌。俞武成看出端倪，便作了很诚恳的表示："周老兄，你尽管说，我们这面，绝不会泄漏半个字。你如果不相信，我拿我老娘来罚咒！"

周一鸣倏然动容，连连摇手："这怎么可以？"他想了想问，"我想请问俞大爷，跷脚长根做的那些坏事，你是不是都晓得？"

"晓得一点，不能说完全晓得。"

"他欺侮过一个寡妇，这件事你听说过没有？"

"听说过。"俞武成点点头，"他先搭上了一个寡妇，赌输了就去伸手，那寡妇的一点私房跟首饰，都让他逼光了。长根要她卖祭祀田，她不肯，就吓她，要撕她的面皮。那寡妇想想左右做不来人，一索子上吊死了，是不是这么回事？"

"是的，那寡妇姓魏，有个兄弟在长根手下，长根大意，不在乎他……"

"我懂了。"俞武成不需他再说下去，"姓魏的，是你老兄的好朋友？"

"不是，我跟他初交。我有个换帖弟兄，跟他是好朋友，这趟跟我换帖弟兄谈起长根，他才找了小魏来跟我见面。消息是绝不假，可惜详细情形他还不清楚。"

"这已经够了。"俞武成问道，"不知道小魏肯不肯出面做见证？"

"不会肯的。"胡雪岩接口，"就肯出面，口说无凭，长根也可以赖掉的。"

"那么，"俞武成断然决然地说，"就我一个人去会他！"

"不！"胡雪岩说，"大哥，你一个人去无用，他一定按兵不动。我看此事只好作罢。那一船洋枪，承大哥情让，我另有补报……"

"嗐！"俞武成抢着打断，"老胡，你这不成话了。事情弄到这步田地，糟糕得很，窝窝囊囊，叫我以后怎么再在场面上混？这样，你先请回去，我跟松江老大去商量，一定把你这一船洋枪，运到杭州。跷脚长根，当然也饶不过他，不要看我借地安营，我照样要跟他拼个明白。”

看到俞武成有些闹意气的模样，胡雪岩认为这件事不宜再谈下去，先要让他冷一冷，消一消气，所以一面向刘不才使个眼色，一面摆摆手说：“‘性急吃不得热粥’，回头再谈吧！反正有大哥在这里，没有什么办不通的事。”

“对了！”刘不才领受默喻，附和着说，“我陪俞老先玩一场牌九，换换脑筋！”

说着，他将俞武成硬拖了走。朱家吃闲饭的人很多，等场面摆开，自有人聚拢来，很快地凑起一桌小牌九。刘不才有意推让俞武成做庄，绊住了他的身子，以便胡雪岩与杨凤毛好从容筹计。

他的测度，丝毫不差，胡雪岩正是这样希望。他对俞武成有多少实力，肚子里有些什么货，以及他的想法和脾气，尽皆了然，觉得跟他谈，不如跟杨凤毛谈来得有用。当然，还有个少不得的人：周一鸣。

三个人是在水阁中促膝划策。胡雪岩首先表明了态度，他的目的已经有所更改，那一船洋枪如何运到杭州，犹在其次，主要的是想帮俞武成翻身，也不枉三婆婆一番器重的情意。

江湖上就讲这一点“意思”，杨凤毛对胡雪岩的态度，一变再变，由不甚在意，到相当佩服，而此刻是十分感激了。“胡大叔，”他说了句很坦率的话，“你老的心，我师父或许还不明白，我是完全晓得的。只要胡大叔吩咐，我们做得到的，一定出全力去做。现在胡大叔是这样的用心，我倒想请问一句，照胡大叔看，我师父要怎么样才能翻身？”

“官私两面。”胡雪岩很快地回答，“官的，譬如说能够办好这一次招抚，自然最好，不然，就要有杀搏的做法，也是大功一件。”

杨凤毛领会得他的意思，一颗心怦怦然，相当紧张，但还不便表示态度，只眼神专注着，等他再说下去。

“私的，在江湖上要把你师父的名气，重新打它响来！”

“是的。”对这一点，杨凤毛深有同感，“我也一直这样子在想。不过，也要有机会，能够有机会干一两件漂亮的事就好了。”

“眼前就是个机会。这且摆下来再说。我现在想到一个主意，说出来你看看，行不行？”胡雪岩说，“有句话叫作‘明修栈道，暗渡陈仓’，现在跷脚长根全副精神，都在你师父跟我身上，一双眼睛，只顾看着同里，别的方面就疏忽了。我想趁这个空档，将上海的那船军火，赶紧起运。好在松江那方面有照应，一定不会出毛病。”

“嗯，嗯！”杨凤毛连连点头，“这个险值得冒。”

“不过也有个做法，我想请少武押运。当然，”胡雪岩紧接着说，“万一出了毛病，绝不要他负责任。我的意思是，有这样一趟‘劳绩’，等军火到了杭州，奏保议叙，就可以拿他的名字摆在前面，多少有点好处，对三婆婆也是个交代。”

“好的。胡大叔挑他，那还有什么话说？等我回苏州去一趟，当面告诉他。”

“不必你去，我会安排。”

接下来便是商量如何对付跷脚长根。胡雪岩与杨凤毛的看法相同，整个关键，就在证据。有了证据，怎么样都好办，大则动用官兵围剿，是师出有名；小则照他们帮里“家门”的规矩，“开香堂”问罪，亦可问得他俯首无辞，三刀六洞，任凭处置。

“现在只有这样的消息，既无书信字迹，也没有人肯挺身指证，这就莫奈其何。当然，我也可以想法子拿他抓到公堂上，严刑拷问，不过这一来，我结了怨还在其次，损了你们老头子的威名，说他仗势损人，这个名声，我想他也绝不肯背的。”

“当然，当然。”杨凤毛一迭连声地说，“一落这个名声，在江湖上就难混了。”

“所以，除非罢手，不上他的圈套，不然就只有一条路子，叫作‘不入虎穴，焉得虎子’！”

“我也想到过，觉得太危险！”

“只要接应得好，绝不要紧。我想这样子做法——”

胡雪岩的做法是跟俞武成去赴这一场“鸿门宴”，准备谈判决裂，准备被绑架，等船到关卡，借稽查为名，出其不意，上船相救。那时候就证实了跷脚长根的不逞之心，是官了还是私了，到时候再说。

杨凤毛极注意地听着，从头到底，细作盘算，认为胡雪岩的计划，比自己的打算来得周密——前面的一段经过相同，不同的是脱险的方法：杨凤毛预备邀人埋伏，唱一出“临江夺计”；胡雪岩是动用官方的力量作掩护，围赵救燕。一个力夺，一个智取，自然后者比前者高明。

“胡大叔，你老随机应变的功夫，我是信得过的，就怕我师父脾气暴躁，搞得跷脚长根恼羞成怒。除此以外，只要接应得好，不会不成功。”

“成败的关键在明暗之间。”胡雪岩说，“跷脚长根以为他在暗处，我们在明处，其实他明我暗。如果消息泄漏出去，就又变成我们在明处了。”

“是的。”杨凤毛郑重地答道，“我想，这件事就胡大叔、周先生跟我三个人知道。等筹划好了，再告诉我师父。”

“一点不错。”

于是彼此不动声色，吃罢了饭，仍旧由刘不才陪着俞武成赌钱，他们三个人接续未完的话题，将一切细节，都筹划到了，然后分头行事。

首先当然是要告诉俞武成。对于整个计划，他有不以为然的地方，譬如由他儿子去押运那一船洋枪，俞武成就觉得将来说出去，是他先背弃了跷脚长根，名声不好听。但他一向倚人成事，杨凤毛是他最得力的学生，胡雪岩又处处显得比自己这面高明，加以有那一层干亲在，越发不便多说什么，所以慨然答应：“都随你们，你们怎么说，我怎么做！”

“有一层要请示大哥，等事情抖明了，是官了，还是私了？”胡雪岩说，“官了，我来奔走；私了，是你们家门里的事，我就不能过问了。”

俞武成想了想说：“我想还是私了。惊官动府也不大好。”

“那都随大哥的意思，好在我跟大哥始终在一起，有事随时听招呼就是了。”

“始终在一起”这五个字，俞武成深深印入脑中，不由得便有患难祸福相共的感觉，因而对胡雪岩的情分也就不同了。他是豪爽，加上些纨绔子弟想到就做的鲁莽性格，当时便说：“凤毛，你告诉你那些兄弟和‘小角色’，以后胡大叔说的话，就跟我同你说的一样。”

“是！”杨凤毛心悦诚服地答道，“我们不敢不敬胡大叔。”

“不敢当，不敢当！”胡雪岩既得意，又惭愧，“贤师弟如此厚爱，叫我不知何以为报。”

“老胡，你说反了……”

“师父！”杨凤毛打断他的话说，“这不是谈这些话的时候。胡大叔还有正事要赶着办，晚上消夜再谈吧！”

胡雪岩深知江湖上行事，越是光棍，越易多心，过节上的话，要交代得清楚。无端冒出个周一鸣来，已有些自张一帜，独行其是的味道，自己再藏着个“黑人”裘丰言，更不成话，因而把握机关，作了说明。

“有件事，我要跟大哥回明白。老周跟我还有个朋友，也就是那一船洋枪的押运委员裘丰言，他们两位不放心我，现在都赶到同里，预备帮忙。人多好做事，我们调兵遣将，原该在一起，不过，人一多，怕风声太大。我跟大哥请示，是大家住一起，还是分开来的好？”

是合是分，俞武成无从作判断，不过听话是听得懂的，胡雪岩既“怕风声太大”，则意向如何，不言可知。于是俞武成毫不迟疑地答道：“分开来的好，分开来的好！”

“那位裘大老爷是‘州县班子’，跟刘三爷一样，极有趣的人。三婆婆认胡大婶，算是他引进。”

“喔！”俞武成说，“那么，我该尽点道理，明天下个帖子，请裘大老爷吃饭。”

“那就不必了。等事情成功了，我们再好好热闹一下子。如果大哥想跟他见一面，我今晚上就把他带了来。”

“那好极了！只怕简慢不恭。”

这样说定了，胡雪岩便由周一鸣陪着去看裘丰言。他正在客栈里，捏着一卷黄仲则的《两当轩集》，醉眼迷离地在吟哦，一见胡雪岩便即笑道："老胡，我真服了你！来，来，先奉敬一杯。"

"等等，等等，回头消夜，我再陪你吃。如今'军情紧急'，你先把酒杯放下来。"

夺去他的酒杯，自是件极扫兴的事，但他是真的服胡雪岩，说什么是什么，当时便陪着胡雪岩到另一张桌子坐下，细谈正事。

胡雪岩将"暗渡陈仓"的计划说了一遍，当时便请他写了三封信，一封是给松江老大，说明经过，请求在水路上照应；一封是由裘丰言自己出面，写给王有龄，说明委任俞少武押运洋枪，作为将来叙功的根据；再一封是写给何桂清，介绍周一鸣晋谒，说有"机密要事"密陈。

写完了信，胡雪岩邀裘丰言到朱家消夜，跟俞武成见面。"酒糊涂"的裘丰言，却忽然谨小慎微了，认为做事以隐秘为上，而且他也没有跟俞武成见面的必要。但胡雪岩认为说好了见面，临时变卦，怕俞武成多心，所以坚持原议。

这样便不得不有此一行。二人见了面互道仰慕，又因酒杯中容易交朋友，俞武成觉得和此人颇为投机。谈到俞少武押运的差使，做父亲的虽不以为然，而此时竟不能不郑重拜托。这顿消夜，直吃到深夜才罢，裘丰言和周一鸣双双告辞，回到客栈打个盹，又上了预先雇定的船，一个往北到苏州去见何桂清，并通知俞少武到上海会齐；一个往东，先到松江见"老太爷"，然后回上海去运洋枪。

由于关卡上的安排援救脱险，得有些日子来部署，所以依照预先的商议，先用一条缓兵之计。俞武成向跷脚长根说，胡雪岩为表敬意，坚持要先请他吃饭。从来"行客拜坐客"，坐客却须先尽地主之谊，因此俞武成提出折中办法，由他作东，先请双方小叙会面，等条件谈妥当了，再领跷脚长根的情。

这个说法，合情合理，跷脚长根当然想不到其中别有作用，只觉得自己的计划晚几天实行也无所谓，因而欣然应诺。

于是就在裘丰言动身的第二天中午，俞武成在朱家设下盛筵，跷脚长根一跷一拐地到了。不知是有意炫耀，还是自觉不甚安全，需人保护，跷脚长根竟带了二十名随从。

这一下，主人家固然手忙脚乱，得要临时添席招待，胡雪岩亦不得不关照刘不才，赶着添办礼物。每人一套衣料，二两银子的一个红包，原来备了八份，此刻需再添十二份。这倒不是他摆阔，是有意笼络，保不定将来遇着性命呼吸的生死关头，有此一重香火因缘，就可能会发生极大的作用。

入席谦让，胡雪岩是远客，坐了首座，与跷脚长根接席，在场面上自然都是些冠冕堂皇的应酬话。吃完了饭，刘不才做庄推牌九，以娱“嘉宾”，俞武成则陪着胡雪岩和跷脚长根，到水阁中谈正经。在座的只有一个杨凤毛。

“长根！”俞武成先作开场白，“这位胡老兄的如夫人，是我老娘从小就喜欢，认了干亲的，‘大水冲倒龙王庙’，一家人不认识一家人，说起来也是巧事。老胡虽是空子，但其实比我们门槛里的都还够朋友，他跟松江老大、尤五的交情，是没话说的。还有湖州的郁四，你总也听说过，他们在一伙做生意。所以，那件事，要请你高抬贵手！”

“俞师父，你老人家说话太重了，”跷脚长根的态度显得很恳切，“江湖上碰来碰去自己人，光是三婆婆跟你老的面子，我就没话可说。何况，我也很想结交我们胡老兄。”

“承情，承情！”胡雪岩拱拱手说，“多蒙情让，我总也要有点意思……”

“笑话！”跷脚长根摆着手说，“那件事就不必谈了！”

洋枪的事，总算有了交代，于是谈招抚。

跷脚长根亦颇会做作，明明并无就抚之心，却在条件上斤斤较量，反复争论，显得极其认真似的，特别是对改编为官军以后的驻区，坚持要在嘉定、昆山和青浦这个三角形的地带上。

一直是由胡雪岩耐着性子跟他磨，到了僵持不下之时，俞武成便忍不住要开口。“长根！”他用低沉的声音说，“做事总要‘前半夜想想自己，后半夜想想别人’。我倒要问你一句：等招安以后，上头要派你出队去打上海县城，你肯不肯去？”

“这——俞师父，你晓得我的处境的。”

“是啊！”俞武成紧接着他的话说，“别人也就是晓得你的处境，不肯叫你为难，所以要把你调开。不然的话，你跟小刀会倒还有香火之情，小刀会不见得跟你讲义气，冷不防要来吃掉你，那时候你怎么办？老实说一句，你想退让都办不到！为什么呢，一则，你当官军，小刀会就不当你朋友了，说不定赶尽杀绝；再则，你一退就动摇军心，军令如山，父子都不认账的，‘辕门斩子’这出戏，你难道没有看过？”

跷脚长根被驳倒了，沉吟了好半晌，做出情恳的神态道：“俞师父，胡老兄，我实在有我的难处，弟兄们一份饷只好混自己，养家活口是不够的。在本乡本土，多少有点生路，一调开了，顾不到家眷，没有一个人安得下心来。俞师父你老的话，当然再透彻都没有，我就听凭上头作主，不过‘皇帝不差饿兵’，请上头无论如何发半年的恩饷，算是安家费。家不安，心不定，出队打仗也不肯拼命的，胡老兄，你说是不是？”

“是，是。你老兄再明白不过。”胡雪岩很诚恳地说，“我一定替你去力争。半年，恐怕不大办得到。三个月，我一定替你争来。能多自然最好。”

“好了，好了！话说到这里，长根，你要再争就不够意思了！”

“是的。”跷脚长根略带些勉强地，仿佛是因为俞武成以大压小，不敢不听，“我就听你老的吩咐了。”

“好极！总算谈出个结果。”胡雪岩看着俞武成说，“大哥，我想明天就回苏州。官场上做事慢，恐怕要五六天才谈得好。不过，到底有多少人马，要有个确数，上头才好筹划。”

这是想跟跷脚长根要本花名册。俞武成虽懂得他的意思，却感到有些不易措词，怕跷脚长根托词拒绝，碰一个钉子，则以自己的身份，面子上下不来。

谁知跷脚长根倒爽快得很，不待俞武成开口，自己就说：“对，对！”接着便喊一声：“贵生！”

贵生是他的一名随从，生得雄武非常，腰里别一把短枪，枪上一绺猩红丝穗子，昂然走了进来候命。

“你把我那个‘护书’拿来。”

取来“护书”，跷脚长根从里面抽出一张纸来，递给胡雪岩。打开一看，上面记得有数字：两千七百人，三百五十匹马。此外记着武器的数目，如长枪、大刀、白蜡杆子，另外还有四十多支洋枪。

胡雪岩虽不曾经手过招抚的事务，但平时跟王有龄、嵇鹤龄、裘丰言闲谈之中，已略知其中的关键虚实。大致盗匪就抚，老老实实陈报实力的，例子极少，不是虚增，就是暗减。而就在这增减之中，可以看出受抚者的态度。如果有心受抚，自然希望受到重视，所以人马总是多报些，用虚张声势来自高身价；倘或一时势穷力蹙，不得不暂时投降，暂保生路，那就一定有所隐瞒，作为保存实力，俟机翻复的退步。胡雪岩现在想探明的，就是跷脚长根真正的实力。

“老兄诚意相待，让我中间人毫不为难，实在心感之至。现在有句话想请教，我回到苏州，是不是拿老兄的这张单子，送了上去？”

这意思是说，单子送了上来，即是备了案，“一字入公门，九牛拔不转”，将来就抚时，便得照单点验。他这样试探，就是要看看跷脚长根的态度，倘或有心就抚，听此一说，自然要郑重考虑，否则，便不当回事了。

果然，胡雪岩试探出来了。“尽管送上去！”跷脚长根答道，“将来照这单子点数，我可以写包票，一个人不少，一匹马不缺。”

越是说得斩钉截铁，越显得是假话。因为天有不测风云，人有旦夕祸福，这两千七百多人中，难免没有暴疾而亡的事情发生，何能包得下一个不少？胡雪岩的心思深，跷脚长根和俞武成都想不到有这样的用意在内，只觉得事情谈到此，可以告一段落。当时约定，等胡雪岩从苏州回来的那天，便是在妙珍香闺畅饮庆功之日。

谈完正事，少不得有点余兴，这时在大厅上的赌，已经由一桌变成两桌，一桌牌九一桌摊，另外在厢房里有两桌麻将。俞武成陪着跷脚长根来做庄，胡雪岩反对，认为庄家赢了钱该继续往下推，让下风有个翻本的机会。

刘不才这一阵子跟胡雪岩朝夕相处，默契更深，听他这一说，立即会意，当时便改了宗旨，不以赢钱为目的。赌钱想赢不容易，想输不难，不过刘不才就是输钱，也要使点手段，潜注默察，哪个大输，哪个小赢，一一了然于胸，然后运用大牌九配牌的巧妙，斟酌情形，该放的放，该紧的紧，调剂盈虚，很快地使得十之七八都翻本出了赢钱。自己结一结账，输了三千银子，便笑嘻嘻地站起身“推位让国”。

这三千银子输得跷脚长根的手下皆大欢喜，一致称赞刘不才是第一等的赌客。接下来跷脚长根推庄，照规矩，他一个做头脑的，跟他手下赌，必得送几文，一千银子很快地输光。胡雪岩想输些钱给他，却不知怎么样才输得掉。

“怎么！”跷脚长根不明他的用意，看着胡雪岩问道：“不下手玩玩？”

“我对此道外行。”胡雪岩微笑着答道，“再看一看！”

跷脚长根不知是忽发豪兴，还是别有作用，突然间提高了声音，看着胡雪岩说道：“老兄，我们赌一记，怎么样？”

“好！”胡雪岩答得也很爽脆，“奉陪。”然后又问，“是不是对赌？”

对赌就没有庄家、下风之分，跷脚长根在场面上也很漂亮，很快地答道：“自然是对赌，两不吃亏。怎么赌法，你说！”

所谓“怎么赌法”是问赌多少银子，胡雪岩有意答非所问地说：“赌一颗真心！”

这话出口，旁人的眼光都不约而同地看一看胡雪岩，再看跷脚长根，只见他一愣，双眼不住眨着，仿佛深感困惑似的，接着笑容满面地答道：“对，对！赌一颗真心！老兄，我不会输给你。”

这意思是他亦有一颗真心，然而这话也在可信、可疑之间，借机喻意，当不得真，胡雪岩自己把话拉了转来：“我是说笑话。你我连俞大哥在内，待朋友哪个不是真心，何用再赌？来，来！赌钱，赌钱！”他看着刘不才说，“三爷，借一万银子给我。”

等刘不才数了一万两的银票，交了过去，胡雪岩顺手就摆在天门上。于是跷脚长根又叫贵生把那个护书拿来，朝桌子中间一放，表示等见了输赢再结算。但在赌场中，这是个狂傲的举动，有着以大压小的意味，俞武成看着很不舒服，忍不住就说了句：“我也赌一记！”

真所谓“光棍一点就透”，跷脚长根赶紧一面伸手去取护书，一面赔笑说道：“俞师父出手，我就不敢接了。回头你老人家推几方给我们来打。”这是打俞武成的招呼，俞武成自是一笑置之，跷脚长根也不敢再有什么出格的花样，规规矩矩理了一沓银票，放在手边，然后问道：“赌大的，还是小的？”

“小的爽快！”

跷脚长根便将副乌木牌九，一阵乱抹，随手拣了两副，拿起骰子说道：“单进双出。”

骰子撒出去，打了个五点，这是单进，他把外面的那副牌收进来，顺手一翻，真正“两瞪眼”了！是个“蹩十”。

胡雪岩不想赢他这一万银子。他的赌不精，对赌徒的心情却很了解，有时输钱是小事，但一口气输不起。特别是跷脚长根此时的境况，不用打听，就可以猜想得到，势穷力蹙，已到了铤而走险的地步。一万银子究竟不是小数目，一名兵勇的饷银是一两五钱到二两银子，他手下二千七百人，如果改编为官军，发三个月的恩饷，还不到一万银子，就这样一举手之间输掉了，替他想想，心里也不是味道。

有钱输倒还罢了，看样子是输不起的，一输就更得动歪脑筋，等于逼他

“上梁山”。这样电闪一般转着念头，胡雪岩手下就极快，当大家还为跷脚长根错愕嗟叹之际，他已把两张牌，抢到了手里。

场面上是胡雪岩占尽了优势，跷脚长根已经认输，将那一万银票推到了他的面前，脸色自不免有些尴尬。其余的人则都将视线集中在胡雪岩的两张牌上，心急的人喊道：“先翻一张！”

胡雪岩正拇指在上，中指在下，慢慢摸着牌。感觉再迟钝的人也摸得出来，是张地牌。这张牌绝不能翻，因为一翻就赢定了跷脚长根。

他决计不理旁人的怂勇关切，只管自己做作，摸到第二张牌，先是一怔，然后皱眉，继之以摇头，将两张牌，往未理的乱牌中一推，顺手收回了自己的银票。

“怎么样？”跷脚长根一面问，一面取了张胡雪岩的牌去摸。

“丁七蹩！”胡雪岩懒懒地答道，“和气！”

怎会是“丁七蹩”？跷脚长根不信，细细从中指的感觉上去分辨，明明是张“二六”，有这张牌就绝没有“蹩十”，再取另外一张来摸，才知道十点倒也是十点，只不过是一副地罡。

“难得和气！”他说，“和气最好！赌过了，好朋友只好赌一次，不好赌第二次。谢谢俞师父了，叨扰，叨扰！”

“时候还早嘛！再玩一息？”

“不玩了。”跷脚长根答道，“相聚的日子还长。等胡老兄从苏州回来，我们再叙，”

等他一走，俞武成悄悄问胡雪岩：“你到底是副什么牌，我不相信你连‘蹩十’都吃不了它！”

“是副地罡。”胡雪岩说，“我看他的境况也不大好，于心不忍。”

“你倒真舍得！铜钱掼在水里还听个响声，你一万两银子就这样阴干了？”其词若有憾焉，其实是故意这样讥嘲，胡雪岩一时辨不清他的意思，唯有报之以一笑。

“老胡，怪不得我老娘都佩服你！”俞武成这时才说了他的想法，“现在，你交情是放出去了！要看跷脚是人，还是畜生。是人，当然不会做出什么狗屁倒灶的事，是畜生，我们就当他一条毒蛇打，要打在七寸上！死不足惜。”

“我就是这个意思。”胡雪岩说，“这一来，我们就是下了辣手，只怪他自己不好，不但我们自己心里不会难过，就是有人替他出头，‘四方台子八方理’，我们也可以把话摆在台面上来讲。”

“一点都不错！你对江湖上的过节，熟透，真不晓得你是哪里学来的？”

胡雪岩笑笑答道：“闲话少说，我明天一早就走，大概三五天就回来。这里都拜托大哥了。”

* * *

第五天早上，胡雪岩如他自己所预定的期限回到了同里，周一鸣是跟他一起来的。一到便调兵遣将，周一鸣和杨凤毛守住运河两头的卡子，朱老大打接应，刘不才串清客，陪着胡雪岩和俞武成去赴那场“鸿门宴”。

等布置停当，跷脚长根的帖子也送到了，日期是在两天以后，所以不一到就请，理由是妙珍家的厨子，整治一桌水陆杂陈的盛宴，需要两天的工夫。

当然，谈正事归谈正事，送帖子的当天，跷脚长根专诚来讨消息。

跷脚长根随身带一个蓝布包裹，不知包着什么东西。客人不说，主人也不便问，说过几句闲话，随即问起此行的结果。

“四个月的恩饷——”

四个月的恩饷，跷脚长根可以保为四品的武官，驻区此刻不能预定，但一定会调到他处。胡雪岩说了这三个主要条件，留神观察跷脚长根的态度，倒要看看他用些什么话来敷衍。

“既然要投过来，好坏都说不得了。有你老兄在，绝不会叫我们弟兄吃亏，我就谨遵台命了。”

说着，跷脚长根亲自解开蓝布包裹，里面是一沓旧簿子，封面上写着四个大字：同心一德。

“这是花名册。我就只有这一份，时间局促，来不及誊清，只好请你看底册了。”

胡雪岩和俞武成相顾愕然，竟不知跷脚长根是何用意。看那册子，油腻垢污，拿在手里都有些厌恶。翻开来看，里面涂涂改改，有些地方注一个“逃”字，有些地方注一个“亡”字，有些地方注着“改归某队”，是真实不虚的底册。

“好极，好极！”胡雪岩只好当他确有诚意，“这份底册，我借用两天，请几个人分开来赶抄。”

“不用你老兄费心，里面有些变动的情形，别人弄不清楚，我派人来抄。不过，”跷脚长根看着朱老大说，“我预备派三个人来，要在府上打扰两天。”

这好像是更进一步表现了诚意，当朱家是他自己办机密事务的地方。俞武成不等主人开口，便代为应允：“小事，小事！尽管请过来。”

“谢谢！就这样说了。今天我还有点事，不打搅了，后天下午，早点请过来，还有许多事要请教。”

等跷脚长根一走，胡雪岩大为紧张，也大为兴奋，将俞武成拉到一边，悄悄问道：“大哥，你看怎么样？这家伙，不像是要花样。”

“是啊！我也有点想不懂。他把底册都拿了来了，竟像是真有这回事！我想，”俞武成说，“不如托老周再去摸一摸底看。”

“对！”

于是，周一鸣受命去打听跷脚长根的真实意向，如果真的愿意就抚，则前后的态度大不相同，何以有此突然的大变化？要找出能够令人满意的解释来，方可以使人信其为真。

周一鸣的消息不曾来，苏州却有了信息。何桂清用专差送了一封信给胡雪岩，说是由江苏营务处得来的消息，青浦、嘉定之间，不断有一股一股的“匪徒”在移动，携带武器，行迹诡秘，自称是由各地集中，听候官方点验。何桂清深怕这是借机蠢动，请胡雪岩赶紧打探明白，是不是确有其事。如果并无其事，他将出动官军兜剿。信尾特别赘了一句：此事关系重大，务望火速回示。

第八章

这轻飘飘的一封八行，在胡雪岩感觉中，仿佛肩上压下一副沉重的担子。地方的安危，跷脚长根的祸福，以及何桂清的前程，都系于他的一句话中。若说一声是预备点验，不是别有用心，则官军自然撤围，但万一跷脚长根乘机作乱，则追究责任，岂仅何桂清不得了，自己亦有脑袋搬家的可能。倘或答说情况不明，难作判断，则官军便可能围剿，有如杀降，自己在场面上如何交代还在其次，身上等于背了一笔血债，以后的日子怎么过得下去？

跟俞武成商量的结果，只有这样答复：已经遵谕开始调查，真相未明之前，请何桂清转告营务处，按兵不动，加意防范。

这是搪塞眼前，究竟真相如何，亟待澄清，周一鸣却又不知到哪里去了。胡雪岩心想，形势像炉子上烘着一罐火药，随时可以爆发，这罐火药不早早设法拿开，令人片刻难安；因而当机立断，决定了一个开门见山的办法。

这天晚上打听到，跷脚长根歇在妙珍那里，胡雪岩请朱老大派了个人引导，径造妙珍香阁。这是不速之客，跷脚长根深感意外。

内心紧张，表面却甚闲豫，胡雪岩先打量妙珍。她貌不甚美，但长身玉立，身段极好，而且花信年华，正是风尘女子中最妙的那段年岁。至于谈吐应酬，更见得气度不凡，配了跷脚长根那样一个草莽英豪，他倒替她觉得可惜。

等摆出碟子来小酌，胡雪岩才看一看妙珍问跷脚长根："有封信，想给你看。"

"喔，"跷脚长根会意了，"请到这边来。"

这一引引入妙珍的卧室，跷脚长根请胡雪岩坐在妆台边，自己坐在床沿上，俯身相就，静候问话。

"我听你一句话，你说怎么样，我就怎么样答复。"胡雪岩一面说，一面把信递了过去。

看完了信，跷脚长根的脸色显得很不安，静静想了一会答道："老兄，你看我是什么意思？"

这话问得很有分量，胡雪岩很慎重地答道："如果我不相信，我就不拿这封信给你看了。"

跷脚长根点点头，表示满意："好的！我晓得你为难。该怎么办，请你吩咐。"

"言重，言重！"胡雪岩想了想答道，"也难怪官军！实在时世太乱，不能不防，弄出误会来，说句实话，总是我们吃亏。所以，我想不如等一等，到有了点验的日子，大家再来，官军就不会疑心了。"

"是！"跷脚长根说，"吃酒去！"

走到外间，他立刻找了贵生来，嘱咐他连夜派人，分头通知部下，各回原处。

这样明快的处置，胡雪岩也深感满意。喝酒闲谈之际，由于撤除了内心的戒备，两个人越谈越投机，胡雪岩不待周一鸣来回报，就已知道了跷脚长根改变态度，愿意就抚的原因，当然，这是出于他的自叙。

一言以蔽之，是为了胡雪岩的态度。那副牌九上的"高抬贵手"，当然是促成跷脚长根改变态度的主要原因，但不是唯一原因。他认为胡雪岩讲江湖义气讲得“上路”，固然心服，而真正使他能够信任的，还在胡雪岩的才干。讲义气也要有个讲法，同生共死算得是最义气的，但同年同月同日的同死，究竟不如一起吃酒吃肉的同生来得有味道。跷脚长根很坦白地表示，他就是相信胡雪岩有让他吃酒吃肉的本事。

这番推心置腹的话，自然令胡雪岩有着意外的感动，不过他向来的处世之道是，大家越尊敬他，他越替人着想，所以一再谦虚，认为跷脚长根“够朋友”，给他这么一个面子。同时又极力推崇俞武成，让跷脚长根清楚地感觉到，能尊敬俞武成，则比尊敬他更能使他高兴。

这一番小酌，吃到深更半夜，俞武成却有些不放心，特为派朱老大来探问，托词苏州有连夜送到的信，要请胡雪岩回去看。到家相见，彼此说明经过，俞武成便越发对他刮目相看了。

第二天一早，周一鸣带来的消息与跷脚长根自己所说的大致相仿。而周一鸣，此刻又有了新的任务。在苏州那方面，胡雪岩的布置是七分防备，三分招抚，现在防备不需要了，关卡上所设的暗桩，应该撤回，而招抚的准备工作，只做了三分是不够的，必得立刻替跷脚长根去安排。胡雪岩特意先派周一鸣去见何桂清，报个信息，他自己打算在这晚上赴宴以后，连夜回苏州去料理。

一场“鸿门宴”，变成了庆功宴，在妙珍姐妹殷勤侍奉以及跷脚长根的不断相劝之下，胡雪岩跟俞武成一样喝得酩酊大醉。等酒醒过来，急切间不辨身在何处，一只手无意间一伸，触摸到极软、极滑的肌肤，于是接着闻到了脂香，看到了粉光，昏昏罗帐中有个妙年女子陪他睡着，只是脸朝外面，一时看不出是谁。

他定定神细想，除了猜拳闹酒的情形，再也想不起酒阑人散的光景。于是他摇摇身边那段藕也似的手臂，摇醒了一看，是妙珍的妹妹，颜色远胜于她姐姐的妙珠。

“喔，胡老爷，你醒了！”和衣而睡的妙珠，急忙坐了起来，“要不要喝茶？”

“要的。”胡雪岩觉得嗓子干涩，说话都很吃力，“要冷茶，大大来一杯！”

“酒吃得忒多了。俞大爷也醉得人事不知。”说着，她掀帐下床，剔亮了灯，倒了一大杯半温的茶，挂起帐子，拿茶杯送到胡雪岩唇边。

他一饮而尽，喘口气问道：“什么时候了？”

“快四点钟了。”

“只怕害你半夜不曾好睡，真正过意不去。”

“胡老爷为啥这样子说？服侍客人是我们应该的，何况你是李七爷的朋友。”

李七爷是指跷脚长根，胡雪岩便问：“他醉了没有？”

“李七爷从不醉的。”

“喔！”胡雪岩很诧异，“他的酒量这么大？”

“李七爷的酒量并不大，不过，他会得吃酒。”

“你这话倒有趣！”胡雪岩讪笑地说，“又说他会吃酒，又说他酒量并不大。”

“喔唷！胡老爷，你不作兴‘扳差头’[①]的！”妙珠的神态、声音都嗲得令人发腻，“我是说李七爷吃酒上会变把戏。”

“我不是扳你的差头，你说话真的有趣。”胡雪岩捧着她的脸说，“吃酒还会变把戏，你自己想想，话可有趣！”

“真的！不作兴瞎说。”妙珠问道，“胡老爷，你跟李七爷熟不熟？”

“也算熟，也算不熟。”

“你自己呢？”妙珠反唇相讥，“说话也是一脚进、一脚出。”

“这有个说法，相交的日子不久，不能算熟，不过交情已很深了，所以也可以说是很熟。”

“熟了你就知道了，豁拳敬酒，你要当心李七爷，明明看他已经灌进

① 方言，故意找茬。

嘴，实在是倒在地上，或者袖子里。他晓得自己酒量的深浅，永远喝到七分数就不喝了。不过，他不肯说一句话，吃不下了，那时候——”妙珠笑笑不再说下去，意思是到那时候，就有“把戏”看了。

这句毫不相干的闲谈，在胡雪岩觉得极其有用。喝酒赌钱，最可以看出性情。照跷脚长根这种喝酒的情形来看，显然是个极能自制的人，但也是极难惹的人。到他不说做这件事而逼着他非做不可时，他就出花样了。

因此，胡雪岩对他仍不免起了一两分戒心。妙珠极其机敏，从他眼睛里看出他神思不属，随即问道：“胡老爷你在想点啥？”

“我在想李七爷吃酒的把戏，以后遇到这种情形，要防备他，不叫他变把戏。”

“不容易，李七爷花样多得很，你防不住的。”

“喔！”胡雪岩的戒心更深了，“你们看，李七爷这个人怎么样？”

妙珠想了想答道：“极能干的。”

“他的脾气呢？”

“一个人总有脾气的。李七爷有样好，脾气不乱发。我姐姐就欢喜他这一点。”

“你呢？你跟你姐姐是不是一样？”

“是啊！”妙珠做出那种娇柔不胜的神态，“喔唷，碰着有种脾气丑的客人，那么，我们吃这碗饭，真是叫作孽，什么伤人心的话都说得出来！”

“照这样说，你也跟你姐姐欢喜李七爷那样，会得欢喜我。”胡雪岩说，“我是从不发脾气的。”

“真的？”

“自然是真的。”

“那我欢喜。”说着，她一把抱住胡雪岩，而且深深吸气，仿佛无端兴奋得不克自持似的。

胡雪岩静静享受着那种温馨的滋味，同时拿眼前的触觉，与他以前有过肌肤之亲的几个女子比较，觉得妙珠别有动人之处。

芙蓉沉静，阿巧姐老练，而妙珠有阿珠那种娇，却无阿珠未曾开怀的生涩味道。这样想着，他起了移情之念，便将此珠当作那珠，正好弥补了缺憾。

一番缱绻，万种风情，胡雪岩心满意足地沉沉睡去。一觉醒来，红日满窗，他第一件事，就是想到要上苏州。但不知如何，一念及此，那颗心便往下一沉，就像小时候新年里正玩得高高兴兴，忽然听说蒙馆里开学那样，真是一万个不情愿。

算了！他将心一横，决定偷一天懒。于是翻个身又睡，只是枕上衾底，香泽犹存，缭绕鼻端，荡漾心头，怎么样也睡不着了。

辗转反侧之际，惊动了在后房理妆的妙珠。她轻轻走了出来，探望动静。

胡雪岩从簇新的珠罗纱帐子中望出去，只见妙珠淡妆犹如浓抹，因为天生来唇格外红，皮肤格外白，朝阳映照，犹如一株带露的芍药，而隔着帐子，又如雾里看花，逗得他格外心痒，渴望着再亲一亲。

因此，等妙珠刚一掀帐子，他就伸手去拉。突如其来，动作又太猛了些，妙珠真的吓一大跳。"啐！啐！"她拍着自己的胸说，"吓得我来！"

"对不起，对不起！"胡雪岩歉意地赔笑，同时将身子往里缩了一下，示意她坐下。

"真正是'猛门'老爷！"妙珠还在拍胸，"到现在我心还在跳！"

"哪里就吓得这样了？"胡雪岩不满地说，"我不相信。"

"不相信你摸摸看。"

胡雪岩便伸手摸到她胸前，一面摸，一面得意地笑了，这才让妙珠发觉上了当。她将腰一扭，捉住他的手"啪"地打了一下，然后白着眼，将他的手塞到被头里。

"妙珠！"胡雪岩涎着脸说，"再陪我睡一会！"

"啐！不作兴的。"说着站起来要走。

"别走，别走！"胡雪岩软化了，连声喊道，"我不跟你啰唆，陪我说说话总可以吧！"

妙珠嫣然一笑，又坐了下来。“时候还早，你再睡一息。”她问，“今天想吃点啥？鲥鱼，好不好？”

“好！”

“那么，我要早点去关照大司务。”妙珠按着他的被头，不让他将手伸出来，“我马上就来！”

果然，言而有信，一去即回，她一面收拾房间，一面有一搭没一搭地与胡雪岩说闲话。这一来，越发使得胡雪岩无法再睡，但他深知那种地方的规矩——午饭之前，除了厨子和打杂男工以外，娘姨、大姐都还在床上，非到中午不起市面，自己如果起身，则按规矩要有人来伺候，岂不是扰了人家的好梦？胡雪岩最肯体恤下人，为此便依旧“赖”在床上，口中闲话，心里盘算着事，倒也难得悠闲。

就这样挨到近午时分，方始起身。漱洗完毕，胡雪岩正想去跟跷脚长根见面，忽然来了个不速之客，是朱老大。他带来了一个意外的消息，说尤五和古应春都到了，俞武成请胡雪岩立刻去见面。

“好！”胡雪岩十分高兴，“我跟主人说一声，马上就走。”

到得后进妙珍的香巢，才知道跷脚长根一早就走了，因为胡雪岩那时好梦正酣，不便惊扰。他临走留下话，留胡雪岩住一天，晚上依然在这里宴叙。

为了报答妙珠，同时，既还跷脚长根的席，又替尤、古二人接风，胡雪岩便用妙珠的称呼，对妙珍说：“珍姐，今天应该我‘做花头’，请你备个‘双台’。菜跟酒都要好！”说着，取了张五十两的银票，放在桌上。

妙珍无论如何不肯收，又说用不了这么多钱，推让再四，胡雪岩只能收回，另外给了二十两银子的赏钱，娘姨、大姐、相帮一齐来谢赏，个个笑逐颜开。于是，“胡老爷是第一号好客人”这句话，马上传开去了。

* * *

到得朱家，胡雪岩就感到不寻常。不请自来的不止尤五和古应春，另外还有五个人，都是中年，个个衣冠楚楚，但神态间总掩不住江湖豪气，倒叫他识不透是何路数。

等尤五一一引见，他才约略听出来，都是苏、松、太一带提得起名头的第一等人物。其中有个人管胡雪岩叫“小爷叔”，不用说，是尤五的师兄弟。有了这个“底子”在心里，胡雪岩应酬寒暄就很投机了。然而此辈来意如何，煞费猜疑，因而他找个机会，将尤五邀到一边，细问究竟。

“我们白来一趟，不过倒是白来的好，要用得着我们的力量，事情就不妙了！”

尤五微笑着说了这几句没头没脑的话，然后表明来意。他是前天回松江的，王有龄托办的事，此刻无暇细说，一到松江就得到消息，说跷脚长根将有不利于胡雪岩和俞武成的举动。松江老大颇为关心，与尤五商议，邀了这批人赶来排解，如果排解不成，说不定就要“动手”，因此，松江老大亲自在调兵遣将，还有大批人马在待命。

“老太爷这么待我，真正感激不尽。”胡雪岩是真的感动，“事情弄好了！”

“我也是一到就听说了。小爷叔，你真行！跷脚长根是有名疙瘩难弄的人，居然让你摆平。不过，我想，我们此来，替你助助阵也是好的。”

“一点都不错。老实说，我打听过跷脚长根的为人，十分之中，还有两三分不大靠得住，有你们几位的面子压一压，那就十足保险了！”

“好的！我出面来请客。”

“今天晚上是我的，大家吃花酒。明天中午算你出面，你看在这里好不好？”

“也只有借朱老大的地方才合适。不过——”尤五迟疑着，仿佛有句话不便出口似的。

"五哥，有话你尽管说。"胡雪岩倒真想不出尤五跟自己的关系，还有什么话碍口，因而充满了好奇心，"我们的交情，还有什么话不能说的。"

"小爷叔，我先告个罪。说来说去，你总在'门槛'外头……"

原来为此！胡雪岩抢过来说："你不用说了。我知道。我理当回避。"

能谅解最好。尤五觉得交情已够，无须解释，便又提到另外一件事："老古是昨天到我那里的，他也有许多话要跟你说，听说洋人已经服帖了。我去陪客人，把他调出来跟你来谈。"

古应春带来了极好的消息，洋人终于软化了，决定出高价买丝。照古应春的算法，这一笔生意，可以赚十八万银子，他问胡雪岩卖不卖。

"怎么不卖？"胡雪岩很高兴地说，"不要说十八万银子，就是赚八万银子，我也要卖了！生意要慢慢做，长线放远鹞。而且，说老实话，我手上的事情太多，不清理不得了！"

"卖是卖，洋人有个条件，要订三年的约，以后的丝都归他一个人买。"

"这也可以，就是价钱上，年年不同，怎么算法？"

"这当然到时候再议。他保证我们有钱赚。"古应春说，"大致是照外洋报价，扣除他的赚头，就是实价。"

"这恐怕不妥当吧！这样变成包他有钱赚了。"胡雪岩说，"你想想看，如果外洋丝价一落，扣除了他的赚头，不够我们的成本，怎么办？"

"是的。我也想到了。不过，说来说去，'千来万来，赔本不来'，中外都是一样的。如果外洋丝价落，他不收，别人当然也不收。我再说一句，洋人做生意，跟我们不同，他们做生意，讲究培养来源，所以亦绝不会要求过分。我想，我们这方面的顾虑，亦可以跟他谈。总而言之，守住互利两个字，合约一定谈得拢。不晓得你什么时候到上海去？"

"我的事，大部分要在上海办，不过，杭州不能不去，七姐的事也要紧。"

"喔！"古应春问，"五哥没有跟你谈过？"

“谈什么？没有！”

“五哥跟王雪公老实说了，结这门干亲，是借重他的名望，好叫我们那位老族长服帖。王雪公很体谅，他说，既然如此，不妨先提亲事，现在天气也热，不必劳动七姐。秋凉办喜事，他抽空来吃喜酒，再补认亲的礼节。如果他不能来，就让我送七姐去，回门带认亲，一事两便。”

“好极了！雪公既有这话，恭敬不如从命，我暂时不必回杭州，办完了跷脚长根的事，由苏州回上海。”胡雪岩又问，“老裘怎么办？”

“预定今天从上海动身。俞老的那位少君，我也见着了，少年老成，人很妥当。松江一带，五哥已经关照过了，必定一路顺风，你放心好了。”

由于这一连串诸事顺利的好消息，胡雪岩的心境开朗，兴致大好，决定大大地请一次客。另外挑日子已不可能，就拿这晚上的宴会扩大。这件事交给刘不才去办，他跟杨凤毛、朱老大商议，将当地与漕帮有渊源的人统统请到。又顾虑到跷脚长根当着尤五他们这班远客，不便高踞首座，而又不宜委屈他做个陪客，特地向胡雪岩说明，将跷脚长根也当作主人，发帖子拿他列在前面，这样也就算很捧他了。

尴尬的是到了傍晚，嘉宾云集，总数不下四十，主人之一的跷脚长根始终不曾露面。胡雪岩一个人八面周旋，未免吃力，而心里犹自不断嘀咕，更觉得不是滋味。

“珍姐！”胡雪岩悄悄问妙珍，“长根到底到哪里去了？你总有点数吧？”

“我也猜不透。一早有他一个弟兄来叫，背人谈了一会就走了，临走什么话都没有留下。我看，”妙珍倒很有决断，“不便让客人久等，就开席吧！”

于是筵开四席，推让多时，方始坐定。刘不才早就有了准备，将同里的“名花”列成一张单子，在席间传观，有熟识愿意招呼的，便拿笔做个记号。然后飞笺催花，莺莺燕燕，陆续而至，有熟客的自然去就熟客，没有熟客的，由刘不才看情形撮合。一时丝竹歌喉，接踵而起，前门轿马后门船，热闹非凡。

这番豪举，吸引了无数路人驻足探望，纷纷探询是哪位阔客有此手面，等听说是跷脚长根做主人，便有人诧异，不知道他何以忽然有此阔绰的场面。

还有个诧异的人，就是跷脚长根自己，一见妙珍那里如此热闹，倒有些不便乱闯，进门拉住一个相帮问道："是什么人在这里请客？"

"咦！李七爷，你这话问得可要叫人好笑？不是你自己跟胡老爷一起请客吗？"

跷脚长根明白了，是胡雪岩替他做面子，于是先不进大厅，由备弄绕到后面，把妙珍找了来，细细一问，才知究竟。

"对不起，对不起！"跷脚长根走到厅上，握拳作了个罗圈揖，"我做主人的迟到，失礼之至。没有什么说，罚我三杯。"

说着，便端起胡雪岩面前的酒杯，连着干了三杯，然后看行辈大小，到席前一一招呼。那番应酬，相当漂亮周到。

盛筵已毕，接着便拉开台子豪赌。安排好了客人，跷脚长根将胡雪岩拉到一边，用埋怨的口气说道："老胡，有件事你做得不对了。差点出大乱子！"

"怎么？"

"你从上海起运洋枪，也该先跟我说一声！"

"喔！喔！"胡雪岩急忙认错，"这是我疏忽。对不起，对不起！"

"我今天一早才晓得，忙到下午才算摆平。"

于是，跷脚长根透露了他部下的情形，两千七百多人，并非个个都肯听他的指挥，有一批人态势不稳，只是他以大压小，暂时制服着。及至跷脚长根翻然变计，化干戈为玉帛，那一批人便有反他的意思，而且预备依照原定计划硬夺裘丰言所押运的那一船洋枪。

幸好，事机不密，为跷脚长根的一个心腹探明究竟，星夜赶来同里，这天一清早将他从妙珍的香衾中唤了起来。他赶到青浦与嘉定交界之处，才算截住了那批人。

“截是截住了，费了好大的手脚。那船洋枪，已过金山卫，有松江老大的人在，不要紧了。不过——”跷脚长根摇摇头，不愿再说下去。

胡雪岩感激而不安。“李七哥，”他改了称呼，“你帮了我这个大忙，现在你自己有为难之处，该我出力。你说，只要我力量用得上，无不从命。”

跷脚长根想了好一会，毅然说道：“你老兄与众不同，我就跟你说实话吧，那批人为头的是我一个‘同参’的徒弟，让我‘做’掉了——”

胡雪岩什么事都敢做，什么事都不在乎，只有听见这话，脸色一变，不由得抢着问道：“怎么？你拿他杀掉了？”

跷脚长根脸色凝重地点点头。

“那么，”胡雪岩失声而言，“他家不要找你算账？”

“照江湖上的规矩，我做得不算错。他不听话，而且这件事关系太大，事情又紧急，我这样做，没有人可以说我不对。不过，公是公，私是私，为了家门的规矩，我不能不做掉他，论到私情，他的后事我不能不料理。”

“喔，喔，我懂了，我懂了！好比诸葛亮斩马谡，他‘家有八旬老母’，你不能不管。”胡雪岩略停一下，直截了当地问道，“李七哥，你是不是要铜钱用？”

“是的。一面是抚恤，一面有些人嘴里不敢说，心里不肯跟我，我想不如打发掉的好。”

“对！这样做倒也干净。”胡雪岩问道，“你要多少？万把银子我现成，再多也有，不过要隔个两三天。”

“够了，够了！两千银子抚恤，打发走路的十两银子一个，大概有三百多人，你借我五千银子好了。”说着，他一跷一拐地走到窗前，取出写局票用的笔砚，很吃力地写了一张借据，字迹歪歪斜斜，措词却很得体：“今借到胡雪岩兄名下纹银五千两整。彼此至好，无保无息，约期三个月归清。特立笔据存照。”下面具名是“李长根”。

他在写借据的当儿，胡雪岩已去寻着刘不才，准备好了银数，等回进来，跷脚长根递过那张借据，胡雪岩看都不看，就在蜡烛火上点燃烧掉。“李七哥，我那个合伙做生意的好朋友古应春告诉我，我在丝上赚了一票。自己人有难同当，有福同享，”他将一沓银票递了过去，“你分一万银子的红。”

“这，这——”一向精明强干长于词令的跷脚长根不知道怎么说才好。

“李七哥！交朋友的日子长得很。”胡雪岩拍拍他的背，微笑着走了。

* * *

这一夜尽欢而散。送走了客人，胡雪岩要用现银开销，妙珍不肯收，因为跷脚长根已有话关照，都归他算。妙珍又说，头钱打了两百多两银子，她亦不好意思再要客人有何花费。胡雪岩只得由她。

于是摆上消夜，团团一桌，胡雪岩扶起筷子，先就说了一句：“早点散吧！”

“散？”跷脚长根问道，“今天不住在这里？”

于是妙珍也劝他留宿，而胡雪岩因有事要连夜赶办，执意不从。妙珠的脸色便不好看了，托词头痛，告个罪离席而去。

“这未免煞风景了！”古应春说，“老胡，何苦？”

胡雪岩不响，站起身来，去看妙珠，进房就发现她一个人坐在梳妆台前面抹眼泪。

“怎么样？”他走过去，扶着她的肩，用服软的声音说道，“是生我的气？”

“没有！”妙珠摇摇头。

“那么，好端端，淌什么眼泪？”

“是我自己心里有感触。”妙珠不胜幽怨地，“生来命苦，吃这碗断命饭！”

胡雪岩觉得有些搭不上话，想了想，取出二百两银票塞到她手里说：“明天下午我就回苏州了。这给你买点东西吃。”

“我不要！”妙珠将银票往外一推，冷冷答道，“我卖笑不卖眼泪。”这句气话的情分就深了，胡雪岩愣在那里，好半天作声不得。

“你请吧！不是说半夜里还有要紧事要办？”

“我不骗你。”他改变了办法，“这样，我就在你这里办。你这里有信纸没有？”

“间壁就是笺纸店，敲开门来也不要紧。”

“那就是了。你叫人去买点顶好的信笺、信封，再沏一壶浓茶，我跟古老爷要商量写信。”胡雪岩又郑重地告诫，“是机密信，所以我先要回家写，此刻在你这里写，你听见了什么，千万不可以说出去。”

“你放心！我听都不听。”

于是胡雪岩将古应春留了下来，就拿妙珠的梳妆台当书桌。她倒是心口如一，备好了纸笔茶水，关照娘姨、大姐都去睡觉，然后自己也避了到套房里。

“老古，”胡雪岩坐在床沿上低声说道，“直到今天晚上，长根回来，这件招抚的大事，才算定局。我把前后经过，详详细细说给你听，请你替我写封信给何学台，明天一早交给老周专送。”

“你不是马上就要到苏州去了，当面谈倒不好？”

“情形不稳，事未定局，不好留什么笔迹。照现在的样子，一定要有个正式的书面，才显得郑重。而况，何学使还要跟营务处去谈，口头传话，或许误会意思，不如写在纸上，明明白白，不会弄错。”

这一封长信写完，自鸣钟正打三下。夏至前后，正是昼最长、夜最短的时候，看窗外曙色隐隐，夜深如水。想来妙珠的好梦正酣，胡雪岩不忍唤醒她，便跟古应春商量，两个人睡一张大床。

“这又何必？”古应春笑道，“放着‘软玉温香’，不去‘拥满怀’，未免暴殄天物。自然是我用小床，你们用大床。”

一句话说得胡雪岩动了心，便改了主意。“你一个人睡大床吧！”他说，“我跟她去挤一挤。”

“挤有挤的味道。随便你。”说着，古应春便解衣上床了。

胡雪岩悄悄推开套房的门，只见残焰犹在，罗帐半垂，妙珠裹着一幅夹被，面朝里睡，微有鼾声。他蹑手蹑脚地走了进去，轻轻关好了门，卸衣灭灯，摸到床上，跟妙珠并头睡下。

他不想惊动她，但心却静不下来，只为了她头上的一串珠兰，此物最宜枕上，沾染妇人的发脂而香味愈透，浓郁媚冶，令人心荡。胡雪岩挤在这张小床上，忽然想到当时在老张那条“无锡快”上与阿珠纠缠的光景，余味醰醰中，不免惘惘，越发心潮起伏，无法平贴。

不知不觉地转身反侧，吵醒了妙珠，睡梦里头忽然发觉有个男人在自己身边，自然一惊。她仿佛着魇似的，倏然抬起半身，双手环抱，眼睛睁得好大地斜视着。

“是你！”她透口气，“吓我一大跳。”

“你倒不说吓我一跳。”胡雪岩失笑了。

“真正是，鬼头鬼脑！”妙珠嗔道，“为啥要这样子偷偷摸摸？”

“偷偷摸摸才有趣。”胡雪岩伸手一拉，把她拉得又重新睡下，“我本来不想吵醒你，实在是睡不着。”

“古老爷呢？”

“他在大床上，也是刚睡下。”

“恐怕还不曾睡着，声音轻一点。”妙珠又问，“信写好了？”

“自然写好了才睡。”

“写给谁的？”

“写到苏州去的。”

“你不是要回苏州了吗？为啥还要写信？照这样说，你还住两天？”妙珠这一连串的问句中，留他的意思，表露无遗。胡雪岩心想，如果说了实话，又惹她不快，因而便含含糊糊地答道：“嗯，嗯，也没有定规。”

于是妙珠便问胡雪岩家里的情形。由于她是闲谈解闷的语气，胡雪岩便不作戒备，将老母在堂、一妻一妾、还没有儿子等，都老实告诉了她。

“刘三爷是极精明、极能干的人，想来你那位‘湖州太太’也厉害得很！”

“一点不厉害。真正阿弥陀佛的好人。”

“这是你的福气！”

“谢谢你！”胡雪岩带些得意地笑着，“我的福气还不错。”

“也是你那位湖州太太的福气。”

“这倒不见得。”

“嫁着你胡老爷这样又能干、又体贴的人，过的是不愁吃、不愁穿的称心日子。你胡老爷人缘又好，走到哪里都是热热闹闹，风风光光。这还不叫福气？”

“我这个人好说话时很好说话，难弄的时候也很难弄。”

“我倒看不出来。”妙珠紧接着说，“照我看，你最随和不过。”

“随和也有随和的坏处，外头容易七搭八搭，气量小的会气煞。”

“男人家有出息的，三妻四妾也是常事。”妙珠忽然问道，“你有了湖州太太，总还有上海太太、苏州太太？”

“那倒还没有。”胡雪岩说，“一时也遇不着中意的人。”

妙珠恨不得凑过脸去说一声：你看我怎么样？但这样毛遂自荐，一则老不起这张面皮，二则也怕他看轻了自己，只好忍着。但她转念一想，放着自己这样的人才，哪一样比别人差？他竟说“遇不着中意的人”，倒着实有点不服气。

“那么，”她问，“要怎样的人，你才算中意呢？”

胡雪岩听出因头来了，答话便很谨慎。“这很难说，”他有意闪避，“情人眼里出西施，没有定规的。”

这一来，妙珠就说不下去了，总不能这样质问：难道我不是你的情人？这话就问得出来，也乏味。自己这样一片痴心待他，而他真当自己路柳墙花，随折随弃，真是叫人寒心。

念头转到这里，她顿觉有无限难诉的委屈，心头凄楚，眼眶随即发热，眼泪滚滚而下。

两个人是贴着脸的，虽然眼睛都朝着帐顶，他看不见她哭，但热泪下流，沾着胡雪岩的右颊，不能没有感觉。他转脸一看，大惊问道："咦！你又哭了！为什么？"

"我有心事。你不晓得！"

"又是触动什么心境了？"

"我在想，珍姐倒快有归宿了，李七爷跟她说，这次招安做了官，要好好做人，干一番事业，预备把珍姐接了回去。我们姐妹相差一岁，自小到现在没有分开过。从今以后，她归她，我归我，想想可要伤心？"

"原来为的姐妹情深。"胡雪岩笑道，"我倒有个主意，何不你跟你姐姐一起嫁了李七爷？"

这句话说坏了，妙珠的眼泪倾江倒海一般，她身子一蹦，面朝里边，拉起夹被蒙着头，"嗬嗬"地哭出声来。

胡雪岩悔恨莫及，同时也有些昏头搭脑地弄不明白。一句笑话，何至于惹得她如此？当然，这时不暇细思，只有好言解释，继以赔罪，只求她住了哭声。

哭声不但不止，且有变本加厉之势，结果，门上有了响声。古应春被惊醒了，来探问究竟。

"你听！"胡雪岩推着她说，"拿人家吵醒了。"

妙珠不理，心里倒巴不得有个第三者从中排解，好事方始有望，所以反哭得更起劲了。

"你真是，'越扶越醉'！"胡雪岩无奈，只好起床去开了门。

"怎么回事？"古应春踏进来问说，同时仔细看着胡雪岩的脸色，是啼笑皆非的神情。

"哪晓得怎么回事？讲话讲得好好地，忽然说舍不得她姐姐从良，伤起心来。”

最后一句话不曾说完，妙珠将被一掀，恨恨地说：“你死没良心！”然后又将头转了过去，掩面而啼。

这是有意抛出一个疑团，好让古应春去追问。果然，他中了她的计。

“小爷叔，你有啥地方得罪妙珠了？拿你恨得这样子，真叫人不懂！”

“你不懂，我也不懂。”胡雪岩唯有装傻，而且不希望古应春介入，所以接着便做了个送客出门的姿态，将身子往旁边一挪，手一扬，“天快亮了，请上床去吧，睡不了多少时候了。”

听这一说，妙珠的哭声突然提高，仿佛第三者一走，她就孤立无援，有冤难诉似的。于是古应春踌躇了。

“到底为什么？”

“她要跟我，又不肯好好谈。弄这‘一哭二闹三上吊’的一套，你说好笑不好笑？”

古应春大感意外，不假思索地说了句：“这是好事啊！”

“好事多磨！总也要慢慢儿谈，慢慢儿磨，才可以谈得拢。”胡雪岩打个呵欠，又催他走，“你请吧，我也要睡了。”

等古应春一走，妙珠的哭声也停住了，因为胡雪岩已有表示，她便等着他来谈。谁知他一口将灯吹熄，上了床却不开口。

事情成了僵局，妙珠又羞又恼，而且初次领略到胡雪岩的手段，真个因爱成仇，心思拨不转，拼命往牛角尖里去钻。

越想越气，越想越觉得做人乏味，再看胡雪岩时，鼾声大起，这一下更把她的心思逼到了绝路上，悄悄起床，流着眼泪，找了根带子出来，端张椅子到床脚，在床顶栏杆上，将圈套结好，头一伸上了吊。

胡雪岩的鼾声是假的，有意冷落妙珠，好逃避纠缠，她起来从他身上跨过下了地，他都知道，只不知道她下了地做些什么，只觉得床突然一震，不由得睁开了眼。他一望之下，吓得心胆俱裂，跳起身来，赤脚下了地，将妙珠的下半身一抱，往上一耸，那个圈套总算卸掉了。

妙珠的气刚要闭过去，上了圈套，后悔嫌迟，那一刹那，只觉得世间样样可爱，人人可亲，所以此时遇救，把胡雪岩的薄情都抛在九霄云外，一片心中，除了感激，还是感激。她趁势抱住他的头，“哇”地一声大哭而特哭。

这一下，不但惊醒了古应春，也惊动了妙珍和前后院的闲人，他们纷纷赶来探望。但他们心存顾忌，只在窗前门外，探头探脑，窃窃私议，只有妙珍排闼直入。但见妙珠伏在床上抽噎不止，胡雪岩穿一身白洋布小褂裤，赤着脚坐在那里，样子相当窘迫。

她只有向站在一边、仿佛遭遇了绝大难题不知如何应付的古应春探问：“古老爷，到底为了啥？是不是妙珠得罪了胡老爷？”

古应春不答，只将嘴一努，视线上扬。她顺着他的眼风看过去，才发觉朱漆床栏杆上束着一条白绸带子。莫非妙珠曾寻死觅活来着？她心里疑惑，却怎么样也问不出口来，因为这太不可思议了。

这时的胡雪岩，心里异常矛盾，异常难过，但也异常清醒。为了应付可能会有的麻烦，他觉得非先在理上站稳了地步不可。

于是他沉着脸说：“珍姐，我有句话要请教你。彼此初会，但有李七爷的关系在那里，大家都不算外人。我到同里来作客，妙珠要害我吃一场人命官司，我真不懂，为啥要这样子跟我过不去？”

这几句话，不但说得妙珍大为惶恐，连古应春都觉得太过分了，所以抢着说道：“小爷叔，话不好这样子说。”

“我说得并不错。”胡雪岩有意装出不服气的神情，“你倒设身处地替我想一想，她一口气不来，害我无缘无故打这场人命官司，是可以开得玩笑的事吗？”

妙珍至今还只明白了一半。她实在不懂妙珠为何要上吊，为何上吊又不死？只是听胡雪岩这样发话，衷心感觉歉疚，便只好这样说：“胡老爷，我想总是妙珠得罪了你，你千万不要生气，等我来问她，回头给胡老爷磕头赔罪。”

“好！”胡雪岩趁势站了起来，“你问问她！问她看看，我哪里亏待了她？前后不过三天的工夫，哪里来的深仇大恨，要这样子害我！”

在床上的妙珠，既感愧悔，又觉委屈，哭得越发伤心。古应春倒起了一片怜惜之心，但还弄不明白胡雪岩的意思，不便说什么，只陪着他走到外面。

“小爷叔！为啥会搞得她要上吊？到底你说了什么话，叫她如此伤心？”

“轻点，轻点！”胡雪岩埋怨他说，“你要帮着我‘唱双簧’才对，怎么开出口来，总是帮人家说话？”

古应春报以苦笑，然后自语似的说了句：“长根怎么不露面，我去找他来。”

胡雪岩不响，这是默许的表示。古应春便开门走到外面，闲人甚多，见他的面都避了开去，古应春也不理他们，一直寻到妙珍所住的那座院落。

“李七爷呢？”他问一个娘姨。

“昨天没有住在这里。当夜就回盛泽去了。不过中午就要回来的。”

于是古应春只好折回原处，只见妙珍正在跟胡雪岩说话，发现他来，两个人不约而同地投以期待的眼光，仿佛都要向他求援似的。

“古老爷，要请你说句公道话。”妙珍一开口便是受了委屈的语气，“我妹子眼界高，从来没有啥客人是她看得上眼的，今天为了胡老爷，连命都不要了！只看这一层，胡老爷也该有句话。”

“慢来，慢来！”古应春听她话中略有负气的味道，所以先出以安抚的态度，“有话慢慢儿谈，你请过来，怎么回事，先说给我听。”

妙珍听他这样说，便跟着古应春走到一边，简单扼要地提出要求：妙珠已自誓非胡雪岩不嫁，而胡雪岩一口拒绝，似乎没有转圜的余地，她希望古应春主持公道。

这公道如何主持？不论从哪一方面来说，他对胡雪岩只有谏劝，听不听在人家。不过，他也很困惑，胡雪岩为人最随和，这番好意，就是难接受，也该婉言辞谢，何以话风硬得竟连妙珍也感到气愤了。

“你等一下，让我先来问问我们小爷叔。”

问到胡雪岩，他又有一番说词。他认为妙珍的话，迹近要挟，同时事实上也无法相许，加以这几天身心交疲，不耐烦多作纠缠，所以干脆回绝。

看起来胡雪岩也有些负气，但论道理，妙珍是骨肉连心，疼她妹子，说几句气话是可以原谅的。不过，胡雪岩身心交疲，肝火不免旺些，似乎也是情有可原。反正都是一时情绪不佳，事后自然相互谅解，旁人亦可以代为解释得清楚的。症结是在“事实上无法相许”这句话，不能不问。

“小爷叔，你有啥难处，说来听听。”古应春问道，“可是我们那位婶娘那里说不通？”

“正是！为了芙蓉，大打饥荒，至今还不曾摆平，我何苦又惹麻烦？”

古应春想了一会说：“这总有办法可以弄妥当。最主要的是，你到底喜欢不喜欢妙珠？”

这话叫胡雪岩就难回答了，既不愿作违心之论，也不肯公然承认，顾而言他地说：“还有一层，我这趟是带着芙蓉来的，当着她在这里，倒又弄上一个人！你想想，她心里是何滋味？再说，我对刘三爷也不好交代。”

古应春旁观者清，听他这两句话，立刻了解了他的本心。他是喜欢妙珠的，杭州的那位太太，也不足为碍，只碍着芙蓉，一时做不成这件“好事”。

“你说的是实话，我懂了。”古应春提出警告，“妙珠一片痴心，如果落空，说不定还会有第二次的举动。好好的日子不过，弄件命债在身上，太划不来了。”

“命债”二字，说得胡雪岩悚然一惊，极其不安，搓着手说：“世上真有那样傻的人，连性命都不要？”

“说不定的！”古应春又正色说道，“她第一次真的上吊死了，倒也罢了，第二次出毛病，就是你见死不救，良心上一辈子不安。”

胡雪岩几乎一夜不曾睡，又遭遇了这些惊吓烦恼，只觉得头痛欲裂，神思昏昏，于是老实告诉古应春，他必须找个清静的地方，好好睡一觉，托古应春代为敷衍珍珠姐妹，一切都摆到下午再谈。

要寻清静之处，自然还是朱老大家。到了那里，胡雪岩从后门入内，走到自己卧室，关照朱家派来伺候他的佣工，谢绝访客，然后关紧房门，解衣上床。他实在是累了，着枕便即入梦，直到中午才起身。

刘不才就在他外屋喝茶守候，听见响动，便来叩门。等胡雪岩开了门，刘不才第一句就问："怎么会险险乎闹出人命来？"

经过一觉好睡，胡雪岩的情绪稳定了，脑筋也清楚了，不先答他的话，却问到古应春："老古回来了没有？"

"回来了。我就是听他说的。"

"那么，俞老跟尤五他们也知道了。"

"自然。"刘不才说，"大家都有点派你不是。"

胡雪岩在心里说：别人都可以说我薄情，派我的不是，唯独你不能！这样想着，他口中便问了出来："你呢？"

"我无所谓！你的事跟我不相干。"

这表示胡雪岩果真要娶妙珠，他亦不会反对。将来如何，虽不可知，但总算去了一个小小的障碍，自是可令人安慰的。

不过这件事到底是"闲事"，胡雪岩决定采取敷衍的态度，先拖着再说。眼前还有许多正经事要办，因而他当机立断地作了决定："你去收拾收拾行李吧！我们今天就回苏州，交代了长根的大事，赶紧回上海。"

"今天走怕不行。"刘不才说，"我听尤五说，今天晚上他们要公请你。"

"公请？"胡雪岩诧异，"为什么？"

"总有话跟你说。此刻他们关起门来，不知在商量什么。"

这让胡雪岩想起来了，急急问道："长根来了没有？"

"自然来了。"刘不才说，"他这两天最忙了。据说，一早到盛泽去了一趟，特地赶回来的。"

胡雪岩点点头："今天是他们帮里有事要谈，外人不便插足，我们也不必打搅他们，你把老古去找来，我们寻一处地方，一面吃饭，一面谈谈我们自己的事。"

等把古应春找了来，他建议仍旧到妙珍那里去盘桓。因为她自知失态，异常惶恐，托古应春无论如何要将胡雪岩请了去吃午饭，好让她有个赔罪的机会。

不去是逃避麻烦，而麻烦往往是越避越多，胡雪岩此时的心情已大不相同，想了一下，毅然决然地答道："也好！我倒要听听她怎么说。"

于是三个人安步当车到了妙珍那里。她的神态前倨而后恭，口口声声："胡老爷不要动气，妙珠年轻不懂事。"又说，"千不看，万不看，看李七爷面上，当没那回事。"

这样措词，反令胡雪岩不安，便问一句："妙珠呢？怎么不见她的面？"

"会来的！会来的！"妙珍问道，"时候不早了，是马上开饭，还是先用些点心？"

"点心可以省了，酒也不必，就吃饭吧！"

古应春是有心来做"串客"的，便顺着他的意思说："对！天气太热，酒，免了。"

"这样吧，吃点'杨梅烧'，是我去年泡的，一直舍不得吃，今天请请胡老爷。"

"那好。"古应春又改了口气，"杨梅烧可以祛暑，不妨来一杯。"

于是在一张大理石面的小圆桌上，妙珍亲自安席，乌木银镶筷，景德镇的瓷器，餐具相当精致。等摆上冷荤碟子，妙珍亲手捧出一个白瓷坛，打开布封口，一揭盖子，便有一股醇冽的酒香透出来。这种用洞庭山白杨梅泡的高粱酒，酒味都到了杨梅里面，其色殷红的酒，甜而淡，极易上口，最宜于这种初夏午间饮用。

坐定斟酒之际，妙珠翩然而至，不施脂粉，只梳一个乌油油的头，插着一排茉莉。倩影未到，香风先送，她走到席前，从刘不才招呼起，最后才轻轻地喊一声："胡老爷！"秋波流转，盈盈欲泪，但她仿佛警觉到此时此地，不宜伤心，所以极力忍住，低着头坐在胡雪岩身边。

包括胡雪岩在内，谁都不提这天黎明时分，性命呼吸的那一段事故。妙珍也放出全副本事，手挥五弦，目送飞鸿般，虽应酬得席面上非常热闹，但各人视线总离不开妙珠。她不知道是别有幽怨，还是不好意思，一直低着头，偶尔扬眉，飞快地看胡雪岩一眼，不等他发觉，便又避了开去，实在猜不透她是什么意思。

在胡雪岩却是别有滋味在心头，想起一早跟她说的话，对她的态度，自觉过分，不免歉疚，便悄悄从桌子底下伸过一只手去，想握住她的手。她灵得很，拿手一移，让他扑了个空。

越是这种带些负气的动作，越使胡雪岩动情，便笑嘻嘻地问道："还在生我的气？"

"我哪里敢？"

"不是什么敢不敢！"古应春接口，"妙珠根本没有生气，是不是？"

"是啊！"妙珍也说，"好端端地生什么气？妙珠！"她努一努嘴，意思是胡雪岩的酒杯空了，要妙珠替他斟酒。

妙珠迟疑了一下，取起酒坛中的银勺子，舀了一勺酒，从刘不才斟起，最后才替胡雪岩斟满。

"别人都有杨梅，为何我没有？"胡雪岩故意这样质问。

妙珠不响，舀了两个杨梅，放在一只小碟子里，推到他面前。

"讨出来的不好吃。我不要了。"

"我也晓得你不要！"妙珠冷笑，"你就是看见我讨厌。"

"妙珠！"她姐姐重重地喊，带着警告的意味。

这让胡雪岩颇为不安，怕姐姐要管妹妹，妹妹不服顶嘴，岂不煞风景？妙珠倒不曾顶嘴，只又是眼圈发红，盈盈欲涕，越惹人怜惜。于是做姐姐的叹口气，欲言又止，似乎想埋怨，想责备，但总觉得于心不忍似的。风尘中人，善于做作，而况是带着真情的做作，那番低徊欲绝的神情，真是满座恻然。刘不才一向是个寻快乐的人，首先就心酸酸地忍不住，但以他的身份，颇难为词，便递个眼色给古应春，示意他有所主张。

古应春懂他的意思，但这样的事，何能擅作别人的主张？也不便当着珍珠姐妹劝胡雪岩莫负芳心，怕她们误会他代胡雪岩作了承诺。想了一下，唯有不着边际地劝慰一番。

“妙珠，”他说，“事情是来得突然了一点。胡老爷不是不中意你，他有他的难处。凡事事缓则圆，只要郎有情，姐有意，总有成其好事的一天。”在他觉得这是遥遥无期，说如不说的“空心汤团”，而在妙珠却大有领悟。她平时喜欢听小书，也喜欢看那些七字句的唱本，才子佳人，痴心苦恋，历尽艰难，最后终了大团圆的事，在肚子里记着好多，这时听得古应春的话，就像一把锁匙开启了她失而复得的一具百宝箱。她心想：对啊，他自己不也说过“好事多磨”，我且耐着性子磨，哪怕他有棱有角，要磨得他圆转自如，滚入自己怀中。

她这样想着，脸色就不同了，低眉垂眼，神思不属地在悄然思量，席间的谈话，一概不闻。别人倒还好，胡雪岩是惊弓之鸟，心里在想，莫非她又生了拙见？常听人说：一个人自尽，在刚要断气的刹那，想起尘世繁华，一定痛悔轻生，所以遇救之后，绝不会再想到自尽。如果真的想死，则其志坚决，异于寻常，预先顾虑到可能会再度遇救，想出来的寻死的办法，是别人所防不到的，那就死定了！

他转念到此，悚然自惊，急急抬眼去看妙珠，但见她神态安闲，又不像是在想寻死的样子，倒有些困惑了。

“妙珠，”这次他伸过手去，她不曾拒绝，“你在想啥心事？”他率直地问。

“我在想——”她突然嫣然一笑，“不告诉你！”

这一笑，使胡雪岩大为安慰，一切顾虑，都抛在九霄云外。因为这个笑容，绝不会出现在想寻死的人的脸上。

“告诉是要告诉的，”古应春也觉得安慰，所以打趣她说，“要私底下说，才有味道。是不是？”

妙珠不答，拿起银勺子来，又替大家斟酒，然后取起自己面前的杯子，看着妙珍说道：“珍姐，你吃点酒！”

“越大越不懂规矩！”妙珍仿佛又好笑，又好气地说，“怎么不敬贵客，来敬我？”

“自然有道理在里头。”

“你讲！啥道理？”

“你先吃了我再讲，讲得没有道理，我一杯罚两杯！”

“这话对！我做见证，”刘不才插嘴，“妙珍你就先吃了。看她怎么说。”

于是妙珍将面前的半杯酒，一饮而尽，放下杯子，与他人一样，都注视着妙珠，要听她有什么出以如此郑重态度的话说。

妙珠自觉绝妙的智珠在握，神态极其从容。“珍姐，从爹娘故世，多亏你照应。如今李七爷要做官去了，眼看珍姐你是现成的一位官太太。刚才这杯酒是恭喜你！”她看着刘不才和古应春问道，“这杯酒，珍姐是不是该吃？”

“对，对！”两人异口同声附和。

“好了，好了。”妙珍催促，“你自己有话快说。”

“刚才这杯是喜酒。”妙珠慧黠地格格一笑，“我是有两句极要紧的话，珍姐你再吃一杯，我才能说。”

妙珍又好笑，又好气。“死丫头！”她咬一咬牙，“我再不上你的当了。”

看她们姐妹俩的神情，大家都笑了，只有妙珠例外。“真的！是极要紧的话！”她说，“说出话来，有没有道理，是要大家评的。如果没有道理，我一杯罚三杯。”

“真硬气！”刘不才撺掇着说，“妙珍，你不能输给你妹妹。”

席面上原要这样才热闹，妙珍就装得很认真地说：“刘老爷，我听你的话。回头她的话没有道理，你可要说公话。”

“当然！当然！”刘不才亲自执壶，替妙珍斟了大半杯酒。

等她干了酒，妙珠问道：“珍姐，你倒爬上高枝儿去了，丢下我一个怎么办？”

“对！”刘不才脱口就说，“问得有道理！”

古应春和胡雪岩亦以为然，但他们的心思都快，觉得她这句话不但问得有道理，而且问得很厉害。尤其是胡雪岩，仿佛看到一片罗网迎头罩了下来。

妙珍也确是这样的心思，打算着让胡雪岩娶了妙珠回去，这也是个极好的归宿。但这是私下打算，不便公然透露，否则胡雪岩会起反感：原来你自己急着要从良，而抚妹之责，又不能不尽，才套到我头上，我偏不要！

因为有此顾虑，她一时愣在那里说不出话来，妙珠趁机又说：“我也知道珍姐为难，自己不能不打算打算。珍姐，你让我先走一步。”

“先走？”妙珍愕然，急急问道，“走到哪里去？”

“我想先搬出去住。”妙珠以从容而坚决的语气答道，“这碗饭，吃到现在为止了！”

这一说，大家才算明白，虽未从良，但愿先“脱籍”。这也是好事，但总得有个着落，才是办法。

“至于住的地方，我也想过了。”妙珠说道，“多的是庵堂，让我带发修行，修修来世，总也是办得到的。”

“这，怎么可以？”刘不才大摇其头，“年纪轻轻，说出这种话来，岂不叫你的姐姐伤心？”

“我想，”妙珍慢条斯理地说，“果然有志气不吃这碗饭，我倒也赞成。先搬出去住也可以，住庵堂就不必了。”她又加了一句，“胡老爷，你说是不是？”

胡雪岩心想，妙珠似乎胸无城府，花样倒真不少，且将她一军，看她怎么说？

“我不相信妙珠年纪轻轻，会看破红尘，要修什么来世？如果，”前一句话倒没有什么毛病，坏就坏在“如果”，他说，“如果真的要修行，我替妙珠造一座家庵。”

这真是语惊四座，珍珠姐妹无不变色，刘不才和古应春也深为不安，觉得他这句话太重了。

在妙珠，不但气，更多的是恨。她心里在想：真看不出他，好狠的心肠，一死回不了他的意，现在还要逼自己出家。然而她也是好强的性格，说了不算，叫人笑话，于是她又想：好！我就跟你赌这口气！

冲动之下，不暇细思。“胡老爷一言为定。”她站起身来福了福，“我先谢谢你！”

“说笑话的！”刘不才先喊了起来，“妙珠，你怎么当真？”

“绝不是说笑话。”妙珠的脸色煞白，“我懂胡老爷的心思，最好我在这时候就一剪刀拿头发剪了起来。这可对不起了，修行在心，不在乎做不做尼姑！”

越是这种不讲理的诬指，越见得她一片深心都在胡雪岩身上。但局面越来越僵，僵得有无法收场之势，胡雪岩当然自悔轻率，尴尬万分。妙珍和刘不才也只有从中打岔，乱以他语。倒是古应春，忽有妙悟，通前彻后，略想一想，作了个“大胆”的决定。

“妙珠！”他起身招招手说，“你来，我有句话问你。”

“古老爷！”妙珠率直拒绝，“有话，你在这里说好了。”

“喔唷！”古应春故意抚摸着前额，“这个钉子碰得好厉害。”

虽是玩笑，但含有指责之意。勾栏人家以不得罪客人为第一要诀，所以妙珍代为道歉：“对不起，对不起，古老爷！她年纪轻，不懂事，一切包涵。”接着，便正色向妙珠训斥，“你怎么连好歹都不懂！古老爷有话问你，自然是好意。‘狗咬吕洞宾，不识好人心！’还不跟古老爷赔罪。”

妙珠也觉得自己不对，但要她赔罪，却又一时变不出那样的脸色来，幸好古应春体恤，连声说道：“赔什么罪，赔什么罪。来，来，我们到这面来谈。”

一面说，一面拉，妙珠也就顺势收篷，跟到一边，悄悄说道：“古老爷，真对不起，我不是有心的。”

“我知道，我知道，这不必去谈了。我问你，”古应春停了一下，用很郑重的语气问道，“你是不是下定决心，非姓胡不可？”

妙珠抬起一双大大的眼睛，很快地看了他一眼，接着便垂下头去，然后，微微颔首。

“好的！不过事情一时不会成功，一年半载，说不定三年两年，你等得及吗？”

“没有啥等不及！”妙珠用极轻的声音回答。

“那就让胡老爷替你造一座家庵，反正带发修行，不要说带发修行，就真的做了尼姑，也可以留起头发来还俗的。”古应春又说，“你想想，你住的是姓胡的替你造的房子，还不算是胡家的人？”

这不但是一句话指点了迷津，也因为古应春站在自己这边，越发增加了信心，因而妙珠眉开眼笑地不断低声称谢：“古老爷，谢谢你，谢谢你！”

“我的话，你摆在心里。”

“是的。我晓得。”

话虽如此，妙珠到底不是那种老于世故，深于城府的九尾狐，开朗的心情，不知不觉地摆在脸上。妙珍和刘不才看她神情舒坦，自然都感到快慰，只有胡雪岩的心情矛盾。他一方面觉得妙珠是宜喜宜嗔春风面，一扫愁苦之容，格外显得明艳照人，看在眼里，爱在心头；一方面又怕古应春擅作主张，投其所好，如果所许的愿心是自己办不到的，则又何以善其后？

他心里七上八下半天，终于趁刘不才大谈赌经时悄悄问妙珠：“古老爷跟你说点啥？”

她眼波闪耀，斜着从他脸上飘过，故意洋洋不睬地答了句：“不好跟第三个人说的。”

她装假，他便有意逗她："想来是他看中了你了？你可当心！古老爷有个'女张飞'管着。"

"女张飞？"妙珠被触发了好奇心，"怎么叫出这么个名字来。你倒说给我听听。"

"来！"胡雪岩趋势将她一拉，两人走到屏风背后，在一张杨妃榻上，并排坐了下来。"女张飞"自然不谈了，却别无话说，一个拉着她的手凝视，一个低头不语。

"胡老爷！"是妙珠先开口，"你说要给我造一座家庵，这话算不算数？"

"我跟你说说笑话的。"胡雪岩正好改口，"莫非我真的作孽？年纪轻轻的，送你进庵堂去过那种日子？"

"哼！"妙珠微微冷笑，"造一座庵，也要几百两银子，自然舍不得了！"

胡雪岩再精也想不到这是激将之计，当即答道："几百两银子小事。不要说你我有过交情，哪怕初见面，送你几百两银子，也没有什么了不得的。"

"既然你这样说，我先谢谢你，明天等家庵造好了，我供你一个'长生禄位'。"

"不行，不行！'家庵'两字，再不用提起。"

妙珠也不是真的看破红尘，要去带发修行，就这片刻之间，她照古应春的指点，另外打定了主意。"你不用管，你总归给我几百两银子，让我造间新房子住就是了。"她又加了一句，"你肯不肯？"

"谈不到什么肯不肯。你如果不相信，我马上给你银子好了。"

"那倒不必。说过算数。"

接着，她伸出春葱样的一只小指，一钩新月似的弯着。胡雪岩也伸出小指来跟她勾了勾，接着便一手揽住了她的腰，说了句真心话："妙珠，我自己都不知道我是怎么回事，又舍不得你，又怕你。"

“怕我什么，我又不是吃人的老虎。”

“老虎倒不是，是一条——”

“一条什么？”

胡雪岩想说，是一条会缠人的蛇，但因已领教过妙珠的脾气，不敢造次，所以话到口边，又缩了回去，等她再追问时，自然也不肯出口，笑笑而已。

“我知道你怕我。”妙珠有些悔恨不胜似的，“我也知道我的脾气，就是改不掉。”

一个人能有自知之明，便容易相处了，胡雪岩心想，不管将来如何，能劝得她稍敛那种刚烈性情，总是好事。“妙珠，”他先恭维她一顿，“说良心话，我从杭州看到上海，上海看到苏州，像你这样的人品，真是顶儿尖儿，再没有话好说……”

“好了，好了！不要替我乱戴高帽子。捧得高，跌得重，下面就要说到我的坏处了。”

一说破，胡雪岩倒又不便再出口了，仍然只能付之一笑。

“闲话少说。”妙珠忽然问道，“你住房子喜欢怎样一种格局？”

这话问得太突兀。胡雪岩想了一下，方始明白，但也不愿说破，只反问一句：“你呢？你喜欢怎样的格局？”

“我喜欢高大凉爽，前后空地要多。”

“那么，你就照你的意思去盖好了。如果要修怎么样一座亭台楼阁的大花园，我力量不够，普通一所住宅，我还送得起。”胡雪岩又说，“房子是你住，不是我住，自然是你喜欢怎么样就怎么样。”

最后一句话，他是有意这样说的，暗中拒人于千里以外。这，妙珠也懂，不过她受了古应春的教，已打定一个“磨”字的主意，所以并不觉得失望，神态自若地问道：“你们杭州的房子是怎样的格局？”

“普通人家前后厢房，中间是正屋，有个名堂，叫作‘四盘一汤’。”

妙珠觉得这个说法很新奇，闭上眼想一想，若是临空下望，前后厢房，分布四角，中间一座厅，果然是这样一种形状，于是笑道："好的！我们也来个四盘一汤。"

这近乎一厢情愿的想法，胡雪岩自然也懂，认为不宜再说下去了，话越来越多，也越描越黑。因而又是笑笑不响。

"你倒真会笑！一笑、两笑、三笑了！"

是不明用意的废话，但出之于她的口中，另有一种味道。胡雪岩斗口也是很在行的，随即笑道："你倒是胜过秋香，可惜没有一个唐伯虎！"

这又有暗中见拒之意，妙珠心中自语：总有一天叫你脱不得身。这样想着，脸上便露了诡黠的笑容。

这让胡雪岩又起警惕，不知道她在打什么主意，凝神细看，妙珠忽然"噗哧"一声，笑了出来。

这一笑，越使胡雪岩困惑，不过有一点倒是很清楚的：前嫌尽释！既然如此，就不必再瞎费什么工夫了，且丢开了再说。

回到席间，重又闹酒，一顿午饭，吃到下午四点才罢。妙珠道声"得罪"退了出去。接着便有个替妙珍收拾房间的心腹娘姨，进来使个眼色，将妙珍调到外面。这一去好久不见进来。冷落客人是娼门大忌，而况是这几位特客。所以胡雪岩等人，虽在海阔天空地闲谈，暗地里却都抱着一个疑团。

天快黑下来时，来了一班狎客，嘈杂的人声中有一句话听得很清楚，是她们那里的相帮在说："二小姐收房间了。"

"二小姐"就是妙珠，"收房间"等于上海长三堂子里的"卸牌子"，是从良的表示。问津有心的那班狎客，一看名花有主，无不惘叹，少不得有人打听，是何豪客，量珠来换去了这一粒"妙珠"？相帮以"弄不清楚"作答。

别人不清楚，妙珍屋里的三个人，心中雪亮。古应春笑笑说道："小爷叔！艳福不浅，到处有人留情。"

胡雪岩却笑不出来。"我不是假道学，用不着口是心非。人呢，当然有可取之处，不过我现在实在没有工夫来享这份艳福。"他看着刘不才说，

“三爷，你来接收了去吧！”

“说笑话了！我怎么能做这种事？”刘不才大摇其头，“退一万步说，妙珠一片心在你身上，九牛拔不转，就算我可以接收也接收不到。”

“麻烦！”胡雪岩有些怨恨，“老古，一定是你替她做了狗头军师！你说实话，你替她出了什么馊主意？”

古应春想了一下，这样答道：“小爷叔，我劝你最好置之不理，听其自然，那就不会有麻烦，更不会有烦恼了。”

“这话倒说得有道理。”胡雪岩深深点头，“我就照你的话做。”

“只怕不容易做到。”

听他的话又翻覆，胡雪岩自然诧异，而且不满：“这话，我弄不明白！”

“很容易明白！小爷叔，有道是‘未免有情，谁能遣此？’我怕你心里抛不开。倘或如此，倒不如实事求是的好。”

胡雪岩沉吟了一会，果然有些割舍不下，因而便无话可答了。

* * *

就在这时候，到了一班客人，领头的是跷脚长根，其次是俞武成，再后面就是尤五跟他的那班江湖弟兄，殿尾的是杨凤毛和朱老大，挤得满满的一屋子，加上妙珍领着娘姨、大姐来招呼，乱得不可开交。

“小爷叔！”尤五避开古应春和刘不才，将他一拉，悄悄说道，“我有几句要紧话，想跟你说。看哪里有清静的地方？”

这得找主人，胡雪岩便又去问妙珍，她毫不迟疑地答道：“妙珠的房间空着。”

“不错！”胡雪岩倒想起来了，“妙珠是怎么回事？”

听此一问，妙珍的神情很奇怪，瞟了他一眼，用又像埋怨，又像调侃的声音说：“我都要问胡老爷是怎么回事？”

这样一扯开来，话就说不完了，事虽关心，苦于此时无暇深问，胡雪岩只说得一句："回头再谈！"转身而去。

他将尤五领到妙珠原来的住处，进房便觉异样。古应春睡过的那张大铜床，衾枕皆已收起，只剩下一张藤棚，妆台上胭脂花粉，一扫而空，玻璃镜子上还蒙了个布套子，格外有股人去楼空，天涯何处的凄凉味道。

"唉！"胡雪岩不知不觉地轻轻叹了口气。

尤五一天都在忙着商谈"大事"，不解所谓，便愕然相问："小爷叔，你叹啥气？"

胡雪岩是深感于这短短一天之中，妙珠由一念轻生到毅然脱出风尘，已经历了好一番沧桑，情动乎中，不能自已，但到底算是闲情，这时候何必去谈它？所以问而不答，只说："你们今天跟长根谈得怎么样？"

"那是小事。长根自然是厉害角色，不过自己人面前，不作兴说'法兰西话'……"

"什么？"胡雪岩打断他的话问，"你说什么'话'？"

"喔，"尤五笑道，"这是最近夷场里流行的一句俗语。说洋文，英国话还有人懂，法兰西语，只听他舌头上打滚，不晓得他说些什么。所以说人自说自话，彼此永远谈不拢，就说他是说'法兰西话'。"

"这倒也妙。长根不说法兰西话，说的什么话呢？"

"说的老实话，人心都是肉做的。小爷叔这样待他，他不能做半吊子。又说：吃不穷，着不穷，不长眼睛一世穷！这句话也很实在。大家都看上小爷叔了！"尤五用极郑重的语气说，"小爷叔，江南江北的漕帮，以后都要靠你老人家了！"

"言重，言重！"胡雪岩大为诧异，"怎么扯得这句话？"

"我们商量好了！"尤五慢吞吞地说，"我们大家推小爷叔，做个军师，请你来发号施令。小爷叔，你不要打岔，听我讲完。"

他讲的是他们江南江北漕帮的一条自救自保之策。从洪、杨乱起，河道阻塞，漕米改为海运以后，漕帮生计维艰。只是遍地烽火，各地纷纷办团练自保，朝廷焦头烂额，只顾军务，尚且不暇，自然无法来管漕帮的生计。这层苦衷，漕帮的头脑无不体谅，因此各地帮口小弟兄闹事，他们都是好言相劝，共体时艰。但朝天一张口，家家有老小，总得要喂饱肚子才行，这就不是苦口婆心的劝导所能济事的。

因此，尤五、俞武成、跷脚长根还有另外一班漕帮管事的人物，人同此心，心同此理，都觉得唯一的办法是自己来寻一条生路。

“小爷叔！大家都佩服你是天下第一等的脑筋，这条生路，不但要你替我们来寻，而且要请你领我们来走。”

“啊！”胡雪岩吸着气，已感到双肩沉重不胜了，但是，无论如何说不出拒绝的话来，只有三个字：想办法！

当然，尤五与他的同道，亦绝不会仅仅定下这么一个宗旨，便将千斤重担，不问青红皂白，压在胡雪岩肩上。他们也谈到过许多能够走、走得通的路，不过，这些想头，也大都是胡雪岩的启发而已。

“小爷叔，我们也谈过，第一，漕帮有船有人，不运漕粮，可以运别的东西，甚至于载客。现在难民多，有时要搭船觅个铺位，还真不容易。你说，这行生意好不好做？”

“当然好做。难处是怕官府不准。这，我来想办法。”

“对啊！”尤五十分欣慰，“我们要请小爷叔来出头，就是这些关节，都要仰仗大力来打通。”

“打不打得通，还不敢说。”胡雪岩又问，“你们还谈些什么生意？”

“丝、茶两项销洋庄，现在看样子是一定可以恢复的了。我们想集一笔资本，请小爷叔替我们来做。”

“这当然可以。不过我先要问一问，这两项生意，赚了钱，是私人的，还是公众的？”

这话问得尤五一愣。“是啊！”他搔搔头皮说，“我倒没有想到这一点，现在是请小爷叔来替漕帮弟兄想办法，如果赚钱公众分，当然没话说。不然，就只好搁在后头了。”

“我也是这个意思。五哥，”胡雪岩迟延了一下，终于问了出来，“我倒要请教，你的意思，是为公，还是——”

“我的情形，你晓得的，无所谓公私。有钱，老太爷的用度先提起一份，此外就是大家用，手长的多用几个，脚慢的少用几个。”

“这不是办法，你总要定个章程出来。不要说你是一帮之主，就是我自己的生意，对伙计们也要一碗水往平处端，大家才会心服。”

“是！小爷叔说得是。”尤五深深点头。

“这件事你不妨请老古替你参赞。现在不必去谈它。丝、茶两项生意，当然要做的，不过应该还有别的，大家有饭吃的生意好做。等我空一空来替你们动脑筋。”

“是的。我先跟你说明白了，回头席面上，他们还有话说。”

这一夜的盛宴，算是漕帮公众特请，虽非鸿门宴，但这顿饭也着实难吃，大家越是恭维，胡雪岩越觉责任沉重。所以他一面谦虚，一面腹中寻思：江湖上行事，有时要“充”，不会的也得要大包大揽，满口答应；有时要“冲”，不管做得到做不到，硬做了去。但是，有时既不能充，更不能冲，一要诚实，二要稳健。像此时的情形，充对了、冲过了，未见得见好；充不好、冲不过，则误人大事，吃力而不讨好，不智之甚！

因此，他等大家的话告一段落，从容冷静地说道：“刚才尤五哥跟我说，承各位抬爱，我说不出推辞的话来。此刻想想，有两句话，一定先要向各位说明白。”

这不能不预先声明的两点苦衷是：第一，他个人的生意，以及招揽在身上的闲事很多，而且也都到了不容再拖，必须料理的时候，所以一时还无法为漕帮效劳；其次，他感叹着说，“做事容易做人难”，将来必不能尽如人意，希望大家谅解。

对于第一点，大家自是同声应承，但提到第二点，尽管他措词委婉，仍有好些人觉得不安。尤其是俞武成，他很费劲地申述，大家绝没有任何成见，希望他不要多心。胡雪岩对“麻布筋多，光棍心多”这句江湖上人人皆知的谚语，深具戒心，所以本来还想在这方面再发挥几句的，见此光景，也只好缄口不言了。

这一顿酒吃下来，已是斗转参横，除掉跷脚长根，其余都回到朱家歇宿。

尤五因为同里事毕，而松江、上海都还有许多事要等他去料理，决定第二天一早离去，特地到胡雪岩那里话别。不想一谈起来就没有完，胡雪岩一再催促，他总舍不得走。话虽多，其实以后有机会再谈亦可以，只是久别重逢，乍逢又别，他觉得依依不舍而已。

就这样一谈谈到天亮，尤五索性直接上船，睡到松江。由于有他的朋友在一起，胡雪岩在礼节上不能不送行。河干握别，人已疲乏不堪，正待回朱家蒙头大睡，在一起的古应春眼尖，拉了他一把，急急说："你看！"

* * *

胡雪岩注目看时，一顶小轿，如飞而过，只从两方镶嵌的玻璃小窗中，看出是个女人，却不辨是何面貌。

"是哪个？"

"还有哪个？"古应春笑道，"请问在同里，还有哪个女人是小爷叔你关心的？"

这当然是指妙珠，但古应春这样硬指他对妙珠关心，却使他感到有口难辩的委屈。就在这苦笑无以为答之际，只见轿子已转入一条小巷，他便脱口问了一句："昨天搬出去以后，不知道她住在哪里？"

"也许就住在这条巷子里。"古应春怂恿着说，"去看看！"

被拉着走到巷口一望，果不其然，轿子已经停了下来。胡雪岩心想，既已如此，不如看个明白，因而不必古应春相劝，先就走了过去。

到那里一看，首先触入眼帘的是一幅簇新的朱笺，写着乌光闪亮的两个径尺大字：胡寓。

胡雪岩大为诧异。"老古，老古！"他慌慌张张地问，"妙珠也姓胡？”

“我不晓得。”

“这就有点奇怪了！”胡雪岩狐疑满腹，“这样‘霸王硬上弓’的事！我还是第一回看见。回去倒要问问妙珍！”

“何必那么费事？现在有妙珠在这里，为啥不问？”说着，古应春伸手便去叩门。胡雪岩想要阻止，已是不及，古应春拉起铜环“当当”地拍了两下。

黑漆双扉开启，垂鬟小婢正是妙珠身边的小大姐阿金。

“胡老爷！”面团团像无锡大阿福的阿金，笑嘻嘻地说，“你莫非千里眼、顺风耳？一早就寻得来了。”

胡雪岩无心跟她逗笑，只问：“二小姐呢？”

“刚刚回来。”

一句话不曾完，妙珠已掀帘而出，布衣布裙，屏绝铅华，已俨然“人家人”的样子了。“古老爷，”她含笑迎客，“请里面坐。”说着，抛给胡雪岩一个眼风，作为“尽在不言中”的招呼。

这样的举止，是以胡家的主妇自居，胡雪岩心想，这就不必再问她的本姓了，如今要动脑筋的是，设法让她将“胡寓”这张朱笺取消。

这样盘算着，他便声色不动地说：“你这房子，倒不错。难为你觅得着，说搬就搬，一搬就有合适的房子，倒真凑巧。”

“是啊，巧得很！”妙珠很高兴地说，“我领你们看看。”

于是从前到后，走了一遍，最后到客堂落座。家具似是现成有在那里的，屋角堆着箱笼什物，还未整理。

“今天还乱糟糟的，没有地方坐。古老爷，你下次来就好了。”妙珠又说，“做丝生意，总少不得要到同里来，如果没有地方落脚，就住在这里好了。这里，古老爷，你当它自己的家一样。”

“多谢，多谢。”古应春说，“如果到同里，一定来看你。”

修行的话也不说起了！胡雪岩心里好笑，想挖苦她两句，又怕她动气，便忍住了。但嘴角掩不住那种近乎捉住人错处的笑容，使得妙珠忍不住要问。

“胡老爷，你笑啥？笑我做事顾前不顾后，是不是？”

“顾前不顾后”五个字，不堪寻味，胡雪岩却不说破，只问：“你这房子是租，是典，还是买的？”

“租的。”

“房东卖不卖？”

“卖也可以谈。”

“看样子，你倒像很中意这所房子。”胡雪岩略停一下说，“我看为了省事，我就买这所房子给你好了。”

“随你的意思。”

“照我的意思，你先把‘胡寓’这张条子拿掉！”

“不！”妙珠断然拒绝，“我姓胡，为啥不能贴那张条子？”

“你将来不是要改做家庵吗？”

“对，”妙珠抢着说道，“那时再换一张条子，叫作‘胡氏家庵’。”

“那也随你的便。反正天下姓胡的多得很，随你高兴姓啥就姓啥。”依然是拒人千里的语气，妙珠觉得他太过于薄情，脸色便有些不大好看了。

胡雪岩神思困倦，肝火上升，认为妙珠过于惫赖，有意想跟她吵一架，吵散了拉倒。但未及开口，为古应春看出端倪，急忙抢在前面做和事佬。

“啊！”他故意装作耽误大事，突然想起的那种吃惊的神色，目瞪口呆地望着妙珠。

这是为了想移转他们的注意力，两个人当然都上当，胡雪岩先问：“怎么回事？”

“喔，”他忽又放缓了神色，摇摇头说，“没有什么！想起来了，不要紧。”

“真正是！”妙珠拍着胸说，“古老爷真会吓人。”

胡雪岩对他，当然远比妙珠来得关心，因而追问：“你想起什么？什么事不要紧？”

根本无事，如何作答？古应春便信口胡扯：“我想起个很有趣的故事。”

胡雪岩啼笑皆非，妙珠却是想想滑稽，这古老爷莫非有痰疾？再看到胡雪岩那副懊恼而无可奈何的模样，不由得“噗哧”一声，忍俊不禁了。

这破颜一笑，便至少是安抚了一方。古应春旁观者清，此时若得妙珠的一番柔情蜜意，则百炼钢可以化为绕指柔，因而先抛个眼色，然后指着胡雪岩对妙珠说：“他跟尤五爷谈了一夜，又送他上船，又来看你，这会儿真的累了。你让他好好睡一觉吧！”

说完，起身就走，脚在移动，眼睛中不敢放松，一看胡雪岩也要站起，立即回身硬按着他坐下。

“朱家人来人往，嘈杂不过。你这两天精神耗费得太多了，难得几样大事都已有了头绪，正该好好息一息，养足了精神，我们明天一起到苏州，转上海。”

“古老爷是好话！”妙珠从容接口，“一个人，好歹要晓得，好话一定要听。”

胡雪岩也实在是倦得眼都要睁不开，勉强撑持在那里，经他们两人这样相劝，一念把握不住，如水就下，浑身劲泄，不但懒得动，连话都懒得说了。看古应春刚要出门，他想起一句话，非说不可。

“老古，老古，你等等！”他吃力地说，“老周只怕今天会从苏州回来，如果有啥信息，你赶紧派人来通知我。”

“我知道了。你尽管安心在这里休息好了。”

等古应春一走，妙珠亲自去绞了一把热毛巾，递到胡雪岩手里，同时问道：“饿不饿？”

“饿倒不饿，心里有点发虚。”

“不是心里虚，是身子虚。我煨了一罐莲芯粥在那里，你吃一碗，就上床去吧！”

她一面说，一面便走了开去。不多片刻，阿金捧着一只闽漆托盘，端来了一碗桂花冰糖莲芯粥。胡雪岩本来就爱甜食，那碗粥清腴甘糯，吃完了意犹未尽。妙珠仿佛预知他的心意似的，紧接着端来了第二碗。

“没有打算你会来，不曾多预备，就只有这一碗了。我马上再炖，等你起来再吃。”妙珠又问，“另外还想吃点啥？好趁早动手。”

这样深情款款，胡雪岩心头的樊篱尽撤，看看阿金走得远了，便笑笑说道：“啥也不要，只要你的人！”

他嘴里说着话，一只手便伸过来拉。妙珠腰肢一扭，翩然避开，带着顽皮的笑容说：“君子动口，小人动手。”

胡雪岩一笑而罢，伸过懒腰，站起身来，妙珠便引着他到卧房。房间甚大，却犹未布置妥帖，不过窗帘已经装好，床上衾枕整洁，尽堪安卧。他身子一歪，倒在床上，就不想动了。

“起来嘛！等我铺床。”

“马马虎虎好了。”胡雪岩的眼睛已经合拢，“我不想再动了。”

妙珠无奈，叫进阿金来，替他脱靴宽衣，一个身子拨过来拨过去，费了好半天的事，刚把他的头搬到枕上，鼾声已经起了。

他这一觉睡到下午才醒，首先听到的是柔靡的小调，用鼻音低低哼着。他转身朝外，从雪白方孔纱帐中望出去，只见妙珠正坐在窗前通头发，发长及腰，一梳子通不到底，不能不抬起又白又腻的一弯手臂，反握发梢，才料理得了。胡雪岩看在眼里，痒在心头，便咳嗽一声，等她揭帐来视，很快地将她一拉。

猝不及防的妙珠恨声说道：“总是这样子蛮来！”等他一放手，她脱身退后，正色而言：“这里地方不同了。”

胡雪岩愣了一下，才明白她的意思。她是良家妇女了，不同于她们姐妹一起张艳帜的时候。一夜之隔，居然身份不同，然而对一个睡在她床上的男人说这样的话，不太可笑吗？

因此，他不假思索地问了一句：“那么我呢？睡在这里，算是啥名堂？”

“问你自己！你不说明白，我只好拿你当客人看。”

“客人？”胡雪岩忍不住好笑，“睡在女主人床上的客人！”

妙珠也忍不住抿嘴笑了，但很快地又绷起脸来。“难得一次。”她说，“下次再来，就对不起了。”

“怎么样？莫非赶我出门？”

妙珠词穷不答，只叫阿金舀脸水进来，自己虽也在招呼照料，却总是远远地躲着胡雪岩，深怕他要动手动脚来轻薄似的。

这样子见他如见了一条蛇的神情，使得胡雪岩大起反感，便忍不住挖苦她：“真像个人家人的样子了！是不是想造贞节牌坊？”

话说得太重，妙珠勃然变色，强自按捺怒气，冷笑着说：“随便你怎么样说好了！总而言之一句话，我的主意打定了，你一天不拿真心出来，我一天饶不了你。你等在那里！自有麻烦来找上你的门。”

像要挟，又像恫吓，但更像撒娇，胡雪岩笑道：“你倒说说看，怎么样找我的麻烦？”

“不告诉你。”妙珠恨恨地说，“没良心的人，值不得可惜，你看我！总有一天要你讨饶。”

明知是因爱生恨，胡雪岩仍不免哑然失笑，“到底你我有啥解不开的仇？”他问，“你拿我恨成这个样子？”

妙珠也是一时冲动，发泄了固然快意，事后却不免失悔。由他这一问，少不得从头想起，也不过几天间的事，像他这样场面上的人，走马章台，不足为奇。如说有人喜欢他，他就得量珠聘去，世上哪里有这样的事？置妾虽不比娶妻，也不是一件小事，当然他有他的难处。只为自己一片痴情，都在他身上，相形之下好像显得他薄情，其实他守着他做客人的道理，丝毫不错。怪来怪去，只怪自己一厢情愿，钻到牛角尖里去了。

这是有苦说不出的委屈，她既以自怨，又以自责，更以自惭，那眼泪就止不住了，面朝外坐在妆台边，泪水沾湿了衣襟一大片，也懒得去拭一拭眼。

胡雪岩坐在床沿上，是在她身后，看不见她的脸，只觉得她无语兀坐，态度可怪，等走过来一看，方始惊惶。

“咦，咦！”他问，“怎么了？伤这么大的心！”

“我也想穿了，”妙珠哭过一阵，心境比较开朗，情感不再那么黏滞，“各人有各人的处境，硬凑到一起，也没有意思。回去是绝不会回去了，不过，我也不会再嬲住你。”说着，擦一擦眼睛，擤一擤鼻子，走了出去。

胡雪岩的心情很矛盾。听她这样的表示，原该有如释重负之感，却反觉得无趣，就坐在妙珠原来的座位上，茫然不知所措。

坐又有些坐不住，站起来随便走一走。他一走走到窗前，无意中向外一望，恰好看到妙珠，手里拿着一张红笺，上面仿佛有字。这很容易理解，她将那张“胡寓”的门牌取消了。

这反使得他怅然若失。但是妙珠两手空空走了进来，不提此事，他也不便先问，搭讪着说：“老古怎么不来？”又问，“几点钟了？”

“快打三点了。”妙珠换了一副态度，平添些周旋的形迹，“还是吃饭，还是先吃些点心？”

“午饭、晚饭并在一起吃了！我也不饿。”他说，“哪家馆子好，晚上叫一桌席来，我借你的地方请客。”

妙珠似有难色，但终于点点头：“是哪几位客？”

“还不就是这几个熟人。主客是朱老大，在他家打搅了好几天，应该表示点意思。”

“叫酒席倒现成。”妙珠提醒他说，“如果你是临时起意，要赶紧通知客人。”

“是的。我自己去。”

于是妙珠伺候他穿上长衫，送他出门。等她关上大门，他才回身去看，果然，那张“胡寓”的朱笺消失了。但深红的四只纸角残迹犹在，好比“家有喜事”的条子刚刚撕去那样，令人兴起一种曲终人散的怅惘。

胡雪岩站了好一会，方始回身又走。走出巷口，就是一家笺纸店，他买了一张虎皮笺，看着柜台上的大墨海说："你们这里哪位字写得好，劳驾替我写两个字。"

"喏，"小徒弟指着坐在账台旁吸水烟的白胡子老头说，"我们老东家的字，呱呱叫！"

那个鬓眉皆白的老掌柜，便捧着水烟袋起身，含笑招呼，问明了胡雪岩要写的字样，就着现成的笔墨，一挥而就。他年虽衰迈，但腕力不弱，一笔魏碑，将"胡寓"二字写得典雅凝重，很够气派。

写完裁齐，一客不烦二主，胡雪岩托小徒弟带着浆糊，领他到妙珠家，在门柱上悄悄贴好，然后出巷雇了顶小轿一直来到朱家。

进门就遇见周一鸣，他是中午到的。因为古应春体恤胡雪岩连日辛苦，特意不让周一鸣去扰他的好梦。此时自是先谈这一件大事，据说何桂清接信颇为高兴，也颇为热心，当时就上督署接洽，由营务处指派一位委员，是个姓奚的候补同知，专责办理此案。奚同知在一两天内，就要到同里来跟跷脚长根见面。

"姓奚的，是我极熟的熟人。"俞武成在一旁插嘴，"此人极能干，也极四海，是个好朋友。"

"那太好了！"胡雪岩喜不可言，拱手长揖，"大哥，偏劳了！我本来就在发愁，只怕分不开身，如今就都拜托大哥了，我把老周留在这里，听你招呼。"

"大家都有份的事，说什么偏劳？"俞武成慨然应承，"我也晓得你这阵子管闲事，耽误了好些正经。这里都交给我好了。你啥时候走？"

"明天一定要走了。"胡雪岩趁机邀客，"打搅了朱老大好几天，无以为敬，今天借个地方，专请你们几位叙一叙。这个地方，老古知道，请他陪了去。"

"是啥地方？方便不方便？"俞武成说，"我最怕在陌生地方应酬。"

"方便，方便！"古应春代为回答，"包你不会拘束。"

客是请好了，妙珠那里却还令人放心不下。怕她只有一个阿金，主婢二人，铺排不开，因而胡雪岩又带周一鸣，赶回“胡寓”去照料。

到了那里一看，才知是过虑。妙珠叫了半副“茶箱”，茶水、烫酒，兼带值席，一起都有人照应。另外馆子里派来三个人，一个厨子、一个下手、一个打杂上菜，请一桌客有这么多人料理，女主人根本清闲无事，在廊上嗑瓜子闲眺，显得十分悠闲。

“不过，老周，”妙珠很高兴地说，“你来得正好，要劳你的驾，给我去借几副牌来。”

这是“余兴”中少不得的。周一鸣回朱家去借了麻将、牌九、摇缸，刚刚铺设停当，大队人马已经到了。

一马当先的古应春，见了女主人就问：“妙珠，刚贴上去，簇簇新的一张条子，为啥又换过？”

妙珠一愣，想不通是怎么回事，“什么条子？”她问。

“还不是那两个字！你难道不明白。”

她是真的不明白。空言相辩无用，所以先不作答，奔出大门一看，虎皮笺上“胡寓”二字，看墨迹已经干了，不是刚贴上去的。

“是哪个？”她心里疑惑，莫非是……如果是他，又是什么时候贴上去的？

会不会是古应春呢？他是个热心人，也许说动了胡雪岩，回心转意，有些抚慰的表示。但她再想一想，便知不然，古应春根本不知道自己跟胡雪岩怄气，撕下门牌这回事，则何由而出此举？照这样看来，还是胡雪岩自己改变了主意。到底把他感动得“降服称臣”，拜倒在石榴裙下。妙珠十分得意，当然，更多的是欣喜和感动。

走回里面，只见胡雪岩望着她一笑，这就是证实了是他干的事。只不知道他是什么时候干下的。这样一件小事，都有点神出鬼没，这个人实在厉害！不能不佩服，也不能不小心。

她心里这样在想，脸上也报以莫逆于心的一笑。古应春看在眼里，越觉好奇心起。只是这样的场合，他要帮着胡雪岩应酬，一时无法去盘根问底。

“吃饭还早，”刘不才这时已很起劲地在拉搭子了，“我们怎么玩？请俞老出主意。”

“都是自己人，不好当真。”俞武成说，“今天妙珠从良，我们该有点意思，我出个主意，请大家公断。我们推一桌轮庄牌九，赢了的不准落荷包，都拿出来，替妙珠置点啥！”

“不必，不必！”胡雪岩急忙辞谢，“没有这个规矩。”

大家都赞成，只有胡雪岩坚辞不允，俞武成心直口快，便即问道：“老胡，你是不是怕我们扫了你的面子？”

“大哥！”胡雪岩觉得他的话不中听，但不能不表示惶恐，“你怎么说这话？我只好不响了。”

“对！”俞武成笑道，“不是我这样子说，没有办法叫你不开口。来，来，我痴长两岁，第一个庄该我。”这桌牌九，味道特别，大家都想输几文，让妙珠有点好处，结果反而扯平了。四个庄，俞武成、刘不才、古应春、杨凤毛分别推完，结账只多了两百五十两银子。

“这不够！再来！”俞武成掳过牌来洗着，“这一下推小的，大家放开手打。”

于是下风出手都不能太少，台面上有一千六百两银子，掷骰分牌，他看了一下，扣住牌不响，三门翻牌，点子都不小。俞武成轻轻将牌一掀，一对宝子，统吃。

“够了，够了！我替妙珠谢谢。”俞武成将牌一推，拿银票集中在桌子中间，笑盈盈地站起身来。

一方牌九只推一条便散场，刘不才赌了这么多年，还是第一回见过这种事。输钱还在其次，赌瘾被勾了起来，未免难受，但亦无可奈何，只能罢手。

古应春的感想不同。“俞老真是快人快事！”他说，“我就佩服这种爽快的性子。”

俞武成本来就觉得得意，听古应春这一说，越发有兴，不假思索地大声说道："今天我们索性再做件痛快的事。我一说，大家赞成，不过，老胡不准开口。"

"何以不准我开口？"胡雪岩笑着抗议。

"怕你煞风景……"

俞武成刚说了这一句，古应春已猜到他的心思，深怕一个说出口，一个有推托，好事变成僵局，所以急忙拦在前面说："俞老，俞老！你请过来。"拉到旁边一问，果不其然，俞武成就趁此刻，要为胡雪岩与妙珠撮合，现成的酒席，便是喜筵，贺客贺礼，也都来了。办了喜事，胡雪岩明天好回苏州去干正经事。

"俞老，你的美意，我那位小爷叔一定感激。不过，家家有本难念的经，他到底有何难处，还不晓得。你老的一句话，重似千金，说出来，他不能说个不字，但心里如果有什么嘀咕，想来你也不愿意。交朋友，总要彼此丝毫无憾，你说是不是呢？"

"丝毫无憾"这句话，俞武成听不懂，但他的意思是很容易明白的。仔细想一想，自己有点冒失，说出话来，收不回去，面子上下不来，岂非自讨没趣？这样想着，俞武成便对古应春油然而生敬服之心。

"不错，不错。老古你想得周到。如今，你看这件事怎么办？"

古应春知道他好热闹，更知道他的性情是那种自以为是好意，便不许人不受的纨绔脾气。再细想一想胡雪岩的态度，对妙珠已经回心转意，好事有望，便答应由他去作个探问。

私下一谈，胡雪岩的答复是古应春再也想不到的。"我已经叫老周接妙珍来了。"他说，"俞老一开口，我就懂了，既然如此，回头就烦你们两位跟妙珍谈一谈，什么都好答应，只有一样：不能老住在外面。"

"小爷叔！"古应春愣了一下说，"我晓得你意思已经活动了，不想变得这么快，是怎么想了一想？"

男女间事，无理可喻，胡雪岩的改变心意，是决定于重新贴上"胡寓"

门牌的那一刻。而到底又是什么原因让他决定贴上“胡寓”的门牌，是为了妙珠忽作悬崖勒马之计而受了感动，还是一时兴起？已莫可究诘。不过，他是个不肯欺心的人，既然有此决定，即令不为人知，亦不可相负。至于趁今天纳宠，无非不愿辜负朋友的好意，乐得“凑兴”。

感到兴趣的，自然不止俞武成和古应春。未吃喜酒，先闹新房，他们都挤在妙珠屋中，欢然谐笑。等妙珍一到，俞武成和古应春“做媒”，代为谈判条件，问她有何要求。

“我没有要求，这是件好事，我只有高兴。不过，我总得问问妙珠的意思。”

这是理所当然的，便让她们姐妹密谈。妙珍的意思，怕胡雪岩将来会变心，要他拿出一笔钱来，以防人老珠黄，后半辈子的衣食可以无忧。

“你心里要放明白，不是我在打什么主意。初出来那两年的债务，总算弄清楚了，我不想这个钱的好处。他那笔钱拿出来，用你的户名去存去放，折子仍旧交给你。”妙珍又说，“我们姐妹一场，我完全是为你着想。”

“那就跟他要三千银子好了。”

妙珠的身价，应该不止三千两。不过这桩喜事，与一般情形不同，妙珍也就不便再多劝。话转到古应春那里，他不需征询胡雪岩的意见，便代为答应了下来，当时向这一晌掌管着胡雪岩的财务的刘不才，如数要足银票，用个红封袋套好，封签上写明“奁仪”，交了给妙珍。

妙珍再转交妙珠，妙珠却不肯收，送给姐姐，作为敬意。妙珍无论如何不要，姐妹俩推让了半天，最后作为妙珠托她代为放息，妙珍才收下那个“红包”。

酒阑人散，妙珠方得有机会跟胡雪岩说话，只是原有无数语言，迫不及待地想倾吐，而到了此时，反觉无从说起。望着高烧的红烛，她回想这两天的波折，心里不辨是悲，是喜，是感慨，还是感激——感激日日在念经礼拜的白衣大士，菩萨有灵，终于如愿以偿。

胡雪岩的心思也跟她差不多，在绯色的光晕中，有着如梦似幻的感觉，凝视着镜中的宜喜宜嗔春风面，自不免兴奋而得意，但想到在苏州的芙蓉，不由得又生歉意。就这样心潮起伏，他便想不起该怎么找两句话来跟妙珠说了。

“洞房”中是出奇地沉寂，寂静得灯花爆裂的声音都听得见。这使得妙珠大起警觉，也可以说是大起疑虑。如此良宵，绝不该有这样清冷的光景，于是觉得有句话非说不可。

“你懊悔了是不是？”她问。

胡雪岩很诧异。“懊悔什么？”他反问一句。

“懊悔不该自己贴上‘胡寓’那张条子？”

“没有这话！我做事从来不懊悔的。”

妙珠默然。这总算是一种安慰，但究不知他真心如何，也许口中否认，心里真有悔意。那样子倒是自己该懊悔孟浪了。

生米已经煮成熟饭，却还未下咽。她心里在想，错了一步，错不得第二步，宁可落下笑柄，也不能自误一辈子，无论如何得要试出他的真心来。一念到此，她立刻有了计较。要试别人的真心，先得自己表示真心，她毫不迟疑地打开一只描金皮箱，从箱底取出首饰箱来，开锁揭盖，送到胡雪岩面前。

箱子里有玉镯、宝石、戒指、珠花、金镑、珈南香手串，都用新棉花包着，此时一样一样揭开来放在桌上，五光十色，令人目眩。胡雪岩不解所谓，忍不住问道：“你这样献宝干什么？”

“我的私房都在这里。喏，你看！”她捡起一扣存折，递给胡雪岩。

“你自己的东西，用不着给我看！”他不看存折，顺手抛在首饰箱里。

“这些首饰，我自己估一估，值两万银子。你看呢？”

“我不大懂。”胡雪岩说，“快收起来！财不露白。如果这时候外面有个贼在偷看，以后就危险了。”

“不要紧的！这房子严密得很，围墙极高，不怕贼来。”妙珠略停一下，回入正题，“我留着这些东西无用，说不定如你所说，叫贼偷了去，反害得我心疼，不如交了给你。”

“交给我做什么？”

“咦！那还不是随便你，做生意派点本钱也是好的。”

听得这两句话，胡雪岩的感想极多，但最后却是笑了出来，想到“唱本”上的故事：公子落难，花园赠金，大魁天下，奉旨归娶。看起来，妙珠多少也有这样子的想法。

这一笑，显得有些轻侮，妙珠微感不悦，正色说道：“我是诚心诚意的正经话。”

“我晓得你是诚心诚意。可惜，”胡雪岩想了想，还是将那句话说了出来，“你这番诚心，用错了地方。”

“怎么呢？诚心待人还会错？”

“本心不错，用得不得当。你要遇见一个肯上进的穷书生就好了，将来不说中状元，进京赶考中个进士好了，明媒正娶，还挣副诰封给你。那有多好？”

“我不稀罕。只要——”

“只要怎么样？”

“只要——”妙珠很吃力地说，“只要你不变心就好了。”

胡雪岩默然，觉得所遇到过的几个女子，以妙珠用心最苦，胁之以死，动之以利，先怕嫁不成，嫁成了又怕人变心，心眼儿这么多，将来怕难得相处。

他的心里很矛盾，有畏惧也有怜惜，因而既想设法将刚结上的红丝剪断，却又觉得割舍不下。就这踌躇莫决之际，他听得妙珠幽幽地叹了口气。

“唉！嫁鸡随鸡，嫁狗随狗，我也跟你一样，做事不会懊悔的。将来都看你！反正不管怎么样，我姓胡是姓定了。”听得出来，这是从心底掏出来的真话。她有这样的表示，自己便再无别的主意好打。但是胡雪岩也警觉到，此时不宜轻许诺言，宜乎硬起心肠来，言明在先。

“你这样一片诚心待我，我怎么肯变心。不过，我有为难之处，你也该体谅。将来有不得不让你委屈的地方，你肯不肯咬起牙关来承受？”

妙珠咬一咬牙，答了一个字：“肯！”

“那就好了。什么委屈，这时候也不必去说它，总之将心比心，到时候你肯为我设想，就晓得我要你受那种委屈，也是无奈。”

这番话暧昧难明，妙珠认为必须问个清楚：“你倒说说看，是啥委屈？让我心里也好有个预备。”

“譬如说，我明天一早就要走了，丢下你一个人在这里，岂不是委屈了你？”

“像这样，不算委屈。”妙珠又问，“还有呢？”

“还有？”胡雪岩摇摇头，“一时无从说起。反正都是这种事出无奈的情形。我们先谈明天，我走了以后，你怎么样？”

“自然是关起门来过日子。”

这样的答复，是可以意料得到的。但说出口来，有声音灌入耳中，少不得要想一想，这一想，便有疑问了。

“你是过惯了热闹日子的，一个人清清冷冷，熬得下来吗？”

话问得很坦率，也很实在，可是妙珠却觉得不中听，因而语声中便有不服气的意味：“你看着好了，看我熬得下来，熬不下来？”

熬不下来又如何？胡雪岩心里在想，将来红杏出墙丢了自己的面子。这件事非同小可，必得好好想个办法。生米已经煮成熟饭，说不算也不行，那就只有一条路好走。

对这一重姻缘，一直优柔寡断、彷徨游移，自己都不知道如何是好的胡雪岩，恢复了他的明快果断的性格。“妙珠！”他用毫不含糊的语气说，“这些东西你自己先收起来，有机会我替你做点‘小货’，是你的私房，我绝不来动你，至于丢你一个人在这里，我也不放心，你等我明天一走，就收拾收拾行李，我再来接你。我想把你摆在上海。”

到底有了个明确的了断！转弯抹角，终于逼出了他心里的话，妙珠大为欣慰。但是，他还有个芙蓉在那里，又将作何处置？

“此刻在苏州的‘那一个’呢？”

“你是说芙蓉？”胡雪岩毫不迟疑地答道，“我拿她摆在湖州。”这就很容易明白了，他预备立三个“门口”，除了杭州在老家，上海、湖州各一处。上海是繁华之地，而且要做生意，就得常住上海，比较上以自己的处境最优越。

妙珠苦心设计，做作得太久，这时候再也不愿掩饰她的真情，收好她的首饰箱往床里枕头边一放，随即便贴住他的身子坐下。她两手环抱，抱住他的上半身，将脸偎依在他肩头，深深地吸着气，显得极其满足恬适似的。

第九章

第二天一早便有人敲门，妙珠惊醒了问道："是不是阿金？做啥？"

"是我。"阿金高声相答，"古老爷来了。说有要紧事情，要跟胡老爷说。"

于是妙珠推醒胡雪岩说知究竟。他披衣起床，开出门来，古应春歉然说道："对不起！吵醒了你们的好梦。有个消息，非马上来告诉你不可。"

胡雪岩睡意犹在，定定神问道："什么消息？不见得是好事吧？来，来，进来坐了谈。"

"不必！我直截了当说吧！五哥派了专人送信来，上海洋商那里，事情怕有变化，庞二那里的档手出了花样……"

"是那个姓朱的吗？"胡雪岩打断他的话问。

"是的。就是那个外号'猪八戒'的朱观宗。"

"这个人我早已看出他难弄。"胡雪岩摇摇头，"你说，他出了什么花样？"

"五哥派来的那个人很能干，讲得很详细。是这么一回事——"

原来"猪八戒"野心勃勃，想借庞二的实力，在上海夷场上做江浙丝帮的头脑，因而对胡雪岩表面上“看东家的面子”，不能不敷衍，暗地里却是处心积虑要打倒胡雪岩。

自从古应春跟洋商的生意谈成功，由于事先有庞二的关照，猪八戒不能不跟着一起走。坏在胡雪岩不在上海，一时不能签约，而古应春又到了同里，造成可乘之隙。据尤五打听来的消息，猪八戒预备出卖胡雪岩。他已跟洋商接过头，劝洋商以他为交涉的对手，他也愿意订约保证，以后三年的丝，都归此洋商收买，而眼前的货色则愿以低于胡雪岩的价格，卖给洋商。

“这家伙是跟洋商这么说：‘你不必担心杀了价，胡某人不肯卖给你！你不知道他的实力，我知道，他是空架子，资本都是别处地方挪来的，本钱搁煞在那里，还要吃拆息，这把算盘怎么打得通？不要说杀了价，他还有钱可赚，就是没有钱赚，只要能保本，他已经求之不得。再说，新丝一上市，陈丝一定跌价，更卖不掉。’”古应春越说越气，声音提得很高，像吵架似的，“你看，这个王八蛋的猪八戒，是不是汉奸？”

“你不必生气。我自有治汉奸的法子。”胡雪岩好整以暇地喊道，“妙珠！你叫阿金先弄些点心来给古老爷吃。”

“不必，不必！我吃不下，气都气饱了。小爷叔，”古应春说，“我看只有一个法子，一面你或者请刘三爷，赶到南浔去一趟，请庞二出来说话；一面我赶回上海，联络散户对付猪八戒。”

“庞二是孙悟空，治猪八戒倒是一帖药。不过，还没有到要搬请齐天大圣出来的时候。”胡雪岩又说，“至于联络散户对付猪八戒，打狗要看主人面，庞二面上不好交代。”

“小爷叔！”古应春真的有点着急，“你处处请交情，爱面子，你不想想人家跟你不讲交情，不讲面子。”

胡雪岩想了想，笑了。“我已经有了法子。”他说，“猪八戒识相的，我们善罢干休，他如果不识相，那就真正是‘猪八戒照镜子’，我要搞得他‘里外不是人’。”

“好啊！小爷叔，你说！”

“不忙，不忙，先坐下来。”

等胡雪岩拖他进了“新房”，妙珠已经草草妆成。一夜之隔，身份不同，古应春笑嘻嘻地叫一声：“阿姨，恭喜，恭喜！”

“不敢当。”妙珠娇羞满面，“古老爷请坐，啥事体生气？听你喉咙好响。”

“现在不气了。”胡雪岩接口说，“快弄点茶水来，我渴得要命。”

于是妙珠唤来阿金，一面伺候胡雪岩漱洗，一面张罗着招待客人。胡雪岩说“有了法子”是宽古应春的心的话，直到慢慢洗完了脸，才真的筹划出一个办法。

于是胡雪岩一面陪着古应春吃早点，一面授以对付“猪八戒”的秘计。古应春心领神会，不断称是。等谈妥当，古应春即时动身，赶回上海，照计行事。

依照预定的步骤，他首先去看洋商，怡和洋行的大班吉伯特，那个原在东印度公司任职的英国人，极善于做作，一见古应春的面，首先表示惋惜，当初谈成交后，不曾先签下一张草约，于今接到欧洲的信息，丝价已跌，所以不能照原定的价格成交，他个人表示非常抱歉，又说，如果当初订下草约，则此刻照约行事，总公司明知亏本，亦无可奈何。怪来怪去怪古应春自己耽误。

“是的，草约不曾订，是我自误。不过，中国人做生意，讲究信义，话说出口，便跟书面契约一样有效。”古应春从容问道，“欧洲的丝价，是否已跌，我们无法求证。我只想问一问：你是不是仍旧愿意照原价买我们的丝？”

“抱歉！我已经说得很清楚了。”吉伯特答道，“如果你愿意减价百分之十五，我们依旧可以交易。”

“不行！”古应春答，“你向任何一个中国商人买丝，都需要这个价钱。”

谈判决裂是在意中。古应春离开怡和洋行，立即赶到二马路一家同兴钱庄，取出一张五千两的银票，存入“福记”这个户头。

“好的！”同兴的伙计说，“请你把折子给我。”

“没有折子。”古应春答道，“我们是裕记丝栈，跟福记有往来，收了我的款子，请你打一张收条给我。”

生意上往来，原有这种规矩，同兴钱庄便开出一张收据，写明“裕记丝栈交存福记名下银五千两整”，付与古应春。同时又通知了福记，有这样一笔款子存入。

“福记”就是“猪八戒”的户头，他的名字叫朱福年。一接到同兴的通知，他深为诧异，因此等古应春去拜访他时，首先便提到这件事。

“老兄，”他问，“我们并无银钱上落，你怎么存了五千银子在我户头里？”

“这是胡先生的一点意思。”古应春答道，“胡先生说，平常麻烦你的地方很多，早想有所表示，现在丝上赚了一笔，当然要送红利。”

“不敢当，不敢当。”朱福年忽然装得忧形于色地，“应春兄，你是刚回上海？”

“是的。”

“那么，怡和洋行的吉大班你碰过头没有？”

“碰过头了。我就是为这件事，来向你老兄讨教的。吉伯特说欧洲的丝价跌了，要杀我们的价。你看，该怎么办？”

“这——我正也为这一层在伤脑筋。洋人坏得很，我们要齐了心对付他。他要杀价，我们就不卖。”

“你这里实力充足，搁一搁不要紧，我们是小本钱，搁不起。”

“好说，好说。”朱福年试探着问，“应春兄，你那里的货色，是不是急于想脱手？”

古应春点点头，面色凝重而诚恳。“实不相瞒，”他说，“这票丝生意，如果先没有成议，各处的款子都还可以缓一缓，因为十拿九稳了，所以都许了人家最近料理清楚。想不到煮熟了的鸭子又飞掉，只好请老兄帮忙，让我们过一过关。”

“不敢当，只怕我力量有限，作不得主……”

“当然不会让老兄为难，”古应春抢在前面说，“跟洋人做生意，不是这一回，再困难也不能走绝路。老兄也是内行，晓得洋人的厉害，所以我们这票丝，跌价卖给洋人，无论如何不肯。我跟吉伯特已经说过了，不管向哪个中国人买丝，都非照原议的价钱不可。只要大家齐心，不怕洋人不就范。我想这样，便宜不落外方，我们少赚几个，老兄帮了我们的忙，总也要有点好处。”

接着古应春便说了办法，拿他们的丝卖给朱福年，照吉伯特的原价打个九五折，换句话说是，给朱福年五厘的好处，算起来有一万六千银子。

古应春的神态，看来恳切，其实是安排下一个陷阱。如果朱福年知趣，收下那五千银子的“红包”，高抬贵手，仍旧照原议，让古应春代表同业跟吉伯特去打交道，订约成交，利益均沾，则万事全休。无奈此人利令智昏，一只手如意，一只手算盘，心里在想：一转手之间，有一万多银子好赚，而且归自己出面订约，自己马上就变成同业的头脑，这样名利双收的机会，岂可错过?

只是他心花虽已怒放，表面还不能不做作一番。“应春兄，只要我力量够得上，无有不效劳的。不过，我是依人作嫁，这件事做是可以做，照规矩总得先跟东家说一声。歇个三四天，给你回音好不好？”

这两句托词，早在胡雪岩意料之中。古应春心里好笑，一只脚已经被拉住了，他还在鼓里！他当时答道：“是的。规矩应该如此，不过总要拜托老兄格外上紧。”

“我晓得，我晓得，最多四天工夫，一定有确实回信。”朱福年又说，“那五千银子，绝不敢领，请你带了回去。”接着便拿钥匙要开外国银箱取银票。

“不！”古应春将他那只拿钥匙的手按住，放低了声音说，“老兄，我们迟早要付的，四天以后有了确实回信，我再把余数补足。”

“嗯，嗯！”朱福年还不大懂他的话。

“老兄，”古应春的声音放得更低，“这笔生意，怎么样一个折扣、怎么样出账，完全听你老兄的。如果是照原价出让，我们再补一万一千银子到福记。”

这是叫朱福年作弊，意思是他大可跟庞二去说，为了帮胡雪岩的忙，照吉伯特的原价，先行垫付，账上十足照给，暗中收下一万六千银子的回扣，这也是做法之一。朱福年一时无从决定，当然是先保留着这条路，所以点点头说：“那也好！我们到时候再结账。”

于是欢然辞别，回到裕记丝栈，古应春找着尤五，不曾开口，先就得意大笑。

由于古应春一到上海就忙着跟洋人与“猪八戒”打交道，匆匆一晤，尤五只知道胡雪岩已授以“锦囊妙计”，却不知其详，所以这时看他得意大笑，虽觉欣慰，但更多困惑，急于要问个明白。

古应春说了经过，他还是不明白。“这里头有啥‘窍槛’？我倒不懂，”尤五问道，“四天以后，照你的价钱卖给猪八戒，无非白白让他得一万六千银子的好处，外带捧他做个‘老大’。”

“哪里有这么便宜的事？等我修起一封书信来，刘三爷一到，直投南浔，那时候就要叫‘猪八戒照镜子，里外不是人’了！”

“啊，啊！”尤五被点醒了，却还不曾点透，“庞二是大少爷脾气，要面子的，跟小爷叔的交情也够。不过——”他说，“照我来说，猪八戒帮东家赚钱，他也不能说他错。”

“不然！”古应春问道，“五哥，你算是朱福年，设身处地想一想，他有几个做法？”

尤五想了一会答道：“他有三个做法，一个是自己‘做小货’，赚钱归自己，蚀本归东家。帮人做伙计，这是最犯忌的事。第二，他照你教他的办法，跟庞二说是帮我们的忙，十足垫付，暗地里收了个九五回扣，这也是开花账，对不起东家的事。但是，他如果老老实实，替庞二打九五折收我们的货，赚进一万六千银子归入公账，那就一点不错了。”

“说得不错，可惜还有一样把柄在我们手里。”古应春将同兴钱庄所掣的那张收据一扬。

“这——”尤五疑惑地，“这也好算是把柄？”

“怎么不是把柄？就看话怎么说！”古应春得意洋洋地，“不说他借东家的势力敲竹杠，只说他吃里扒外，如果不是送了五千银子，我们的丝卖不到这个价钱！”

“我懂了，我懂了。”尤五恍然大悟，“意思是说，吉伯特要打八五折，我们跟猪八戒串通好，提高到九五折？”

“对！不然我们为什么要送他五千银子？银子多得发霉了是不是？”

“这咬他一口，倒也厉害。不过，他要退了回来呢？岂不是嫌疑洗刷干净了？”

“怎么洗刷得干净？他要今天硬不肯收那五千银子，而且自己先跟他东家说明白：人家送我五千银子，我不要！那才算他硬气，这一步错过，嫌疑洗刷不干净了。”

尤五想一想，果然！“小爷叔想条把计策，也蛮毒的。”他笑说道，“当然，只怪猪八戒心太狠，这五千银子本来是‘人参果’，现在变成蜜糖里的砒霜，看它啥时候发作。”

“信一到就会发作。”古应春说，“这封信很要紧，我得快点动手。”

于是他精心构思，用胡雪岩的语气，给庞二写了一封求援的信。信上第一段说，吉伯特要杀他的价，而他急于脱货求现，跟朱福年已经谈过。第二段是引用朱福年自己的话，也道出了写这封信的缘故，因为朱福年表示不敢作主，要请东家决定，所以他特地向庞二请求，希望“鼎力赐援，俾济眉急”。第三段最难措词，要在惭愧中有感慨，感慨中寓不满，意思是说：回想当初，承庞二全力支持，原以为可以借重他的实力，有一番作为，不想落到今日的地步，当然是自己才具不胜，辜负了好朋友的厚爱，这是惭愧中有感慨。然而又何以落到这步田地呢？当然是猪八戒从中捣乱的缘故，但这话绝不宜说破，而又不能太隐晦，明暗之间要恰恰能引起庞二的关切怀疑，不能不加以追究为度，过与不及，皆非所宜，是相当费斟酌的事。

好在古应春英文虽佳，中文也不坏，改了又改，又征询尤五的意见，毕竟写到了恰到好处的程度。

等誊清校对，看明只字不误，这就要等刘不才了。尤五的意见，认为不管朱福年是真的要请示东家，还是别有用心，这封信却必须尽快递到南浔，无论如何要在朱福年之前“抢个原告”，才有效验。古应春认为这个看法很实在，但刘不才不到，没有第二个人认识庞二，也是枉然。

“这样，我们迎了上去，如果能在松江截住刘三爷，转舵直奔南浔，起码可以省出来一天的工夫。”

“也好！”古应春说，“我顺便到府上去等七姐，说不定小爷叔也到了，有啥话，我们在松江细谈，也是一样。”

于是在裕记丝栈留下话，万一中途错过，刘不才到了上海，让他即刻翻回松江。当然，水路上一路而去，尤五处处皆熟，逢人打听，是很少会有错失可能的。

到了松江，才知道这一着真是走对了。他们是一早到家的，进门就遇见刘不才在客厅上喝早酒，问起来才知道他是前一天晚上到的，护送七姑奶奶和芙蓉在尤家暂住，他自己预备中午下船回上海。

“小爷叔呢？”尤五问。

“他跟何学使还有点要紧事谈。大概一两天回上海。”

“暂时不管他。”古应春说，“三爷，事不宜迟，你的酒带到船上去喝。”

“可以。”

于是尤五替他准备船只，古应春交代此行的任务，将其间的作用关键，细细说完，千叮万嘱：“说话要当心，言多必失。”

“是了。你放心。”刘不才说，“问起来，我只说我在同里，不清楚就是了。”

* * *

一条“无锡快”分班摇橹，日夜不停，赶到南浔，刘不才上岸雇轿，直奔庞家。

来得不巧，也来得很巧，不巧的是庞二的老太太正做六十大寿，巧的是嘉宾云集，像刘不才这副清客材料，正好派上用场。

到寿堂磕过了头，庞二一把拉住他说：“刘三哥，你来得好极。有帮客人，要你替我招呼。”

不用说，当然是赌客，刘不才的心跟手都痒了，但办正事要紧。

于是刘不才不慌不忙地说道：“老伯母的大寿，理当效劳，只要用得着我，十天八天都要伺候。不过，我是雪岩特地派来的，有封信，请二哥先过目。”

庞二拆开信，一目十行，匆匆看去，还未看完，就连声答说：“小事，小事，朱福年今天也要来的，我关照他就是。”

这封信是要从容寻味，才能看出名堂，但照眼前的情形，庞二哪里有心思细琢磨？看起来古应春的这番精心构思，变成“俏媚眼做给瞎子看”。自己虽守着“言多必失”之诫，未便多说，但这意外的情形，应该通知古应春，好作个准备。

打算停当，刘不才便即摆出欣然的颜色：“二哥肯这样帮忙，我的差使也好交代了。上海还在等我的回音，我写封信叫原船带回去，回头再来帮你招呼客人。”

“何必你亲自去跑。”庞二说道，“船在哪里？你写好了信，我派人替你送去。”

“不必，不必！”刘不才答道，“我本来是打算原船回去的，现在总还得住两天，船上的东西，要收拾收拾，还是我自己去一趟的好。”

听他这样说法，庞二只得由他，派了一名佣工，又派了轿子，送他到码头。刘不才先在船上收拾好行李，关照庞家的听差押着先走，然后在舱中写好一封信，叮嘱船家即时赶回松江，送交尤五。

这天是寿诞正日，前一天暖寿，下一天补寿，一共三天。远道来的贺客，余兴未尽，少不得还要赌几天，所以刘不才打算着，总得五天以后才能回上海。

两天过去，他已结交了好些朋友。这两天当中，他也确实卖力，根据客人的兴趣，组合赌局，各得其所，皆大欢喜。大家都夸奖刘不才，主人也有面子，所以庞二对刘不才大生好感。第三天上午，赌局还未开场以前，特地到他下榻的小花厅来道劳。

道过谢，说些闲话，庞二提了胡雪岩。“老胡的礼数真周到。”他说，“昨天特为派了人来送礼，真正盛情可感。”

“应该的。”刘不才也很机警，答得十分漂亮，“若不是那票丝弄得他焦头烂额，照他跟二哥你的交情，一定还要赶来替我伯母磕头拜寿。”

这一下倒提醒了庞二，皱着眉头说：“老胡长袖善舞，我最佩服他。何至于弄得如此！而且我也不懂，他是怎么跟洋人搞决裂的？照朱福年说，他心太急了些，让洋人看透他的实力，趁机‘拿跷’，不知道有没有这话？”

“这我就不大清楚了。他跟洋人打交道，都是一位姓古的经手，所以这方面的情形，我隔膜得很。”

“你是说古应春？这个人我也知道，极能干的，洋人那里的信用也很好。老胡有他，如虎添翼，所以越发叫人弄不懂了。”

话要入港了，刘不才暗暗高兴，表面上却还是装佯。“怎么弄不懂？”他问。

“应该可以做得极出色的事，为啥弄得这样子狼狈，我就不懂。我想，以老胡和姓古的手腕，加上老胡跟我的实力，我真不相信搞不过洋人！”

“是啊！”刘不才做出被提醒的神气，眨着眼，皱着眉说，“照规矩说，不应该如此。到底啥道理，这趟我回上海倒要问问他。”

“我们一起走。”庞二立即相邀，“我早就要走了。只为家母的整生日，分不开身，还有几位比较客气的朋友，明天都要走了，快的话，我们后天就可以动身。”

案头正好有本皇历，刘不才随手一翻，看到后天那一行，一个大“宜”字下，密密麻麻的小字，不问可知是黄道吉日。看皇历有句俗语，叫作“呆人看长行”，长行的都是宜什么，宜什么，如果是个“破日”，只有短短一行，四个大字：“诸事不宜”。

“后天宜乎出门。”他正好怂恿，“过了后天，就得隔五天才有好日子，我常在外面跑，无所谓，你好久不出门了，该挑个好日子。”

“那，”庞二略一沉吟，毅然作了决定，“准定后天走。”

于是，刘不才陪客，庞二料理出门的杂物。纨绔子弟好面子，送人的礼物就装了半船，除了南浔的土产以外，还有两箱瓷器，是景德镇定烧的，庞老太太“六秩华诞”的寿碗，预备分送那种礼到人不到的亲友。

五月底的天气，又闷又热，出门是一大苦事，但庞二有庞二的办法，在水路上“放夜站”，白天找浓密的柳荫下将船泊下。船是两条，一条装行李，住佣人，一条是他跟刘不才的客船，十分宽敞。听差的以外，随带一位十分伶俐的小丫头服侍，纳凉、品茗、喝酒、闲谈，十分逍遥自在。

谈风月、谈赌经以外，少不得也谈到胡雪岩。庞二虽是纨绔，但出身生意人家，与做官人家那种昏天黑地、骄恣狂妄的“大少爷”毕竟不同，不但在生意买卖上相当精通，而且颇能识好坏、辨是非。加以刘不才处处小心，说到胡雪岩这一次的受窘，总是旁敲侧击，以逗人的怀疑和好奇为主。因此，庞二不能不拿古应春的信，重新找出来，再看一遍。

这一看，使得他大为不安。当时因为家里正在做寿，贺客盈门，忙得不可开交，无暇细思，朱福年来了以后，也只是匆匆的交代一番，说照胡雪岩的意思办就是。这话乍看不错，其实错了，以自己与胡雪岩的交情，如何去赚他这个九五扣一万六千银子？当然是照洋人的原价收买。

“糟了！糟了！”他不胜懊丧地说，“老胡心里一定骂我不够朋友！刘三哥，你要替我解释。”接着，他把他的疏忽，说了给刘不才听。

“庞二哥，你也太过虑了，老胡绝不是那种人！感激你帮忙还来不及，哪里会多心？”

“这叫什么帮忙？要帮忙就该——”庞二突然顿住，心里涌起好些疑问。道理是很明白地摆在那里，要讲“帮忙”，就得跟胡雪岩采取一致的态度，迫使洋人就范。论彼此的交情，应该这么办，况且过去又有约定，更应当这么办。

而目前的情形是，显而易见的各行其是了。到底是胡雪岩自己知难而退，解消了齐心一致对付洋人的约定，还是另有其他缘故？必须弄个清楚。纨绔子弟都是有了疑问，渴望立即求得解答的脾气，所以庞二吩咐船家，彻夜赶路，兼程而进，到了上海，邀刘不才一起在“一品香”客栈住下，随即命他的贴身跟班庞义，去找朱福年来见面。

在路上，刘不才已隐约听庞二谈起他的困惑，心里在想，这一见上面，说不定有一顿声色俱厉的斥责，自己是外人，夹在中间，诸多不便，因而表示要先去看胡雪岩。庞二亦不坚留，只说等下请他约了胡雪岩一起来，大家好好叙一叙。

“这下要‘猪八戒’的好看了！”听刘不才说了经过，古应春兴奋地看着胡雪岩说，“我们照计行事吧！”

朱福年的底细已经摸清楚了，他本来是想“做小货”的，亏得有庞老太太做寿一事，到了南浔，庞二先提胡雪岩的信，他见机改口，说是“正为这件事，要跟二少爷来请示”。这下，就如尤五所预料的，变成为东家赚钱，无可厚非，古应春亦就针对这情形作了布置。有个丝商也是南浔人，生意不大，人却活跃，跟庞二极熟，与古应春也是好朋友，古应春预备通过他的关系，将胡雪岩与朱福年的秘密交涉，透露给庞二。

这个“秘密交涉”已经了结，五千银子已经退了回来。古应春“存心不良”，另外打张收条给他，将同兴钱庄的笔据，捏在手里，作为把柄。但是胡雪岩却不愿意这样做了。

“不必，不必！一则庞二很讲交情，必定有句话给我；二则朱福年也知道厉害了，何必敲他的饭碗？”他说，“我们还是从正路上去走最好。”

所谓“正路”就是将交情拉得格外近，当时决定，借怡情老二的地方，为庞二接风。本来想即时去看他，当面邀约，怕他正跟朱福年谈话，诸多不便，决定先发请帖。

“有个人要请他作陪客。”古应春笑嘻嘻地说，是不怀好意的神气。

“你是说朱福年？”胡雪岩说，“照道理应该。不过，我看他不会来。”

“不管他来不来，发了再说！”

请帖送到一品香，带回来一网篮的东西，有寿碗，有土产，另外还有庞二的一封信，道谢以外，表明准时践约。

时刻定的是“酉正”，也就是傍晚六点钟，庞二却是五点半钟就到了。欢然道故之余，胡雪岩为他引见了尤五和古应春。

庞二对古应春慕名已久，此时见他是个举止漂亮、衣饰时新的外场人物，越有好感。至于对尤五，听说他是漕帮中的顶儿尖儿，先就浮起一层神秘之感，因而看他朴实拙讷，更为好奇。纨绔子弟常喜结交江湖人物，尤五又是忠厚可亲的样子，自然一见如故。觉得这天来赴胡雪岩的邀约，大有所得。

“你那里的那位朱先生呢？”胡雪岩问道，“怎么不跟你一起来？”

一提到朱福年，庞二的笑容尽敛，代之而起的神色，不仅歉仄，还有恼怒。

“老胡，”他略一踌躇，“还是我们私底下谈的好。”他又转脸问怡情老二，“二阿姐，可有清静房间，让我们谈一歇？”

“有的，请过来。”

怡情老二带他们到了尤五平时烧酒的小房间，红木炕床上摆着现成的烟盘，她一面点上那盏“太谷灯”，一面问道：“庞二少，要不要烧一口白相？”

庞二喜欢躺烟盘，但并没有瘾，此时有正事要谈，无心烧烟来玩，便摇摇头，表示不要。怡情老二也知道他们讲的是“私话”，便悄悄退了出去，顺手掩上了房门。

“老胡，”庞二的声音很奇怪，是充满着忧虑，“你看我那个姓朱的，人怎么样？”

胡雪岩略一沉吟答说：“我跟他不熟。”

“人虽不熟，但你跟他有过交往。你的这双眼睛，像电火一样，什么都瞒不过你。我们是好朋友，而且说句老实话，我佩服的人也没有几个，你就应该知无不言、言无不尽。”

这番话说得太恳切了，使胡雪岩在感动以外，更有不安。拿他的话细细玩味了一番，似乎是他对朱福年起了绝大的怀疑。莫非——“姓朱的拆了你的什么烂污？”胡雪岩忍不住问出口来。

“现在还不敢说。”庞二点点头，“我一直当他忠心耿耿，人也能干。现在才知道不是这么回事。”

“怎么呢？”

“事情就是从你身上起的。我在想，既然我答应了你，请你全权去跟洋人打交道，何以会搞成这个样子。所以一到就找了朱福年来问，越问越不对，一时也说不清楚，我只觉得他好像不知道我跟你的交情，跟你不大合作。老胡，”庞二加强语气问，“是不是这样？”

胡雪岩不肯马上回答，有意踌躇了一会才说：“事情已经过去了，不必再谈它。”

“这样说来是有的！可见我的想法不错。接下来我问我自己的生意。”

庞二咽了口唾沫，很吃力地说：“人与人之间，不能起疑心，一起疑心，处处都是毛病……”

“这话也不尽然。”胡雪岩插了句嘴。

“我不是冤枉他，确确实实有毛病。”

“是不是账上有毛病？”

“账还没有看，不过大致问了几笔账，我已经发现有讲不通的地方。譬如说你这面吧，我在南浔就关照他，照人家胡老板的意思办。今天问他，他说货价还没有送过来，这就不对了。”

“这没有什么不对。”胡雪岩要表示风度，便得回护朱福年，“照交易的规矩，应该由我们这面跟他去接头，我们因为货色先要盘一盘，算清楚确数，才能结账，所以耽搁下来了。”

“不然！”庞二大摇其头，“信义通商，你我的交情，他不是不晓得，既然我这样说了，他应该先把货款送过来，账随后再结不要紧。现在他的做法，替我得罪朋友，可以说是得罪同业，我要他做啥？”

听庞二的口气，预备撤换朱福年。这原是胡雪岩的本意，现在他的想法不同了，庞二够朋友，他为庞二设想，不能杂以私意，因此他也大摇其头。

“庞二哥，光是为这件事，你大光其火，是说不通的……”

“当然，还有别的。”庞二抢着说，“譬如，泥城桥有块地皮，也是他来跟我说的，预备买下来造市房出租。这话有两个月了，我总以为他已经成交，今天一问，说是让人家捷足先登了。问买主是哪个，他又说不出来。老胡，你想，既然晓得人家捷足先登，怎么会不晓得人家姓啥？为啥不问一问买主？所以我要去查一查，看看是不是他自己在捣鬼。此外还有好些前言不搭后语的地方，从前我相信他，都忽略了，现在听起来，处处是毛病。这个人绝不能再用。你说是不是？”

胡雪岩对他那方面的情形，不甚明了，不肯轻作断语，未答之前，先问一句：“你那面‘抓总’的是哪个？”

“就是他！我那样子信任他，他对不起我，这个人真是丧尽天良。”庞二愤愤地答说。

其实这是无足为奇的事，豪门巨室的账户，明欺暗骗，东家跌倒、西宾吃饱的情形，比比皆是。看样子朱福年也是心狠手辣的人，照庞二这种态度，说不定他一不做，二不休，反会出大毛病。

因此他庄容警告：“庞二哥，你千万动不得！他现在搞了些啥花样，你还不清楚，你在明里，他在暗里，你的形势就不利。大家不破面子，他还不敢明目张胆出大毛病。一听说你有动他的意思，先下手为强，拆你个大烂污，你怎么收拾？”

这话说得庞二一愣，好半天答不出话来。

“不说别的，一本总账在他手里，交易往来，人欠欠人，只有他最清楚，账里出点毛病，等你弄清楚，已是一两个月以后的事，他早就布置好了。你又能奈其何？”

“老胡，亏得你提醒我！现在没有别的好说了，你我的交情，你不能不帮我这个大忙。”

“当然。只要帮得上，你说，怎么帮法？”

“他的毛病，一定瞒不过你，我不说请他走路的话，只请你接管我的账，替我仔仔细细查一查他的毛病。”

“这件事，我不敢从命。做不到！”

庞二大为沮丧：“我晓得的，你待人宽厚，不肯得罪人。”

“这不是这么说法！庞二哥你的事，为你得罪人，我也认了，不过这样做法要有用才行，徒然得罪人，没有益处，何必去做它？你听我说——”

胡雪岩有三点理由，第一，怕打草惊蛇，反逼得朱福年去舞弊使坏；第二，庞二手下用的人很多，就算要换朱福年，也该从伙计当中去挑选替手，徐图整顿，此刻弄个不相干的人去查账，仿佛看大家都靠不住，是跟朱福年走在一条路上，通同作弊，岂不令人寒心？第三，胡雪岩也实在抽不出那许多工夫替他专办这件事。

“而况，我对你那方面的情形又不清楚，贸贸然下手，一年半载不能完事，在我有没有工夫，且不去说它，就怕一年半载下来，查不出名堂，那时你做东家的，对伙计如何交代？”

“这没有什么！我现在可以断定，朱福年一定有毛病。”

“毛病可以弥补的……”

“对啊！”庞二抢着说道，“只要你一去，他看见厉害的人来了，赶紧想法子把他的毛病弥补起来，你不就帮了我的大忙了吗？”

这话倒也驳他不倒。胡雪岩想了一会，总觉得庞二的做法，不甚妥当，就算将朱福年的毛病查出来了，甚至于照庞二的如意算盘，把“胡雪岩”三个字抬了出去，就能叫朱福年敛迹，弥补弊病，然而以后还用不用他呢？这样想着，便问出口来：“庞二哥，这朱某人的本事到底怎么样？”

“本事是有的。”

“如果他肯改过，实实在在替你办事，你还用不用他？”

“如果是这样，当然可以用。不过——”他摇摇头，觉得说下去就没有味道了。

“我懂你的意思。”胡雪岩停了一下说，“人不对，请他走路，这是普通人的做法，你庞二哥要么不出马，一出马就要叫人晓得厉害，佩服你确是有一套。”

这两句话，最配争强好胜的纨绔脾气，所以庞二精神一振，有了笑容。

“老胡，你这两句话我交关听得进。你倒再说说看，应该怎么做法？”

“要像诸葛亮‘七擒孟获’那样，‘火烧藤甲兵’不足为奇，要烧得他服帖，死心塌地替你出力，才算本事。”

“话是一点都不错，不过，”庞二踌躇着说，“我实在没有这份本事。”说到这里，他突然眼睛一亮，拍着自己的后脑勺，“我真糊涂了！现成的诸葛亮在这里。老胡，”他停了一下，喜逐颜开地又说，“我送你股份，你算是跟我合伙，也是老板的身份，名正言顺来管事，不就可以收服朱福年了吗？”

胡雪岩的打算就是如此，不过自己说不出口。难得庞二和自己的想法相同，光就是这一点，便值得替他出一番力了。

胡雪岩有项过人的长处，能在心血来潮之际，作出重要而正确的决定，思路快不足为奇，能快又能细致深刻，就只有他有此本事。

此刻便是这样。因为庞二先作提议，就是个极好的机会，他抓住了题目的精义，立即便有一篇好文章交卷。“庞二哥，”他正色说道，“生意是生意！分花红彼此礼让，是交朋友的情分、义气，不可一概而论。我是不赞成吃干股这一套花样的，如果你看得起我，愿意让我搭点股份，我交现银出来。”

“好啊！”庞二欣然同意，因为这一来，胡雪岩就更加出力。他问：“你想要多少股子？”

“我的实力比你差得远，只能来个两成。”

“一句话！我们重新盘过，你十万，我四十万，我们五十万银子下手，上海的市面，可以捏在手里了。”

“准定如此，庞二哥，”胡雪岩带点兴奋的神色，“我的钱庄，你也来点股子。索性大家滚在一起，有福同享，有难同当，你看好不好？”

“怎么不好！礼尚往来，再好不过！而且便宜不落外方，你在上海立一爿分号起来，我们自己的款子存在自己的钱庄里，岂不方便？”

胡雪岩的打算就是如此，他还有进一步的打算，此刻却不宜先露，只是连连称“是”。接着又说定庞二的股份，真个礼尚往来，他也是十万，彼此只要立个合伙的合同，划一笔账，都不必另拨现银。

他们谈得津津有味，外面却等得心急了。酒已经回烫过两遍，再烫就要走味，怡情老二推门望到第三遍，看他们还没有住口的样子，忍不住便轻轻咳嗽了一声。

这下才惊醒了庞二，歉然说道：“对不起，对不起，害他们久等了，我们出去吧！”

等坐定下来，第一件事是叫局。怡情老二亲自捧过一只长方红木托盘，里面是笔砚局票，拈笔在手，先问庞二。

“我好久没有到上海来了，市面不灵。”他想了想说，“叫宝琴老三吧？”

“是怡红院的宝琴老三吗？”怡情老二问。

“对了，怡红院。”

“这一节不做了。”怡情老二说，“节前嫁了个道台，做官太太去了。”

于是庞二又想了两个人，非常不巧，不是从良，便是开了码头，他不免怅惘，说一声："随便找好了！"

"你替庞二少做个媒吧。"尤五对怡情老二说了这一句，便又转脸问庞二，"喜欢啥样子的？"

"脾气爽快的好。"

"有了！"怡情老二喜孜孜地说，"我替庞二少保荐一个，包管中意。"这个人叫怡云老七，就在怡情院"铺房间"，她怕庞二以为她有意照应小姐妹，不管好歹，硬塞给他，所以只说名字，不说地方。刘不才会意，也不多问，将一沓局票写好，交给"相帮"发了出去。

隔不多久，莲步姗姗进来一个丽人，鹅蛋脸，高身材，长眉入鬓，神采飞扬，是那种一见便能令人目眩神移的尤物。在座的人都没有见过她，但她却全认得，含笑一一招呼，最后才在庞二身后坐下，未曾开口，先抛媚眼，然后轻声说道："二少，长远不见了！"

"原来你们是老相好！"刘不才起哄，"庞二哥怎不早说？罚酒，罚酒。"

"你看！"庞二对怡云老七说，"你一来就害我罚酒。我们啥地方见过？我怎么想不起来？"

"在怡红院。二少，你自然想不起了，一则贵人多忘事，二则也看我不上眼。"

庞二将牙一龇，故意说道："好酸！"

"庞二哥，你不要假惺惺装不认识。这杯酒非罚不可！"

刘不才将一杯酒端了过来。庞二顺手就端向怡云老七，意思是要她代酒，怡云老七毫无难色，一仰脸干了那杯酒。

"谢谢！"庞二开始有了笑容。

于是怡云老七执壶敬酒，酒量很好，一个个都照了杯，最后是自己喝了半杯酒，剩下的半杯敬庞二，却又温柔地问："嫌不嫌脏？"

杯沿脂痕宛然，美人余泽，脏之何有？庞二笑嘻嘻地干了酒，大家也都相视而笑，笑庞二是如此容易地掉入怡云老七的罗网中。

“你住在哪里？”庞二悄然相问。

“等下告诉你。”

他还想说什么，只听门帘响动，胡雪岩和刘不才叫的局，陆续到了。为求热闹，叫得不少，片刻之间，莺莺燕燕，翩然群集。猜拳的猜拳，唱戏的唱戏，因为庞二是主客，自然都应酬他，左顾右应，忙得不可开交。

叫的局来了又去，川流不息，怡云老七却始终不动，娘姨拿进一沓局票，悄悄塞了过来，她看都不看，就交了回去，只说得一声：“随它去！”

这一下反倒使得庞二过意不去了。“你管你出局去！”他说，“回头我们‘翻台’过来。你住得远不远？”

“是真的要翻台过来？”

“这，我骗你干什么？”

怡云老七笑一笑不响，却依然坐着不动。

“你先回去，预备预备，我们就过去。”

“叫我回哪里去？”怡云老七用手一指，“喏，前厢房就是我的房间。”

“原来你也在这里！”庞二顿觉意外，“为啥早不说？”

“现在说也不晚。”怡云老七越发坐近了，手扳着他的肩，低声说道，“翻来翻去，都在一处地方。尤五少的面子，你就在这里多坐一会。回头到我那里去消夜好不好？”

这便是一种暗示，有身份的“红倌人”，通常是不肯作此露骨的表示的，所以庞二颇为高兴。

他们低眉垂眼，款款深谈的神情，都落入旁人眼中，也猜得到他们已有密约，所以为了予人方便，做主人的竟一反常例，提议早早散席，理由是因为怕庞二在路上辛苦了，需要早早休息。

“多谢关切！”庞二指着怡云老七说，“我答应到她那里消夜。大家一起过去坐一息。”

怡云老七唯恐客人推辞，抢着先拜托怡情老二："二阿姐，你替我讲一声，请各位老爷，赏我个面子。"

直待大家都答应了，怡云老七方始匆匆赶回自己房间去准备。等庞二陪着客人一到，已经准备停当，虽是消夜，但依然丰盛，还特地用了一副"银家伙"，开了一小坛十年陈的"竹叶青"，此外果盘茶烟，无不精美，这又合了庞二的脾胃，脸上飞了金似的，相当得意。

"明天原班人马在这里，我不发帖子了。"

"好的。"刘不才说，"后天该我……"

"不行！刘三哥！你再让我两天，后天、大后天仍旧应该是我的，还是在这里。"

阔客捧场，也要有个规矩，所以刘不才问道："明天算是庞二哥还席，后天、大后天算是啥名堂？"

"我跟老胡的交情，还席可以摆在后头——"

照庞二的说法，明天是他诚意结交新朋友，专请尤五和古应春，后天则是酬谢刘不才，在南浔替他照料宾客，大后天才是还胡雪岩的席。花丛哄饮，能够说得出道理，没有不凑兴的道理，因而大家都答应了，然后又排定次序，接下来是刘、古、尤三人做主人。

庞二的兴致极好，还要叫局，只是大家都说良朋良夜，清谈最好，只把怡情老二找了来，浅斟低酌，又消磨了一个时辰，方始兴尽而散。当然，这一夜的庞二是不会再回一品香了。

第二天午后，刘不才听从胡雪岩的指挥，特地去陪伴庞二。胡雪岩则与古应春和尤五在裕记丝栈谈了一下午，尤、古二人听说了庞二与他昨天所谈的话大为兴奋。能够与庞二合作，无论讲声势、讲实力，都是十分有利的事，尤其是在上海设一爿钱庄，现成有五十万银子这么个大户头作往来，这个局面的开展，是件非同小可的事。

不过障碍也不是没有。"朱福年多年耕耘，视庞二的事业如禁脔，肯拱手让人吗？"古应春怀着浓重的疑惑。

“小爷叔，”尤五也说，“你在庞二面前已夸下口了，要‘七擒孟获’，我倒要问问，怎么个擒法？”

“用不着七擒！”胡雪岩说，“昨天我在床上就想好了办法，要下一着狠棋。五哥，同兴的档手你熟不熟？”

“你是说同兴钱庄？”尤五答道，“档手姓邵，镇江人，我不熟，不过我可以托朋友去说话。”

“话要我自己来说，不能让第三者知道。你能不能托人介绍，大家见一面？”

“这不难。你想要啥时候见面？”

“越快越好。”

“今天晚上就可以。应春，”尤五转脸说道，“你替我写封信给华佩卿。”

古应春也认识华佩卿，他是个书贾，跟北京的琉璃厂有联络，以前在江南旧家收买了善本古书，总是搭松江帮的漕船进京，所以跟尤五颇有交情。古应春跟他相识，就是从尤五的关系上来的。

“今天晚上要应酬庞二。请他约一约，明天中午见面如何？”

“随便你。”

于是古应春用尤五的名义给华佩卿写了信，立即派“出店”送去。信上注明：即晚候玉。而回信在他们到怡情院赴约以前就收到了。

华佩卿很热心，回信中说，接到信他立即照办，找到了同兴的档手邵仲甫，说明经过。邵仲甫也知道有胡雪岩这么一位同业，仰慕已久，乐于相交。不过他明天中午有个“非践不可之约”，所以华佩卿已经跟他约好，第二天上午吃早茶，由华佩卿作东。介绍认识以后，胡雪岩要跟邵仲甫单独相谈，“自行面约可也”。

* * *

名为“吃早茶”，其实是约在一家扬帮馆子里。扬州人早晨这一顿很讲究，先拿肴肉、干丝来吃酒，然后点过桥面，“浇头”也先炒出来下酒。主客一共四个人，胡雪岩是由尤五陪着去的。四碗面两样花色，炒出来两大盘浇头，一盘虾腰，一盘“马鞍桥”。华佩卿不断劝客，十分殷勤。

彼此都是“外场人物”，做生意又讲究和气亲热，不似官场中人矜持，所以胡雪岩跟邵仲甫第一遭相见，就很熟了。尤五看华佩卿健谈而又健啖，这顿早酒，着实要消磨些工夫，便向胡雪岩使个眼色：“你跟邵先生有话，就这里借个地方谈谈，岂不省事？”

“对，对！你们两位尽管请便，我跟尤五哥好久不见，也要叙叙。”

于是一桌化做两桌，胡雪岩跟邵仲甫另外在僻静角落坐定，喝茶密谈。

在这一顿点心的工夫中，胡雪岩对邵仲甫的性情已有了解——不善言词而是心有丘壑的人。这路人物比较讲实际，动以利害则自能分辨，所以他决定开门见山，实话直说。

“仲甫兄，”他问，“宝号跟庞家的‘恒记’有往来？”

“是的。”邵仲甫答道，“我们做往来，不是一年了。”

“那以后还要请你多帮忙。”胡雪岩说，“庞家二少爷已经到了上海，你总见过面了。”

“还没有。约了今天中午见面。”

胡雪岩心里明白，所谓“非践不可之约”，就是跟庞二见面。照此看来，他对庞二的重视，又不言可知，然则自己动以利害的打算，越显得不错，不过，胡雪岩灵机一动，改变了主意。“这样说，我们中午还要见面。”他说，“我有几句话，不妨明后天再谈。”

邵仲甫跟恒记有多年的关系，所以跟恒记有往来的客户，大致也都了解，就没有听说过有胡雪岩在内。然而照他此刻的话来看，他似乎跟庞二很熟，与恒记在生意上有密切的牵连，邵仲甫岂不费解？

既为了生意上的关切，也为了好奇，邵仲甫何能置而不问？“雪岩兄，我们一见如故，有话尽说不妨！”他用套交情的方式来套话，“何必等到明后天？”

在胡雪岩原是盘马弯弓，有意要引起邵仲甫的注意，见他这副神情，便知已经入彀，不妨略为透露，于是很快地答道：“原是一见如故，我才跟仲甫兄谈到深处。庞二哥是我的好朋友，最近进一步谈到彼此合伙。当然，恒记是以他为主，听他跟你老兄是怎么说，我们再细谈。彼此同业，要讲义气，没有不好谈的。”

这几句话闪闪烁烁，越引人关切，邵仲甫拿他的话，一个字一个字地体味了一遍，有些明白了。既然他们合伙，则庞二跟钱庄有银钱往来，自然要问问做钱庄的胡雪岩的意见，最后讲的两句话，就是这个意思。

恒记是同兴的大户，也是一根台柱，如果这根台柱一抽走，后果不堪设想。虽然胡雪岩的话，靠得住靠不住，尚待求证，但宁可信其有，不可信其无，难得他有讲同业义气的善意表示，不正好拉近了交情？

“好极了！庞二少有你搭档，将来做出来的市面不得了，雪岩兄，”他急转直下地说，“我是久仰大才，也久仰阜康的信誉，大树底下好乘凉，想沾你老兄一点光，不晓得肯不肯照应照应我们？”

“好说，好说，请吩咐！只要力量够得上，绝不推辞。”

“我是想，同兴跟阜康做个联号，不晓是高攀得上，高攀不上？”

对这个提议，胡雪岩倒有些意外之感，暗暗佩服邵仲甫的手腕也不坏，做成联号，则恒记跟同兴的往来，也就等于跟阜康往来。他考虑了一下答道：“只怕阜康高攀不上。仲甫兄，我说句实话，现在丝生意是我自己管，钱庄都托了一个刘姓朋友。你老兄晓得的，东家未见得都了解，全盘情形，都在档手肚子里。彼此联手，我完全赞成，不过先要问一问我那个刘朋友。我写信叫他上来，大家一起谈好不好？”

“是的。做事情是应该如此。”

“就这样说了。”胡雪岩假意掏出表来看了一下，“我还有个约会，先走一步，中午再碰头。”

于是胡雪岩站起身来，向华佩卿道了谢，与尤五告辞出门，一起赶到怡情院。庞二刚穿好衣服，预备到一品香去会见约好了的人。

“二哥！”胡雪岩将他拉到一边，悄然问道，“你今天中午是不是约了同兴的邵仲甫见面？”

“是啊！你怎么知道？”

“我跟他刚见了面。”胡雪岩以郑重的神色，低声说道，“恒记跟同兴的往来，都由朱福年经手，我先要拿同兴方面稳住，以防万一。”

“不错，不错！你的心思真细。”庞二说道，“谈得怎么样？”

“没有深谈，因为恒记到底是你的事业，要你作主。我告诉他，要先听你怎么说，我才能跟他进一步谈。”

这两句话中，一方面表示尊重庞二，一方面也是为他自己表白，并无喧宾夺主的意思。同时也在暗示，需将双方的关系，公开向邵仲甫说明。措词相当巧妙，丝毫不着痕迹，庞二深为满意，不知不觉中便由胡雪岩牵着鼻子走了。

“好的。回头我们一起吃饭，我当面跟邵仲甫说。时候不早了，一起走吧。”

到了一品香，已有好些人在等，包括朱福年在内。一见胡雪岩跟庞二在一起，他的脸色一变。庞二不曾发觉，胡雪岩是见如不见，神色不动地跟他寒暄，说前天请他作陪，未见赏光，深为遗憾。朱福年当然也有几句致歉的话，只是神色之间，不免忸怩。

由这一番周旋，便看出朱福年其实不是什么厉害角色，因而越有自信必可将他收服。

“福年！”庞二打发走了一些不相干的访客，招招手说，“你请过来，我有件事告诉你。”

庞二住的是一进五间屋子，将朱福年找到最东面那一间，谈了好半天，才见朱福年出来。他脸上的气色越发难看了，但对胡雪岩却又不能不敷衍。

“胡先生，刚才二少爷跟我说了，说胡先生有大股份加到恒记来。”他极力装出欣幸的神情，“好极，好极！以后要请胡先生多教导。”

“不敢当，不敢当。”胡雪岩很恳切地，但说话已有老板的味道，“老兄在恒记多年，将来着实还要借重。”

听得这一说，朱福年的脸色好看了些，赔着笑敷衍了一会。胡雪岩以话套话，将庞二跟他说的话，都打听了出来，果然说的是“大股份”。显然的，这是为了让他好受恒记的同人看重，有意这么说。庞二真的很够交情。

由邵仲甫作东，吃了一顿丰盛的“番菜”，庞二要陪怡云老七到洋行里去买首饰衣料，匆匆走了，主人留胡雪岩在原处喝“英国红茶”，有话要谈。

在邵仲甫面前，庞二也说胡雪岩在恒记有大股份，因而他的神态也显得跟第一次见面不同，连称呼也改过了，不是称兄道弟，而是叫“胡先生”。

“胡先生！”他说，“我有句话请教，刚刚庞二少爷关照，以后恒记跟同兴往来，归胡先生你经手，那么，朱福年来说的话，算不算数？”

一下子问到要害上，胡雪岩不敢轻率回答，先反问一句：“是什么话？”

“恒记跟同兴的往来，本来都归朱福年一个人接头，上十万银子的出入，或者调拨户头，都听他一句话。以后，我们听不听呢？”

这“调拨户头”四个字，正就是胡雪岩要弄明白的，当然往下追问：“恒记在宝号有几个户头？”

“三个。”邵仲甫答道，“恒记、继嘉堂、福记。”

“继嘉堂”是庞家的堂名，“福记”当然是朱福年，这个都算是私人户头，但恒记与继嘉堂不可分，福记的私人户头如何可以跟恒记混在一起？这其间，不言可知有了弊病。

于是胡雪岩不但不答邵仲甫的询问，而且提出要求：“请同兴先将福记历年进出的数目，抄个单子给我。”

邵仲甫一听吓一跳。这是钱庄的大忌——有钱的人，守着“财不露白”的古训，在钱庄里存款是绝不肯告诉人的，用堂名或用个什么“记”的户名，就是为了隐藏真相，而钱庄里也有义务为客户守机密。如今将福记存款进出的数目，泄漏给第三者，这话一传出去，信用一失，人人自危，都来提存，岂不把同兴挤垮。

“胡先生，你是内行。”他哭丧着脸说，“这件事实在不敢从命。”

他的难处，胡雪岩完全了解，所以早就想好了的，这时便即问道：“仲甫兄，我跟你有没有仇？”

“哪里来的仇？”

“那不就是了！我跟你无冤无仇，何必来害你？福记是纯粹的私人户头，我没有资格查他的账，既然跟恒记混在一起，当然我要弄弄清楚。就是在同兴来说，也有义务拿福记的进出开给我看。”胡雪岩又说，“你放心好了！我不会坏同业的规矩的。这件事，天知地知，你知我知，连庞老二我都不告诉他，你还怕什么？”

邵仲甫想了想问道：“胡先生，你要这张单子做啥用场，是不是跟朱福年去算账？”

“不是！”胡雪岩说，“朱福年也不会晓得有这件事，我是根据你开的单子，盘恒记的账。”

邵仲甫真的为难了，“英国红茶”喝了一杯又一杯，只是答不出来。

胡雪岩也知道这是件极严重的事，不加点压力，邵仲甫绝不肯就范，所以用相当冷峻的声音说道：“庞老二本有意叫我在上海立阜康的分号，我因为你老兄有言在先，没有答应他。现在看来，只有自己有钱庄，账目才能弄得清楚。”说着，便有起身告辞的模样。

阜康一设分号，同兴当然再也做不成恒记的生意，这一着棋是将邵仲甫的军，他不能不着急。

“胡先生，胡先生，有话好商量。你能不能让我明天答你的话？”

“那自然可以。不过有一层，仲甫兄你千万记住，无论你答应也好，不答应也好，这件事只有你我两个人晓得。”

意思是不可泄露其事给朱福年。邵仲甫当然意会得到，连连答说：“我知道，我知道。”

到了第二天一早，同兴钱庄派人送了信来，邵仲甫约胡雪岩，中午仍旧在那家番菜馆见面。准时赴约，点好了菜，等“仆欧”退了出去，做主人的取出一个信封，摆在面前，跟他先有番话要交代。

邵仲甫提出了“约法三章”：第一，这份清单不得泄漏给任何人；第二，不得以此作为对付朱福年的根据；第三，不管胡雪岩是不是在上海设阜康的分号，恒记不能与同兴断绝往来。

第三点其实是请求，只是邵仲甫的措词不甚恰当，有些近乎要挟的意味，胡雪岩颇为不悦。“仲甫兄，”他这样答道，“第一、第二两点，我谨遵台命，第三点，我只能这么说，我一定讲同业的义气。恒记如果是我一个人的事业，老兄吩咐，闲话一句，无奈大老板是庞老二，他又是大少爷脾气，如果恼了他，翻脸不认人，我说的话，他也未见得听。所以这一点，完全要看你自己的做法，我在旁边总替同兴说好话就是。”

这是暗示邵仲甫，如果同兴是这种近乎要挟的做法，庞二首先就会着恼。邵仲甫也是极老到的人，一听他这话，自知失态，很见机地道歉。

“胡先生，我不会说话，请你不要见怪。将来仰仗的地方还多，一切心照。我也不多说了，总而言之，听你的吩咐就是。”

胡雪岩的度量宽，有他这两句话，不满之意，随即消失。等邵仲甫将他面前的信封移了过来，胡雪岩便即抽出里面的单子来看，只见开头写的是“福记名下收付清单”，后面盖着“同兴协记钱庄”的书柬图章。他不暇细看内容，将前后折起，用桌上现成的餐刀，裁下“福记”字样及同兴图章，各约一指宽的两张纸条，交回邵仲甫。

这个小小的动作，使得邵仲甫大为服帖。一则见得胡雪岩的诚意，不会拿这张清单作为对付朱福年的把柄；二则也见得他心细，邵仲甫发觉自己做错了，本来就不必写明“福记”字样，更不必盖上书柬图章，纵然胡雪岩无他，万一遗失了这张清单，落入旁人手中，依然是件极不妥的事。幸好，他的这个错误，为胡雪岩及时纠正了。

“胡先生，”他由衷地表示佩服，“有魄力的人，粗枝大叶；心细的人，手面放不开。只有你胡先生，这两样长处都有，实在是没话可说了。”

“谬奖，谬奖！”胡雪岩亦颇欣慰，因为邵仲甫言出至诚，看起来自己是在事业上结交了一个很有用的朋友。

* * *

朱福年的“把柄”虽已入手，胡雪岩却反丢开了。他做事一向往好的方面走，眼前的唯一大事是与庞二谈判合伙的细节。由于彼此都具诚意，谈判相当顺利，胡雪岩在恒记不居任何名义，但先要为恒记作一番整顿，等到有了头绪，再进行筹设阜康钱庄上海分号。对这方面，庞二表示概不过问，又说，如果胡雪岩资金不足，他可以拉一批长期存款的户头来，变相地为阜康增添资本。

于是，双方找了见证人来写合伙的契约。胡雪岩请的是尤五，庞二找了一个他的父执，专做桐油出口的孙大存。合同签押好了，庞二大张筵宴，请见证人，也请恒记管事的人，包括朱福年在内，即席宣布，赋胡雪岩以盘查银钱货色、考查同人、重新改组的大权。

胡雪岩接着也站起来说了话，表示绝不轻易更动，请大家照常办事，不必三心两意。话不多而扼要，每人都像服了颗定心丸。当然，只有朱福年是例外。

到了第二天，朱福年来请胡雪岩到恒记去“视事”。胡雪岩早就打好了主意，到了恒记在账房中坐定，管事的人一个个来见过，他问了问各人的经历，随即起身辞别。朱福年请他看账，他回说：“不忙。慢慢儿来好了。”

这一半是放朱福年一马，看他是不是自己去弥补他的“花账”，一半也是实话，因为眼前先有件与他切身利害有关的大事要办。

恒记人事上的变动，朱福年已经告诉了怡和洋行的大班吉伯特。这个意外的变化，自然是一大打击，但朱福年还不服气，怂恿吉伯特说，胡雪岩实力不足，只要吉伯特坚持原议，必可迫他杀价脱手。

因此，当古应春跟吉伯特再度会面，说明恒记的丝亦归他经手，要求照最初的议价成交时，吉伯特断然拒绝，依旧以欧洲丝价大跌为托词，只肯照八五折收买。

事情成了僵局，胡雪岩相当为难，如果坚持原价，万一不能成交，不但自己的本钱搁不起，丝也会变质，而且对庞二这方面也难以交代；倘或委曲，则更不能求全，不但为庞二所笑，在商场上辛辛苦苦建立起来的名声，亦会大打折扣。同时还有一层顾虑，也许朱福年已经跟庞二说过，他那里的货色，可以照原定的价钱卖给吉伯特，由自己来经手，反打了个八五折，即或庞二了解其中的苦衷，为了划一步骤，以后易于控制全局，眼前不能不吃点亏，但心里总不会舒服，那就要影响彼此合伙的关系了。

“我在想，吉伯特恐怕也是‘嘴硬骨头酥’，莫非他买不成我们中国的丝，外国那些绸厂就拿织机停下来，不出绸缎？我想总没有这样的道理吧？”

这一说，触发了古应春的灵感。“有了，”他喜孜孜地说，“我有个办法，打听他的虚实！”

“那太好了。”胡雪岩精神一振，“我就是想要晓得他手里的牌，看样子‘三副落地’，到底是不是清一色呢？如果不是，我们死扣着那张牌，不是自己害自己？”

“就是这话。我马上去打听。”

“慢来！”胡雪岩拉住他说，“你怎么样下手，先说来我听听！”

“吉伯特听了朱福年的话，自然以为千稳万妥，买不成我们的货色，至少可以买恒记的，有了货色，当然要定轮船舱位装货。我就从轮船公司方面去打听，看他定了舱位没有？”古应春又说，“货色不在少数，一两条船还装不下，非先预定不可。所以一定打听得出来的。”

“对！这个办法好。”胡雪岩的脑筋极快，当时便说，“除非他真的不想做这票生意，要做这票生意，不但要他照我们的价钱，额外还要他破费。”

古应春笑了。由于心情由沉重转为轻松，所以戏谑地挖苦胡雪岩：“小爷叔，你也真是，得着风就是雨！给不得你三分颜色，就要开大红染坊了。”

“我说个道理你听，你就晓得我不是胡言乱语。”

照他的判断，吉伯特以为自己这方面迟早总会就范，所以轮船的舱位定好了不会退掉，如果能够跟轮船公司接洽，以高价将吉伯特所定的舱位抢过来，则洋人买下了丝运不出去，又会来跟自己这方面情商转让，岂不又可以赚他一笔。

“这是如意算盘。”古应春说，“不过也不妨试试。”说到这里，他触类旁通，仍旧觉得胡雪岩的话极有用，“小爷叔，你说的办法，恐怕行不通，不过我倒想到了，大可借这个说法，逼他一逼。”

“嗯，嗯！”胡雪岩意会了，点点头说，“你请吧！我等你的回音。”

于是古应春去寻一个名叫陈顺生的朋友。此人是他的同乡，在太古轮船公司做买办，专门负责招揽客货承运。太古也是英国人的资本，怡和有货色交运，当然委托太古。

一问果然。“不错，有这回事。”陈顺生答道，“先是定了两班轮船的舱位，到期说货色还不齐，要延到下两班，贴了四百两银子的损失。”

“那么下两班什么时候到？”

“一班十天以后，还有一班要半个月。到埠卸货装货，要十天工夫。”陈顺生问，“你打听它是为什么？”

托人办事，当然要相见以诚，而且是同乡好友，也不必顾虑他会“泄底”，所以古应春将跟吉伯特斗法的经过，源源本本说了一遍，接着便托陈顺生去“逼他一逼”。

“延过一次期，话就更好说了。”古应春低声说道，“我拜托你问一问吉伯特，货色齐了没有？到时候能不能装船？如果不能，要趁早说，好让太古另外去招揽客户。”

“懂了。这个忙我可以帮你。”

“多谢，多谢。今天晚上我请你吃花酒，顺便听你的消息。”

“这么急？”

“拜托，拜托！”古应春长揖恳求，“务必请你就跑一趟。”

情面难却，陈顺生真的丢下了自己的事，去为古应春奔走。到了晚上在怡情院见面，他带来了吉伯特的消息。

“他说等三天看。如果三天当中没有回话再谈。”

“怎么叫‘再谈’？”古应春问，“是谈班期顺延，还是根本就不要舱位了？”

“怎么不要？当然要的！”

古应春听得这个回音，十分满意，足见怡和洋行非买丝不可，而且在三天以内就会来谈判。

这个看法，胡雪岩也认为不错，但主张再逼一逼。

这就是请陈顺生再跟吉伯特去说，有客户求货运舱位甚急，请他在三天以内，必须提出确实答复，否则，吉伯特就得照约履行，即使放弃不用，亦要照全价收费。

“这一逼还不够。”胡雪岩又说，“我们还要想个办法，让吉伯特以为我们不愿意跟他再做生意，他才会着慌。你看，我们是不是能够另外找洋人接头，虚张声势一番？”

“不行！洋人比我们团结，彼此都通声气的，而且哪个洋行做哪项买卖，完全听他们国内指挥，不会突然之间改做别项生意。虚张声势瞒不过吉伯特。”古应春又说，“倒是有个办法，我们放个风声出去，预备立一间号子，专做洋庄，直接写信给外国厂家交涉。看吉伯特怎么说？”

“这也是一个办法。不过，”胡雪岩沉吟了一会说，“俗语说得好：‘前半夜想想自己，后半夜想想人家。’吉伯特就算愿意回头，总也要有个‘落场话’。大家的话都很硬，自己转不来弯，我们要替吉伯特开条路子出来。你说是不是？”

“我也想到过。就怕我们想转圜，他以为我们软弱，越发搭架子，岂非僵上加僵？”

对这个顾虑，胡雪岩无法作判断了，因为洋人做生意的规矩，以及吉伯特的性情，他都不太了解。只是将心比心，自己不肯低头，谅来吉伯特也是如此，如果从中有个穿针引线的人，搭一搭桥，事情便容易办通了。

“小爷叔！”古应春看他犹豫的神色，提醒他说，“洋人做生意，讲利益，也讲道理，只要我们道理站得住，态度坚决，洋人倒是不讲面子的，自会笑嘻嘻来跟你说好话。所以你不要三心二意，让洋人看穿了，事情格外难办。”

胡雪岩最尊重行家的意见，古应春跟洋人的交道打得多，自然听他的。“那好！”他说，“我们就做一番态度坚决的表示给他看，请尤五哥弄两条船，我们拿货色装上去。”

“这，这表示，绝不卖给他了？”

“对了！对外头说，我们的丝改内销了，预备卖给杭州织造衙门。”

“那么，恒记的货色呢？”

“这我会跟庞二说，让庞二关照朱福年，也是雇船运杭州。”

古应春闭着嘴，脸色郑重地考虑好一会，毅然决然地答道：“可以！我们就这么做。不过，庞二对朱福年说的话很要紧。”

“那当然！我知道。”胡雪岩说，“朱福年自然要劝他，不必受我们这方面的牵累，拿丝卖给吉伯特。庞二只要说一句：‘胡某人怎么样，我们怎么样，吉伯特要买丝跟胡某人去接头。’那就成功了。”

照胡雪岩的估计，朱福年当然会将庞二的态度告诉吉伯特，吉伯特一定会回头。如果不理，那么僵局就真的不能化解了。自己这方面固然损失惨重，怡和洋行从此也就不用再想在中国买丝。

想到就做，而且像煞有介事。裕记丝栈开了仓，一包包的丝，用板车送到内河码头上去装船。

另一方面，庞二听了胡雪岩的话，照计行事。他做生意多少有点公子哥儿的脾气，喜欢发发“骠劲”，把朱福年找了来，叫他雇船装丝运杭州，一言不合，就拿朱福年训了一顿。

“二少爷！”朱福年问，“这是为啥？”

“丝不卖给洋人了！可以不可以？”

“那也不用运杭州。运到杭州卖给哪个？”

“卖给织造衙门。”

“二少爷，这不对吧！”他说，“从一闹长毛，京里就有圣旨。各织造衙门的贡品都减少了。怎么会买我们的丝？这点道理，难道二少爷都不懂？”

“我不懂你懂！”庞二的声音粗了，“除非有人吃里扒外，不然洋人怎么会晓得我们的情形？你跟洋人去说，他有洋钱是他的，我不稀罕。他到中国来做生意，三翻四覆，处处想占便宜，当我们中国人好欺负？滚他娘的蛋！”

这种情形，遇到过不止一次，朱福年也知道他不过一时之气，做伙计的遇上有脾气的东家，当不得真，否则不如早早卷铺盖走路。而况，庞二虽有脾气，御下相当宽厚，像恒记这种职位是“金饭碗”，丢掉了不易再找。所以朱福年想一想，宁可挨骂，该说的话还是要说，才显得自己是“忠心耿耿”。

“二少爷，难怪你发脾气，洋人是不大对，不过，他既然是来做生意，当然没有空手而回的道理，我看，丝是一定要买的，就是价钱上有上落——”

“免谈。少一个‘沙壳子’都办不到。就算现在照我的价钱，卖不卖也要看我的高兴。”

“二少爷，生意到底是生意。”他试探着说，“要不要我再跟洋人去谈谈？如果肯依我们的价钱，不如早早脱手，钱也赚了，麻烦也没有。”

“我不管。你跟胡先生去谈，看他怎么说就怎么说。”

听得这一句话，朱福年只觉得酸味直冲脑顶，顿时改了主意。他回到账房里，自己在咕哝：“他娘的，随他去。看他这票货色能摆到啥辰光？”这话是针对胡雪岩而说的，原来是“忠心耿耿”对东家，此时决定牺牲东家的利益，变相打击胡雪岩，真的雇了船，连夜装货，预备直驶杭州。

但是，吉伯特却沉不住气了，一面是陈顺生来催，一面是对方的丝真有改为内销的迹象，不由得便软化了，急于想找个人来转圜。

这些情形胡雪岩不知道，他只听庞二说过，朱福年自告奋勇，愿跟吉伯特去重开谈判，又说已告诉朱福年，一切都听自己作主。既如此，则朱福年不论谈判得如何，都该跟自己来接头。何以不见他的踪影，反倒真的雇船装货？显见得其中起了变化。

“如果朱福年肯去说，倒是最适当的人选。”古应春也说，“不过现在对他弄僵了，我们不便在他面前示弱，只有再请庞二去问他。”

胡雪岩沉吟未答，古应春看的是一面，他要看两面，一面容易找出办法，要兼顾两面，就煞费周章了。

“庞二以东家的身份，问他一声，这件事办得怎么样了，有何不可？”

“自无不可，不过那是不得已的办法，套句你们文绉绉的话，是下策。”

“怎么样才是上策呢？”

胡雪岩有些答非所问地：“像猪八戒这种样子，我们杭州话，叫作‘不入调’。现在好比唱出戏，我跟庞二唱的是‘乙字调’，他唱的是“扒字调’，根本搭配不拢。我们调门高的，唱到半路拉不低，就算拉低了来迁就他，这出戏也好听不到哪里去了。”

古应春把他这个比方，体味了一会，恍然大悟。“我懂了！”他说，“上策是叫朱福年将调门提高，让它入调！”

“一点都不错。”

“想倒想得不错。”古应春看一看胡雪岩的脸色，猜不透他葫芦里卖的什么药，只好老实问道，“计将安出？”

“喏！就靠这个。”

他从身上掏出一张纸来一扬，古应春认出是同兴抄来的那张“福记”收付清单。

“你倒看看，这里面有啥毛病？”

古应春仔细看了一遍，实在找不出毛病。“我看不出。”他摇摇头，“钱庄生意，我是外行。”

“用不着行家，照普通情理，就可以看得出来的。他一个做伙计的人，就算在恒记是头脑，进出数目，充其量万把银子，至矣尽矣。所以，”胡雪岩指着单子说，“这几笔大数目，都有毛病，尤其是这一笔，收五万、付五万，收的哪一个的，付的哪一个的？如果说是恒记的生意，头寸一时兜不转，他有款子，先代垫五万，这倒也说得过去。现在明明是转一个手，我可以断定收的五万是从恒记来的。如果恒记要付偿款，直接支付好了，为啥要在福记的户头里打个转？”

他这样一说，古应春也觉得大有疑问。“那么，”他问，“小爷叔，你就当面拆穿他，让他不能不买你的账？”

“要当面拆穿，我早就动手了，为的是要顾他的面子。我自有道理，明天上午你在这里等我消息。”

* * *

第二天上午，胡雪岩到恒记说要看看账，朱福年自然无话可说，硬着头皮，亲自开锁，从柜子里捧出一大沓总账来。

“总账不必看，我看看流水。你的账不会错的，我随便挑几天看看好了。”接着，胡雪岩便说，“请你拿咸丰三年七月、十月、十一月的流水账给我。”

听这样交代，朱福年大放其心，以为他真的不过随便抽查，便依言将这三个月的流水账找了出来，捧到他的面前。

胡雪岩翻到七月初八那一天细看，果然，有一笔五万两银子的现款，送于同兴。

“福年兄。”他说，“请你拿‘恒记’户头的存折我看看。”

朱福年的一颗心，陡地提了起来：“是不是现在在用的那一个？”

这句话便是个老大的漏洞。按常理而论，应该就是目前在用的那一个，何消问得？问到这话，便表示他是“哑子吃馄饨，肚里有数”，胡雪岩问的不是这一个。

这见得朱福年不是什么老奸巨猾，只因为庞二到底是大少爷，只要对了他的脾气，什么都好说话。意会到此，胡雪岩越发打定了将朱福年收为己用的主意，因而在表面上越发对他尊重，和颜悦色地说：“不晓得找起来方便不方便？我想拿这两年的存折，大略看一遍。”

越是这样，越使朱福年有莫测高深之感，喏喏连声地说：“方便，方便。”

一把存折送了过来，胡雪岩慢条斯理地随意浏览，一面说着闲话，根本不像查账的样子。朱福年却没有他那份闲豫情致，惴惴然坐在账桌对面，表面是准备接受询问，其实一双眼只瞪在存折上。

“朱先生！”小徒弟走来通报，“船老大有事来接头。”

这“船老大”就是承揽装丝运杭州的船家。朱福年不能不去接头。趁这空档，胡雪岩在存折上翻到咸丰三年七月初八那一天，那里有同兴收银五万两的记载。

胆子倒真大！胡雪岩心里在想，莫非硬吞五万银子？这盘账倒要细看了。他是这一行的好手，如今虽不大管账打算盘，但要算起账来，还是眼明手快。账簿与存折一对，再看一看总账，便弄清楚了，朱福年硬吞五万银子还不敢，只是挪用了公款，以后在半个月中，分四次归还了。

然而这已是做伙计的大忌。胡雪岩认为不必再看，将翻开的账簿、存折都收好，静等朱福年来答话。

“船老大来问，货都装齐了，问啥时候开船？”朱福年说，“我告诉他，跟胡先生的货色搭帮走，比较有照应。不晓得胡先生的丝船，啥时候开？”

很显然地，就这样一查账，还未有何结果，就已让他感到威胁，不能不来周旋示好。胡雪岩便将计就计地说：“我们那票货色，是我的朋友古应春在料理。如果福年兄有空，中午我们一起吃饭，当面谈一谈这件事。你看好不好？”

“好，好！”朱福年急忙答应，“我做个小东，请胡先生吃徽馆。”

“哪个做东都一样。请你拿账薄、存折收一收，我们就走吧。”

看样子太平无事了，朱福年顿觉步履轻快，浑身是劲，收拾一切，陪着胡雪岩出了恒记的大门。

“就是后马路，有家徽馆，叫作福源楼，做几样我们家乡菜，着实道地。请胡先生尝尝看。”

“原来你是徽州人，口音倒听不出。”

“我原籍徽州。”朱福年说，“在外多年，口音变过了。”

“既是徽州，对典当自然熟悉？”

“怎么不熟悉？我也劝过二少爷开典当。他说，穷人的钱不忍心赚。怎么也不肯。”

“开典当是为了方便穷人，穷人出点利息，也是心甘情愿的。”

“我也是这样说，二少爷听不进去，也是枉然。”

就这样一路谈着典当，不知不觉地走到了福源楼。坐定下来，胡雪岩先写张条子，交柜上派人送到裕记丝栈去请古应春，然后点了菜，趁这等客等菜的工夫，他跟朱福年谈到了账务。

“福年兄，刚才我看的那笔五万银子的账，恐怕有点错了。”

“喔。”因为胡雪岩语气缓和，所以朱福年也能沉得住气，平静地问道，“我倒还不清楚。日子久了，不大记得起来。”

“账上有送存同兴的一笔账，存折上没有。”

“是说恒记这个折子？”朱福年答道，“恒记在同兴有三个折子。”

“我知道。”胡雪岩接着便问，“福记是你老兄的户头吧？”

这就是所谓作贼心虚了，朱福年脸上的颜色，立刻就不大自然，勉强答说：“是的。”

“我做钱庄也多年了，这种情形，倒还少见。”

“各处地方不一样。”朱福年说，“为了调度方便，二少爷叫我也立一个户头。”

“喔，”胡雪岩抓住他“调度方便”这四个字追问，“是不是说，有时候要向外头调动头寸，恒记不便出面，用你福记的名义？”

这话，朱福年就答不出来了，因为庞二财大势雄，从不向外面调动头寸，如果应声“是”，胡雪岩跟庞二一谈，西洋镜马上拆穿，金饭碗也就要不翼而飞了。

因此，他只能含含糊糊地答说：“不是这意思。”

“那么是什么意思呢？”

胡雪岩若无其事地问，声音中不带丝毫诘质的意味，而朱福年却已急得满头大汗，结结巴巴地不知道说些什么。

“那也不必说它了！”胡雪岩不再侧面相逼，正面指出他的错，“那五万银子，细看前后账，分毫不少……”

“是啊！”朱福年急忙抢着辩白，“账是绝不会错的。”

“错不错，要看怎么个看法，什么人来看。”胡雪岩答得极快，“我看是不错，因为以前的账目，跟我到底没有啥关系，叫你们二少爷来看，就错了。你说是不是呢？”

最后这一问，使得朱福年又大受其窘，只得先虚晃一枪：“我倒还不明白胡先生你的话。”

“再明白都没有，五万银子说存恒记，结果存入福记，福记再分四次归还。前后数目不错，起码拆息上，恒记吃亏了。不过，这在我看，是小事，你倒拿我前后的话，仔细想一想！”

他以前说过什么话？朱福年茫然不辨，定定心细想，才意会到他有句话，大有深意。这句话就是：“我看是不错，因为以前的账目，跟我到底没有啥关系！”

这就是暗示，以前的账目他不会顶真，但以后他是恒记的股东，账目便不能说无关，当然也就要认真了。

意会到此，朱福年才知道自己不是“猪八戒”，倒是“孙悟空”，跳不出胡雪岩这尊“如来佛”的手掌心，乖乖儿认输，表示服帖，是上上大吉。

“胡先生，我在恒记年数久了，手续上难免有疏忽的地方，一切要请胡先生包涵指教。将来怎么个做法，请胡先生吩咐，我无不遵办。”

这是递了“降表”。到此地步，胡雪岩无须用旁敲侧击的办法，更用不着假客气，直接提出他的意见：“福年兄，受人之托，忠人之事，你们二少爷既然请我来看看账，我当然对他要有个交代。你是抓总的，我只要跟你谈就是了，下面各人的账目，你自己去查，用不着我插手。”

“是。”朱福年说，“我从明天就清查各处的账目，日夜赶办，有半个月的工夫，一定可以盘清楚。”

“好的。你经手的总账，我暂时也不看，等半个月以后再说。”

“是！”

“这半个月之中，你也不妨自己检点一下，如果还有疏忽的地方，想法子自己弥补。我将来也不过看几笔账，”接着，胡雪岩清清楚楚地说了几个日子，这是从同兴送来的福记收支清单中挑出来的，都是有疑问的日子。

朱福年暗暗心惊，自己的毛病自己知道，却不明白胡雪岩何以了如指掌，莫非他在恒记中已经埋伏了眼线？照此看来，此人高深莫测，真要步步小心才是。

他的疑惧都流露在脸上，胡雪岩便索性开诚布公地说：“福年兄，你我相交的日子还浅，恐怕你还不大晓得我的为人。我一向的宗旨是：有饭大家吃，不但吃得饱，还要吃得好。所以，我绝不肯敲碎人家的饭碗。不过做生意跟打仗一样，总要同心协力，人人肯拼命，才会成功。过去的都不必说了，以后看你自己，你只要肯尽心尽力，不管心血花在明处还是暗处，说句我自负的话，我一定看得到，也一定不会抹煞你的功劳，在你们二少爷面前会帮你说话。或者，你倒看得起我，将来愿意跟我一道来打天下，只要你们二少爷肯放你，我欢迎之至。”

“胡先生，胡先生！”朱福年激动不已，“你说到这样的金玉良言，我朱某人再不肯尽心尽力，就不是人了。胡先生，我敬一杯，表表我的心。”

说罢，满斟一杯，仰脸饮尽。胡雪岩当然高兴，陪了一满杯，然后笑道：“福年兄，从此我们是一家人了，有啥说啥，不要见外。”

“是的。”朱福年想一想说，“胡先生，以后恒记的跟同兴的往来，只用两个户头，公款用恒记，二少爷私人收支用继嘉堂。我在同兴的户头，决定结了它。”

“结了它也不必。”胡雪岩说，“不必让外头人猜测，以为我们内部生了啥意见。”

这更见得胡雪岩的体恤，顾到自己的面子，朱福年当然乐受这番好意。“是！”他很恭敬地回答，“我懂胡先生的意思，找机会，我要告诉下面的‘朋友们’，恒记是一家，总要让外头人看得我们上下一心，不敢来动我们的歪脑筋才好。”

“就是这话！‘打落牙齿往肚里咽’，方算好汉。”

说到这里，只见古应春步履安详地踏了进来，朱福年起身让坐，极其殷勤。在古应春的心目中，此人自视甚高，加以东家“弹硬”，所以平日总在无意间流露出“架子大”的味道，此刻一反常态，不用说，是对胡雪岩服帖了，才有这番连带尊敬的表示。

意会到此，古应春的神情越发从容，说着闲话，不提正事。倒是朱福年忍不住了：“胡先生，应春兄来了，我们拿丝上的事说个定规。”他略停了一下又说，“照我看，‘只拉弓，不放箭’也就够了。”

胡、古二人，目视而笑。然后是胡雪岩回答他的话，反问一句：“我们在‘拉弓’，吉伯特晓不晓得？”

“我想他是晓得的。我们真的‘放箭’他也会着急。”

“当然啰！”古应春接口，极有信心地说，“他万里迢迢跑了来为啥？不是为了生意？生意做不成，他的盘缠开销哪里来？”

“话虽如此，事情有点弄僵！”胡雪岩问古应春，“你肯不肯向他去低头？”

“我不去了！洋人是‘蜡烛脾气’，越迁就他，他越摆架子。”

“为来为去，只为了我是当事人。如果这票货色不是我的，替双方拉场，话就好说了。而且双方也都一定感激此人。”

“这个人很难。”古应春会意，故意不去看朱福年，尽自摇头，“不容易找！”

他们这样一拉一唱，暗中拉住了朱福年，他终于忍不住：“胡先生！你看，我跟吉伯特去谈一谈，是不是有用？”

“噢！”胡雪岩一拍前额，做出茅塞顿开的姿态，“有你老兄出面，再好都没有了。有用，有用，一定有用。”

受了鼓励的朱福年，越发兴致勃勃，自告奋勇：“吃完饭，我就去看他。我要吓他一吓，他不照原议买我们的这票货色，劝他趁早回国，他在这里永远买不到我们的丝！”

“对。就这么说。这倒也不完全是吓他，反正这票生意做不到，我们就斗气不斗财了！”

朱福年倒真是赤胆忠心，即时就要去办事。胡雪岩当然要留住他，劝他从容些，把话想停当了再说。接着便设想吉伯特可能会有反响，他这么说便那么回答，那么说便这么回答，一一商量妥帖，还要先约个时间，从容不迫地谈，才能收效。

正事谈毕，酒兴未已，胡雪岩一直对典当有兴趣，此时正好讨教。“福年兄，”他先问，“你是不是典当出身？”

“不是。不过我懂，我故世的三叔是朝奉，我在他那里住过一年。”接下来，朱福年便谈了典当中的许多行规和弊端，娓娓道来，最后似感叹，又似遗憾地说，“当初未曾入典当，自己都不知道是得计，还是失策。因为

‘吃典当饭’与众不同，是三百六十行生意中，最舒服的一行，住得好、吃得好，入息优厚，工作轻松。因此吃过这碗饭，别的饭就难吃了！”

“照你这样说，如果开爿典当，要寻好手还不容易。”胡雪岩问，“典业中的好手，宾主相得，一动不如一静，轻易不肯他就。是这样吗？”

“大致是这样子。不过人才是不断在冒出来的，本典没有位置，另求发展，也是有的。”

“那么，我倒要请你留意，有这样的人，我想见见。”

这表示胡雪岩也有创办典当的打算，朱福年欣然应诺，而且跃跃欲试地，颇有以半内行作内行，下手一试，以补少年未曾入此业之憾的意思。

朱福年是在第二天跟吉伯特见面的，那也正是陈顺生来探问运货舱位消息，以及由东印度公司转来伦敦总公司发出“何以今年的丝至今未曾起运”的质问的时候。所以，吉伯特一见他的面，便先追问恒记和裕记两处的货色可曾运离上海？

“明天就要开船了。”朱福年用英语答说，“吉伯特先生，我觉得我对你有种道义上的责任，必须为你争取最后一个机会。最近商场上有一个大消息，不知道你听说了没有？”

“我不知道你指的是什么？”

“恒记的东主，也就是我的雇主庞先生，跟胡雪岩在事业上达成了合作的协议。胡雪岩的实力并不充足，但他是商场上一个非常特殊的人物，主要的是他在各方面都有极好的关系，而且他的手腕十分灵活。这两项就是他最大的资本，他所缺少的是现金，而这个缺点，由于跟庞先生的合作而充分弥补了。因此，我可以这样说：胡雪岩是无敌的，没有任何人能够在商场上击败他，包括你吉伯特先生在内。”

“我不需要击败他，我只为我的公司的利益打算。最初是我采纳了你的建议，否则，也不至于有今天的僵局。”

“吉伯特先生！”朱福年放下脸来问，“你是不是要讨论这件事的责任？”

“不！”吉伯特摇摇头，“那是没有用的。我又不能向你要求赔偿，哪里来的责任可言？你觉得对我有种道义上的责任，足见得你对我还存着友谊，我希望我们仍旧是朋友。”

听他这一番话，朱福年报之以诚恳的神色。“就因为如此，我要尽我的友谊。”他停了一下，用平静但很坚定的声音说，“吉伯特先生，你并没有失败，一切都可以照你原来的计划实现。但你如果错过此刻这个最后的机会，那么，你的失败不止于这一次，是明年及以后的日子。用最简单的话说，你将不能在上海买到你所需要的丝。”

“照你看，丝价是不是能够减少若干？”吉伯特说，“如果你办得到，我们当然会付你应得的佣金。”

“不！”朱福年斩钉截铁地说，“绝无可能！你应该知道，胡雪岩做生意的精明，是无人可及的，现在他不向你提出延期损失的赔偿，已经是很宽大了。”

“好！”吉伯特终于低头了，“我一切照办，只希望赶快订约。”

* * *

订了约，收银交货，胡雪岩如释重负。但经过一整夜的计算，却又爽然若失，自己都不知道为谁辛苦为谁忙。

赚是赚了十八万银子，然而，不过说来好听，甚至于连账面上的“虚好看”都没有。因为合伙的关系太多，开支也太大，跟尤五、古应春分了红利以外，还要跟郁四再分，付了各处的利息，还要为王有龄弥补海运局的亏空，加上裘丰言和嵇鹤龄那里都要点缀。这一下已经所余无几，却还有开销杭州、湖州、同里三个“门口”所拉下来的“宕账”，细算一算，除了阜康钱庄的本钱，依旧是一整笔债务以外，还有万把银子的亏空。

万把银子在他当然不必发愁，要愁的是这样子费心费力，到头来还闹了一笔亏空，则所谓“创业”也者，岂非缘木求鱼？

照道理不应该如此！落到这样的地步，总有个道理在内，当然是自己的做法有了毛病。这个毛病不找出来，令人寝食难安。

为此，他虽然一整夜未睡，脑子里昏昏沉沉的，但精神有种异样的亢奋，怎么样也不想上床。

到了快中午时，古应春和刘不才相偕来访。一见了面，古应春失声说道："小爷叔，你的气色好难看！是不是病了？"

刘不才开过药店，对于伤风发烧之类的毛病，也能诊察，当时伸手一探他的额头，又叫他伸舌头出来看了舌苔，很准确地作了判断："睡得太少，用心过度，是虚火上升。好好吃一顿，舒舒服服睡一觉，精神马上就好了。"

"一点不错。"胡雪岩有意将他遣开，"请你替我去约一约庞二，晚上在哪里叙一叙。回头四五点钟，你到浴德池来找我。"

等刘不才一走，胡雪岩将预先一张张计算好的单子，取了出来，捡出古应春的一张交了给他。照胡雪岩的算法，古应春应该分一万五千多银子的盈余。

"小爷叔！"古应春略看了一看，将单子推了回去，"第一，你分得我多了；第二，现在不要分，我们仍旧在一起做，商量商量以后怎么个做法，才是正经。"

胡雪岩脱口答道："我正就是不晓得以后怎么个做法。"接着便皱起了眉不断摇头。

这态度很奇怪，古应春大为惊疑。"小爷叔！"他很吃力地说，"你好像有啥难言之隐似的。大家自己人，你尽吩咐，有啥'摆不平'，我的一份不必计算在内。"

"应春兄！"胡雪岩相当感动，率直答道，"我一无所得，就是朋友的情分义气，千金不换。"

"岂止于千金不换？小爷叔，你不要说一无所得，在我看，所得正多。不说别的，只说朱福年好了，庞二虽有些大少爷的脾气，有时讲话不给人留情面，到底御下宽厚，非别的东家好比，可是朱福年还是有二心，只有遇到小爷叔你，化敌为友，他才服服帖帖。这就是你的大本事，也就是你的大本钱。”

因为这话说得中肯，不是一般泛泛的恭维可比，所以胡雪岩听了这几句话，深受鼓舞。“老古，”他便索性问道，“你直言谈相，看我做生意有啥毛病要改？”

“毛病是谈不到。不过，小爷叔，中国人有句话，叫作‘业精于勤，荒于嬉’，这个‘勤’字照我讲，应该当作敬业的敬，反过来‘嬉’字不作懒惰解释，要当作浮而不实的不敬来讲。敬则专，专心一志，自然精益求精。小爷叔，如果说你有失策之处，我直言谈相，就是不专心。”古应春又说，“人的精力到底有限，你经手的事情到底太多了，眼前来看，好像面面俱到，未出纰漏，其实是不是漏了许多好机会，谁也不得而知。”

他一路说，胡雪岩一路点头，等他说完，随即答道：“有好几位都这样劝过我，不过没有你说得透彻。我刚才在想，忙了半天，两手空空，总有个毛病在那里，你说我不专心，这就是我的毛病。不过，也不能说两手空空——”

他没有再说下去，说下去怕古应春多心。他本人两手空空，还亏下了账，但相交合作的朋友，都有好处。这盘账要扯过来算，还是有成就的。

他这样转念，更觉精神一振。“走，走，”胡雪岩站起身来说，“照刘三爷的话，好好吃它一顿，睡它一觉。有没有什么好番菜？吃完了到浴德池去泡它一下午。”

“好番菜是有，只怕你吃不来。”

“怎么吃不来？”

“夏天讲究吃‘色白大菜’，生冷清淡，半生不熟，吃不惯的会倒胃口。”

“那就算了。还是……”

“还是到我这里去吃饭吧！七姐现在返璞归真了，到处跟人学做菜，今天在做粉蒸鸡，还有你们西湖上的莼菜——”

“你不要再说了。”胡雪岩咽了口唾沫答道，“再说下去，我真要流口水了。”

于是一起到古应春那里。七姑奶奶果然卷起衣袖，在厨房里大忙特忙，汗水蒸润，她那张银盆似的脸，和两条藕也似的手臂，格外显得红白分明。她看见胡雪岩在厨房门口探头一望，赶紧喊道：“厨房里像火焰山一样，小爷叔，快不要进来！”

“我饿了！”胡雪岩老实答说，“有啥吃的，先弄点来喂喂我。”

“我先下碗米粉干，让你点点饥。回头慢慢吃酒。”

等一碗鸡汤火腿笋干米粉下肚，接着便摆桌子喝酒，恰好尤五也到了，胡雪岩越发有兴致。

席间二人当然要问胡雪岩今后的打算，胡雪岩却反问尤五和古应春：要怎么样打算，才能于大家有益？

“这话就很难说了。”尤五答说，“照我的心思，最好你别人的闲事都不管。”

“五哥也是！”七姑奶奶性子直，马上就补了一句他未曾说出来的话，“别人的闲事不要管，只管你的事。是不是？”

大家都笑了。“这当然是一厢情愿。不过，”尤五正色说道，“我们漕帮方面，生路越来越狭，小爷叔，你答应过的，总要替我们想个办法。”

“当然，当然。我一定当我自己的事来办。”胡雪岩又问古应春，“你看呢，我以后该怎么做法？”

“我刚才就说过了。”

胡雪岩点点头，重新回想他上午所作的那番劝告。

那些话，尤五和七姑奶奶并不知道，尤其是七姑奶奶性子急，便追问着。胡雪岩将古应春劝他专心的话，说了给她听，并且盛赞古应春看得深，识得透。

“谢谢一家门！”七姑奶奶撇着嘴说，“小爷叔，他是狗头军师，你不要听他的话。”

古应春不服气，但也不敢跟她争辩，只说：“小爷叔，‘妇人之言，慎不可听’。”

“啥叫‘妇人之言’？”七姑奶奶的反应快得很，“场面总是越大越好。照你的说法，有皇帝做也不要做了，因为管的事太多太杂？”

一句话驳得古应春哑口无言，摇摇头轻轻说了句：“歪理十八条。”

胡雪岩看他那无奈七姑奶奶之何的尴尬神态，未免好笑，但一向不以他那个“宝贝妹子”为然的尤五，却帮着她说话：“阿七说的倒也不是歪理。事情不怕多，要有人管，皇帝好做，难的是用不着一个好宰相。小爷叔，我想，老古的话也不错，阿七的比喻也有道理，你是聪明人，不妨拿他们两个人的话好好想一想，作一番打算。”

“是的！”胡雪岩深深点头。

于是他一面吃喝闲谈，一面在心中盘算，等酒醉饭饱，他的盘算也大致停当了。

“五哥，老古！”他说，“我们先把账分了……”

“不必分！”尤五抢着说，他的意思跟古应春一样，主张就原来的资本和盈余，听候胡雪岩全权运用，能够“利上滚利”。

“我懂你们的意思。”胡雪岩说，“我要重起炉灶，做几样事业，大家分开来管，我只抓个总。就好比做皇帝一样，要宰相大臣分开来办事，用不着我亲自下手。”

“嗯，嗯！”在座的三个人，不约而同地颔首表示同意。

“第一样是钱庄，这方面是我的根本，我也内行，恐怕还是要亲自下手。第二样是丝，在湖州，我交给陈世龙，在上海，我交给老古。”

“好的！”古应春说，“我当仁不让，无须客气。将来茶叶、桐油也好做洋庄，慢慢儿再说。”

“将来销洋庄都归你一手担当。茶叶、桐油我也想过，只要你认为可以做，我无不赞成。不过眼前新丝就要上市了，所以要请你赶紧筹划，专心一致，百事不管。不过——”胡雪岩看一看七姑奶奶，笑笑不再说下去。

这大有皮里阳秋的意味，七姑奶奶免不了要问：“小爷叔，不过什么？”

“不过，”胡雪岩笑道，“百事不管，你们的终身大事是非管不可的。我也是这样子，别样闲事不能再管，你的这桩大事，非效劳到底不可。当着五哥在这里，我做大媒的说一句，你们挑日子、办喜事，乾坤两宅，自己商量，不必我来传话。古家老族长那里的归我疏通，一定不会办不通，你们放心好了。”

“是的。”尤五点点头说，“这件事，我就这几天要好好谈一谈。现在且不去说它，小爷叔你再讲你的打算。”

“我还打算办两样事业，一样是典当，一样是药店。药店请刘三爷来做，典当，我想跟庞二谈一谈，请朱福年帮我的忙。”

对他的这番打算，尤五和古应春默然不置可否，这意思就是不以为然。在古应春觉得，胡雪岩不宜做此自己不懂的事业，而刘不才的本性，也不宜于苦干创业，朱福年则相交未几，虽说“南蛮不复反矣”，但他究竟有几许本事，尚未明了，何以轻付以重任？

尤五也略有这样的想法，此外他还有疑虑，率直问道：“小爷叔，一样钱庄，一样丝，都是大本钱，你哪里还有余力开当铺、开药店？”

“五哥说到要害上来了。”胡雪岩很起劲地，“自然我都有打算。”

胡雪岩的打算，是凭他的信誉、本领，因人成事。阜康设分号，是庞二有过承诺，愿意支持的，做丝生意，仍旧是大家集股。开典当的本钱，他看中了苏州潘叔雅那班富家公子，开药店则预备在江浙官场上动脑筋。

“我再说，为啥要开典当、开药店？这两样事业，一时都无利可图，完全是为了公益。我开典当是为方便穷人。“胡雪岩”三个字，晓得的人，也不算少了，但只有做官的和做生意的晓得。我以后要让老百姓都晓得，提起胡雪岩，说一声：‘这个人不错！’事业就会越做越大。为此，我要开药店，这是扬名的最好办法。再说，乱世多病痛，大乱之后，必有瘟疫，将来药店的生意，利人利己，是一等一的好事业。”

听得这一说，七姑奶奶首先就钦佩不止。“你听听，”她带点教训意味地对古应春说，“小爷叔的眼光，才真叫眼光！看到大乱以后了。你要学学小爷叔。”

“本来就跟小爷叔在学。”古应春转脸问道，“小爷叔，你说开药店的本钱，出在公家，是怎么个办法？”

“这要靠关系了。军营里自然要用药，我要跟刘三爷商量，弄两张好方子，真材实料修合起来。譬如刀伤药、诸葛行军散、辟瘟丹之类，要一服见效，与众不同。这样子就好禀请各路粮台，先定我们多少，领下价款来做本钱。”

“真是！”七姑奶奶听得眉飞色舞，“我看世界上，没有小爷叔没有办法的事！”

“七姐，”胡雪岩有些惶恐，“这话捧得我太过分了。一个人的力量到底有限，就算三头六臂，又办得了多少事？要成大事，全靠和衷共济，说起来我一无所有，有的只是朋友。要拿朋友的事当自己的事，朋友才会拿你的事当自己的事。没有朋友，就是有天大的本事，也还是没有办法。”

“小爷叔这话一针见血，”尤五紧接着他的话说，“我们那一伙弟兄，都当小爷叔好朋友，现在等着你老发号施令呢！”

“你别忙！我答应替你们筹出一条生路来，一定要做到。说句老实话，我眼前第一件大事，就是替你们去开路，大致的办法，我已经有了——”

这是胡雪岩另一项与民生国计有关的大事业，他准备利用漕帮的人力、水路上的势力跟现成的船只，承揽公私货运，同时以松江漕帮的通裕米行为基础，大规模贩卖粮食。

“乱世米珠薪桂，原因有好多，要一样样去考究。兵荒马乱，田地荒了，出产少了，当然是一个原因，再有一个原因是交通不便，眼看有米的地方因运不出，卖不掉，多么可惜！这还不算，最可惜的是糟蹋掉了。有些人家积存了好多粮食，长毛一来，烧得光光，或者秋收到了，长毛来了，有稻无人割，白白作践。能够想办法不糟蹋，你们想，于公于私多么好！”

“有道理！”尤五矍然而起，“前面两个原因，我懂，后面说的这一层道理，我还是第一次听到。倒要请教小爷叔，怎么样才能不糟蹋？”

“这就要看局势了。眼要明，手要快，看啥地方快靠不住了，我们多调船过去，拿存粮抢运出去。能割的稻子，也要抢着割下来。”胡雪岩又说，“这当然要官府帮忙，或者派兵保护，或者关卡上格外通融。只要说好了，五哥，你们将来人和、地利都具备，是独门生意。”

尤五和古应春都不作声，两个人将胡雪岩的话，细细体味了一会，才大致懂得了他的做法。这确是一项别人所抢不去的好生意，但是做起来不容易。

“官场的情形，小爷叔你晓得的，未见得肯帮我们的忙。”

“一定肯！只看怎样说法。其中还有个道理：打仗两件事，一是兵，二是粮，叫作足食足兵。粮食就这么多，双方又是在一块地方，我们多出一份粮食，长毛就少一份粮食，一进一出，关系不轻。所以，我去一说这层道理，上头一定会赞成。”

“对！”尤五问道，“小爷叔你预备跟哪个去说？王大老爷？”

“是的。我先跟他去说。事不宜迟，明天我就走！我还有好多法子可以治长毛，譬如加紧缉私，断绝他们的日用百物的供应之类。”胡雪岩站起身来，很起劲地挥着手，“做小生意迁就局势，做大生意先帮公家拿局势扭过来。大局好转，我们的生意就自然有办法。你们等着，看我到了杭州，重起炉灶，另有一番轰轰烈烈的事业。”

（未完待续）

《红顶商人胡雪岩 4》精彩看点：

太平军兵围杭州，时任浙江巡抚的王有龄守土有责，誓死抵御。胡雪岩奉王有龄之托，从城内潜出，赴上海采办粮食救济杭州饥民。胡雪岩粮船抵达杭州城外，城内军民无力突围接应，王有龄自缢殉国，胡雪岩洒泪诀别。挚友和靠山已失，胡雪岩元气大伤，但机缘巧合，竟在此时结识了新任闽浙总督左宗棠。胡雪岩赢得左宗棠的信任，为其筹措粮饷，采购军火，操办洋务，举借外债，开办船厂。胡雪岩帮左宗棠成就勋业，左宗棠帮胡雪岩大发其财。

投靠了一代名臣左宗棠，使得身为商人的胡雪岩一步一步地走入官场上层，此时一个巨大的政治漩涡正在酝酿生成，而胡雪岩正雄心万丈，对此全无防备。一代红顶商人命运到底如何？

敬请阅读《红顶商人胡雪岩 4》。